afgeschreven

Bibliotheek Kinkerbuurt
Gebouw de Vierhoek
Nic. Beetsstraat 86
1053 RP Amsterdam
Tel.: 020 - 616.32.75

De Schaakman

Abonneer u nu op de Karakter Nieuwsbrief.
Ga naar www.karakteruitgevers.nl;
www.facebook.com/karakteruitgevers;
www.twitter.com/UitKarakter en:
* ontvang regelmatig informatie over de nieuwste titels;
* blijf op de hoogte van speciale aanbiedingen en kortingsacties;
* én maak kans op fantastische prijzen!
www.karakteruitgevers.nl biedt informatie over al onze boeken,
Nova Zembla-luisterboeken en softwareproducten.

Jeffrey B. Burton

De Schaakman

Karakter Uitgevers B.V.

Oorspronkelijke titel: *The Chessman*
© 2011 by Jeffrey B. Burton
Vertaling: Michiel van Sleen
© 2013 Karakter Uitgevers B.V., Uithoorn
Opmaak binnenwerk: The DocWorkers, Almere
Omslagontwerp en artwork: Dorothy Carico Smith
Omslag Nederlandse editie: Select Interface

ISBN 978 90 452 0348 5
NUR 332

Niets uit deze uitgave mag worden openbaar gemaakt en/of verveelvoudigd door middel van druk, fotokopie, microfilm of op welke andere wijze dan ook zonder voorafgaande schriftelijke toestemming van de uitgever.

'Van alle geesten zijn die van onze vroegere geliefden het ergst.'

– Sir Arthur Conan Doyle

Proloog

De *special agent* klapte zijn identiteitsbewijs open voor de twee agenten die rondhingen voor de ingang van de recente plaats delict in Washington, D.C. Te oordelen naar de twee persbusjes die verderop in de straat op afstand werden gehouden, zou het voorpaginanieuws worden in de krant van morgenochtend.

Of eigenlijk, verbeterde de agent zichzelf terwijl hij bij de ingang van de chique woning het beveiligingssysteem controleerde, zou het voorpaginanieuws in de krant van deze ochtend worden, en het zou in nieuwsprogramma's op alle zenders verschijnen, een hoofdartikel dat deze oude stad tot in haar grondvesten zou schokken. De agent trok elastische overschoenen over zijn zwarte Florsheims aan en liep in de richting van de trap. De koffie die zijn slokdarm had verbrand toen hij zich zo snel mogelijk naar de plaats delict haastte, had zijn slaperigheid nauwelijks verdreven. Hij begon te oud te worden voor dit soort middernachtelijke oproepen; hij had zich graag op een van de treden van de marmeren wenteltrap opgerold om nog vijf uur slaap in te halen. Alleen zou dat natuurlijk niet zo'n beste indruk maken bij zijn ophanden zijnde beoordelingsgesprek.

Het Brink's beveiligingssysteem was heel gedegen en als het slachtoffer het niet zelf had uitgezet, betekende dat: o shit! Oftewel: o shit, de onbekende verdachte – de OV – was geen domme jongen. Uit twee telefoontjes op weg ernaartoe maakte hij op dat het dienstmeisje op bezoek was bij een zieke zus in Seattle. De chauffeur, die veilig onder de wol lag in zijn huis in Alexandria, had zijn werkgever voor diens woning in Georgetown afgezet na een verlaat diner met wat hooggeplaatste senatoren, met de strikte order hem de volgende ochtend om stipt tien uur op te komen halen.

De agent had de trap bestegen en hij liep door een lange gang naar een open kamer, waaruit de gedempte stemmen klonken van het onderzoeksteam. Hij keek op zijn horloge. Drie uur 's nachts. Vermoedelijk scenario: het slachtoffer komt thuis, tikt zijn beveiligingscode in, gaat naar boven, hangt zijn stropdas en jasje op in de inloopkast op zijn slaapkamer, schopt zijn loafers uit, stapt de riante badkamer in om vlug zijn tandjes te poetsen en wanneer hij de ruime slaapkamer binnenloopt, treft hij de schutter aan op zijn bed. Geen teken van strijd, misschien kende hij de OV, misschien liet hij hem – of haar, het was tenslotte Washington, D.C. – binnen in zijn huis zodra de chauffeur ervandoor was. Hoe dan ook, er was geen teken van een worsteling. De man die onlangs door de president was benoemd en binnenkort voorzitter van de Amerikaanse beurswaakhond zou worden, krijgt een kogel in zijn knar.

Maar dat was maar één van de twee redenen waarom de agent zijn nachtrust had moeten opgeven en van ver had moeten komen opdraven. De andere reden was iets wat hij met eigen ogen moest zien, voordat ze het lichaam van het beurscommissielid voor een formele autopsie zouden meenemen.

De agent zag rechercheur Howell en stevende op hem af. Hij had Howell het afgelopen jaar al een paar keer ontmoet.

Howell zag hem naderen en knikte. 'De schutter heeft voor hij de kamer verliet blijkbaar het alarmnummer gedraaid met het toestel naast het bed.'

De agent keek toe terwijl een andere rechercheur de telefoon op vingerafdrukken onderzocht. 'Toch netjes van hem.'

'Ik heb het bandje beluisterd. Er viel niets op te horen dus het hoofdkwartier heeft er een patrouilleauto en een ambulance op afgestuurd.' Rechercheur Howell keek naar de FBI-agent. 'Kun jij hier wat mee?'

De agent haalde zijn schouders op. 'Heb jij gebeld?'

'Ja.'

'Waarom?'

'Vraag maar aan hen,' zei Howell terwijl hij met zijn duim over zijn schouder wees. De agent liep naar het lijk en knielde neer. Twee lijkschouwers zaten op de grond, de ene sprak in een recorder in zijn hand allerlei metingen in. Een forensisch team hield zich met de grote slaapkamer bezig, een paar anderen liepen rond door de badkamer. De agent zag het somber in. Hij had er een hard hoofd in dat ze iets bruikbaars zouden aantreffen. De zeventigjarige weduwnaar C. Kenneth Gottlieb II lag op zijn rug op een enorm gebroken wit berbertapijt, met in zijn achterhoofd een vuistdik gat dat eruit geslagen leek. Uitgangswonden zagen er vaker zo uit.

'Nog wat bijzonders?' vroeg de agent.

De lijkschouwer met de recorder stopte met dicteren en keek door jampotglazen heen naar hem op.

'Vermoedelijk een .45-patroon.'

De agent onderzocht het voorhoofd van het slachtoffer waar de kogel naar binnen was gegaan, en begon te denken dat hij deze zaak ook wel op afstand kon volgen via de kranten, en dat hij vannacht misschien echt nog wat slaap kon inhalen in plaats van de nacht in een tochtige vergaderzaal door te brengen.

'Verder nog wat?'

'Het gekste geval dat ik in mijn acht jaar hier heb meegemaakt.' De lijkschouwer hield een klein zakje omhoog en de agent besefte onmiddellijk dat er van slapen geen sprake meer zou zijn. In het zakje zat een schaakstuk: een met scharlakenrood bedekte glazen koningin. 'Dit zat meer dan een centimeter diep in de wond. Zo stevig erin geschroefd dat ik een tangetje moest gebruiken om het eruit te wrikken zodra de fotografen klaar waren.'

De agent stond op en toetste op zijn mobieltje een nummer in terwijl hij de kamer uit liep. Er werd direct opgenomen.

'Hij is terug.'

I

Openingszetten

1

Het was een slopende dag geweest. En het leek vooralsnog niet beter te zullen worden.

Agent in ruste Drew Cady dacht dat hij zijn vroegere leven achter zich had gelaten, en hij kon zichzelf wel voor de kop slaan dat hij had opgenomen, hoewel hij via nummerherkenning had gezien dat het uit Quantico kwam. Van een bepaalde academie die op de marinebasis in de groene heuvels van Virginia was gevestigd.

Het was bijna onvoorstelbaar dat nog maar zes uur daarvoor Cady thuis in zijn werkkamer had gezeten, drinkend van een glas versgeperste jus, en op het punt had gestaan om op het laatste moment onder de vraagprijs te bieden bij een onlineveiling op een halve dollar uit 1918 met Abraham Lincoln erop. Amerikaanse numismatiek was na zijn vervroegde pensioen een verslavende hobby geworden. Cady had wat adviserende klusjes aangenomen, voornamelijk hotelketens helpen hun beveiligingssysteem naar de eenentwintigste eeuw te upgraden, maar munten verzamelen was echt een allesoverheersend tijdverdrijf geworden. En dit juweeltje bevond zich in uitstekende staat, een blozend roze gloed was ter verlokking over de munt heen gespoten.

Nee, Cady had nooit moeten opnemen.

Hoewel er geen bijzonderheden waren vermeld, had Roland Jund, zijn vroegere baas en momenteel een van de adjunct-directeuren op het Bureau, Cady geprest en gevleid en nog net niet gechanteerd om alles te laten vallen en spoorslags naar het vliegveld te gaan – binnen enkele minuten zou er bij Cady een auto voorrijden – en een vlucht te boeken van zijn woonplaats Canton, in Ohio, naar de Amerikaanse hoofdstad. Vervolgens moest hij zich haasten naar het J. Edgar Hoover Building, het hoofdkwartier in Washington, D.C., op Pennsylvania Avenue, waar Jund zo snel mogelijk contact met hem zou opnemen.

Zodra Cady de beveiliging was gepasseerd, werd hij een lege vergaderzaal binnengeleid door een zwaarmoedige secretaresse en kreeg hij te horen dat de andere agenten zich snel bij hem zouden vervoegen. Agent 'in ruste', het mocht wat, mopperde Cady in stilte. Gelukkig waren ze op weg naar de vergaderzaal langs een koffieapparaat gekomen en had Cady een niet aangeboden bakje troost kunnen scoren, terwijl de sippe secretaresse wat afzijdig naar hem stond te fronsen. Het kopje – te zoet, alsof Cady onbewust extra suiker had toegevoegd ter compensatie van de bittere pil die hem te wachten stond – stond bijna leeg op de vergadertafel naast zijn onbeschreven blocnote. Maar goed dat ik me hierheen heb gehaast, zodat ik nu kan gaan zitten duimendraaien – een handeling die hij niet meer met stijl kon volbrengen sinds zijn rechterhand nog maar voor vijftig procent functioneerde.

En waarom zit ik hier eigenlijk precies, vroeg Cady zich af. Drie jaar is een eeuwigheid in dit vak. Wat zou ik nou voor onmisbare hulp kunnen bieden?

De nieuwscyclus van vandaag had zich alleen toegespitst op de moord – nee, de liquidatie – op het hoofd van de beurscommissie, C. Kenneth Gottlieb. Cady kende Gottlieb niet; hij zou die oude heer bij een confrontatie van de politie waarschijnlijk niet hebben kunnen aanwijzen. Gottlieb was een van de vijf leden geweest van de beurscommissie. Hij was door de president gekozen als vervanger van de voorzitter, die onlangs zijn ontslag had ingediend na een massale motie van afkeuring van beide partijen vanwege het gestaag slinkende vertrouwen van het publiek in de financiële markten. En met het hoger op de ladder klimmen van Gottlieb werd op Wall Street gefluisterd dat er nieuwe tijden aanbraken. Maar dat was alleen voor de insiders; voor Cady was Gottlieb niet meer dan een bureaucraat in een stad die barstte van de bureaucraten. Jund wilde verder niets door de telefoon vertellen, allemaal strikt geheim, wat Cady beangstigde en wat op zich als antwoord volstond.

Het kon maar één ding betekenen.

Cady keek meteen naar de deur toen Jund binnenkwam met een aktetas in de hand, op de voet gevolgd door Elizabeth Preston, Junds administratieve hulpje. Achter hen aan liep een jonge, donkere man die Cady niet kon plaatsen. Ze hadden allemaal dezelfde grimmige uitdrukking. Cady stond op en stak zijn verlamde hand uit naar zijn vroegere baas.

'Drew!' Jund toonde een grijns vol tanden, gaf Cady een stevige hand en deed alsof hij niet merkte dat Cady een allesbehalve stevige hand teruggaf. 'Geweldig je weer te zien. Je herinnert je zeker Liz nog wel?'

'Natuurlijk,' antwoordde Cady; hij knikte naar Preston en merkte het nieuwe grijs op in haar melkboerenhondenhaar, dat op schouderlengte was geknipt. Ze toonde Cady haar smalende monalisalachje en hij prees zich gelukkig. Ze hadden vroeger regelmatig aanvaringen met elkaar gehad. Hij koesterde geen wrok naar Preston toe, maar zij bleef zo goed als ondoorgrondelijk.

'En dit is agent Fennell Evans. Hij is ons wonderkind bij FSRTC.'

'Zeg maar Fen.'

Cady reikte over de tafel heen en schudde agent Evans de hand. FSRTC was het forensische wetenschappelijk centrum voor onderzoek en training van de academie.

'En, hoe gaat het met je postzegelverzameling?' pestte Jund hem.

'Ik verzamel munten, sir. Door dit tripje van u loop ik trouwens iets mis waar ik al drie maanden achteraan zit.'

'Ik betaal het eten vanavond wel. Dan mag jij het wisselgeld doorneuzen dat ik van de serveerster terugkrijg.'

'Goeie.'

Cady wist opeens weer waarom hij de adjunct-directeur zowel mocht als haatte. Dankzij zijn gepolijste charisma navigeerde Jund niet alleen moeiteloos door de roerige wateren van het Bureau, maar was hij in een betrekkelijk korte tijd ook tot een buitengewoon invloedrijke positie opgeklommen. Maar Cady had ook Junds ruwe kantjes leren kennen, ruw en grof, waar alle vernis was weggesleten. Hij hoopte die kantjes nooit meer te hoeven zien.

'Ik ben meer een golfer, Drew. Ik krijg er geen genoeg van.' En met een gedempt kuchje nam Jund plaats en gaf hij aan dat het met de plichtplegingen gedaan was. Hij opende zijn aktetas en haalde een dossiermap van manillapapier en een pen tevoorschijn. 'Ik bied je mijn oprechte excuses aan dat ik je tegen je wil in helemaal hierheen heb laten vliegen, Drew, maar ik denk dat je zo meteen de reden daarvoor wel zult begrijpen, evenals de reden voor al dat geheimzinnige spionagegedoe.' Jund sloeg het dossier open en zocht de inhoudsopgave af, kleine vinkjes aanbrengend in de marge terwijl hij de paragrafen afwerkte.

'Zoals je ongetwijfeld zult weten werd gisteravond laat een lid van de beurscommissie, C. Kenneth Gottlieb, vermoord aangetroffen in zijn slaapkamer. Eenmaal door het voorhoofd geschoten. Vanwege Gottliebs status is deze zaak een politieke bom.'

'CNN op het vliegveld was nogal vaag. Zijn er op dit moment al verdachten of arrestaties?'

'Geen arrestaties, maar geef me nog even voordat we de verdachten bespreken.' De adjunct-directeur leunde voorover in zijn stoel. 'De plaats delict was brandschoon, geen teken van strijd, geen teken van braak of vernielingen; eerlijk gezegd lijkt er niets te zijn ontvreemd, hoewel in zijn huis sieraden, kostbare kunstwerken aan de muren en een paar kluizen waren.'

'Misschien kreeg Gottlieb bij een escortbedrijf minder waar voor zijn geld dan hij had bedongen, en liep zijn afspraakje in de soep.'

'We bekijken natuurlijk alle mogelijke scenario's, maar in het licht van wat ik je nu ga vertellen, lijkt een zedenmisdrijf erg onwaarschijnlijk. Zie je, Drew, er lijkt niets te zijn ontvreemd, maar er is wel iets achtergelaten, met het specifieke doel dat wij het zouden vinden.' Jund gaf de deskundige van de forensische afdeling een seintje: 'Fen.'

'Een schaakstuk werd in de dodelijke wond gestoken...'

'Jezus christus.' Cady keek omlaag naar de littekens die kriskras over de rug van zijn rechterhand liepen.

'Zeg dat wel,' zei Jund.

Drie jaar tevoren had Cady tijdens de nasleep van de Schaakman-zaak in een ziekenhuis vertoefd, waar hij een aantal operaties moest ondergaan, en toen nog een maand thuis afkicken van de opiaten. 'Welk schaakstuk was het, agent Evans?'

'Een koningin van doorzichtig glas. Hetzelfde soort dat de Schaakman indertijd bij zijn moorden gebruikte.'

'Als de Schaakman nog leeft,' dacht Cady hardop, 'en een nieuw spel begint, moet alles wat we dachten te weten over de oorspronkelijke zaak op de schop.'

'Ja, hoor eens, iedereen die zelfs alleen maar koppensnelt zal zich al die gruwelijke feiten uit die tijd herinneren.' De adjunct-directeur vervolgde: 'Je hoeft niet gestudeerd te hebben om te zien dat de moord op Gottlieb het werk van een copycat is.'

'We hebben tegen de pers niets gezegd over de schaakstukken.'

'Dat klopt, Drew, maar deze stad is zo lek als een mandje. Dat weet je. Rijke en beroemde sterfgevallen hebben vaak dat effect. En op het moment dat het lekken begon, werd het een mediacircus. Er stonden indertijd de meest onzinnige berichten in de kranten.'

'Dat herinner ik me.'

'Een dubbele lobotomie lijkt vandaag de dag een toelatingseis voor de school voor journalistiek. We deden ons best om onze troefkaart geheim te houden, maar uiteindelijk kwam het toch aan het licht. Het journaille schreef er zelfs boeken over.'

'Herinnert u zich nog onze discussie? Toen ik indertijd het Bureau verliet?'

Jund knikte. 'Dat is een van de redenen dat we je nu hebben laten komen, Drew. Jouw nachtmerriescenario. Dat het allemaal wat te mooi was afgelopen en zo... Maar laten we niet op de zaken vooruitlopen.'

'Waarop zou ik moeten vooruitlopen? Ik ben in ruste.'

Het bleef even stil in de zaal.

'Met jouw ervaring met de oorspronkelijke zaak,' sprak Liz Preston voor de eerste keer, 'hopen we jouw diensten op een strikt adviserende basis te kunnen gebruiken.'

Cady lachte hardop. 'Jullie nemen me in de maling, hè?'

'We kunnen je unieke inzicht goed gebruiken.'

'Jullie barsten van de agenten die veel slimmer zijn dan ik.'

'Niemand kent de Schaakman-zaak zo goed als jij, Drew. Jij kent die van haver tot gort. Of je het nou leuk vindt of niet, jij bent onze deskundige. Help ons te bewijzen dat het een copycat is.'

'En als het nou geen copycatmoord is?'

'Nou, als hij echt nog leeft, en dat is nog maar zeer de vraag, dan heb je hem al eens eerder het vuur aan de schenen gelegd.'

'Waarom kreeg ik dan, als ik het zo goed heb gedaan, de hersens van het laatste slachtoffer over mijn jasje heen?'

'Je hebt ons vanuit je ziekenhuisbed op het juiste spoor gezet.'

'Dat was een proces van eliminatie.' Cady keek naar de adjunct-directeur. 'En als ik het nu zo hoor, heb ik dat waarschijnlijk ook verkloot.'

'Daar geloof ik niks van,' zei de adjunct-directeur zachtjes. 'Ockhams scheermes: kies de eenvoudigste verklaring.'

'Met alle respect, sir, bij de Schaakman was de eenvoudigste verklaring nooit de juiste.'

'De Schaakman is dood.' Jund begon op zijn vingers te tellen. 'We hebben godbetert zijn lijk, we hebben een enorme hoeveelheid bewijsmateriaal: vingerafdrukken, het moordwapen, zelfs de resterende schaakstukken; en we hebben een motief en gelegenheid. Het was een inkoppertje. Dus zolang we geen onomstotelijk bewijs van het tegendeel hebben, is Gottliebs moordenaar een copycat.'

'Maar stel nou dat het toch geen copycat is, wat als hij nou echt de Schaakman blijkt te zijn; waarom zou hij dan terugkeren?' vroeg Cady. 'Hij behaalde de volmaakte schaakmat, deed dat op zo'n manier dat we de klopjacht staakten, aangezien u en ik alles in het werk zouden hebben gesteld om hem te vinden. Waarom zou hij nu dan terugkeren?'

'Arrogantie,' zei Jund.

'Misschien wil hij weer voor het voetlicht treden. Een toegift geven. Je weet dat die sadisten er nooit genoeg van krijgen,' opperde agent Preston.

'Hij is allesbehalve een doorsnee sadist. Die klootzak speelde al echte schaakpartijen toen wij nog zaten te dammen.'

'Misschien is het spel nooit echt voltooid,' opperde agent Evans. 'Je zei zelf al dat alles uit de oorspronkelijke zaak opnieuw onderzocht moet worden.'

Cady knikte, in gedachten verzonken.

'Ik snap het niet, Drew,' zei Preston. 'Volgens jouw nachtmerriescenario heeft de Schaakman ons allemaal wijsgemaakt dat hij dood was. Dus zelfs als we aannemen dat hij nog in leven is, weiger je Gottliebs dood aan hem toe te schrijven?'

'Ik weet bij god niet wat ik ervan moet denken. Ik zeg alleen maar dit: als hij zo veel moeite heeft gedaan om zijn eigen dood te fingeren en ons op een dwaalspoor te zetten, dan slaat het nergens op dat hij nu weer opduikt.'

'Help ons dan te bewijzen dat het een copycat is, dan ben je vrij om je lieve leventje te hervatten,' zei Jund met een smekende blik in de ogen. 'Maar als jouw nachtmerriescenario blijkt te kloppen, Drew, dan zul je hem voor ons uit zijn tent moeten lokken.'

'Eerlijk gezegd had u me drie jaar geleden moeten ontslaan.'

'Ik geef toe dat het onderzoek vreselijk fout liep. Maar we zitten nu tot aan onze nek in de penarie, en we hebben je hulp nodig om...'

'Nee.'

'Wat?'

'Ik zei nee.'

Adjunct-directeur Jund liet zijn pen op de opengeslagen map vallen. 'Liz, zouden jij en agent Evans zo vriendelijk willen zijn even een pauze in te lassen?'

Er viel niet op te maken welke van de twee agenten meer haast maakte om de vergaderzaal uit te komen, de twee elkaar aanstarende mannen achterlatend.

'Wat is er aan de hand, agent Cady?' De functietitel rolde traag van de tong van de adjunct-directeur, alsof door Cady toe te spreken alsof hij nog steeds op het Bureau werkte, dat werkelijkheid zou worden. 'Jij was mijn paradepaardje, mijn beste speurneus. Een keiharde.'

'Ik ben nooit een keiharde geweest.'

'Dat dacht ik wel.'

'Senator Farris kwam me de eerste avond in het ziekenhuis opzoeken... In het George Washington-ziekenhuis.'

'Echt?' antwoordde Jund. 'Die beste senator had het die week helemaal op mij gemunt en hij eiste mijn ontslag. Ik nam hem off the record even terzijde om daar een eind aan te maken. Ik heb nooit geweten dat hij jou in het ziekenhuis had opgezocht.'

'"Opgezocht" is misschien niet het goeie woord. Mijn hand was omhoog gehesen, mijn kaak zat dichtgeschroefd met ijzerdraad, ik had een eerstegraads hersenschudding en een knie zo groot als de Mount Saint Helens, en ondanks het morfine-infuus bonkte mijn hoofd. Ik voelde me alsof ik door een vrachtwagen was aangereden en kon geen oog dichtdoen.'

'Ik heb wel eens doodgereden dieren gezien die er florissanter uitzagen dan jij die nacht.'

'Rond vier uur 's morgens klinkt er rumoer op de gang. Een ogenblik later stormt Arlen Farris naar binnen. Hij kijkt me heel lang woedend aan en zegt: "Ik had niets liever gewild dan dat jij in zijn plaats in het lijkenhuis lag."'

'Senator Arlen Farris is een bullebak en een klootzak.'

'Door mij is zijn zoon omgekomen.'

'Niet door jou, Drew.' De adjunct-directeur haalde een nog dikker dossier uit zijn aktetas en legde het boven op de geopende map voor hem. 'De enige reden dat jij die avond in Patrick Farris' huis was, was vanwege hun leugens.'

'Hoe misleidend de senator en het Congreslid ook waren, ik had door hun rookgordijn heen moeten kijken.'

'Helderziendheid valt niet onder je functieomschrijving.'

'Vergeet niet dat ze bij ons om hulp kwamen vragen.'

Jund bekeek het dossier dat hij net op tafel had gelegd en veranderde toen abrupt van onderwerp. 'Hoe gaat het met Laura? Hebben jullie het uitgepraat?'

'Zoiets,' zei Cady. 'Ze is in juni hertrouwd. Met een of andere vent die een autobedrijf in Akron bezit.'

'Dat wist ik niet.' Jund bloosde. 'Het spijt me.'

'Een gemeenschappelijke vriend had een blind date voor ze geregeld. Ik vermoed dat het klikte.'

De adjunct-directeur keek naar Cady's linkerhand. 'Je draagt nog steeds de ring.'

'Blijkbaar wil ik die leugen in stand houden.' Cady zweeg, hij zocht naar de juiste woorden en zei toen: 'Hoor eens, ik wil niemands tijd verspillen. Ik waardeer uw vertrouwen in mij, echt, maar ik ben voor dit alles niet in de wieg gelegd. Ik kan het niet meer. Als iemand meer wil weten van wat er in die tijd is gebeurd, hoeft hij alleen maar te bellen.'

'Ik ben doodop, agent Cady. Ik heb bijna dertig uur lang geen oog dichtgedaan, dus vergeef me alsjeblieft dat ik je de verkorte versie van de peptalk voorschotel. Je doet me denken aan een kaduke frisdrankautomaat, jongen, met een bordje DEFECT erop.'

'Of misschien wil ik gewoon met rust gelaten worden.'

'Gedragsdeskundigen zouden iets mompelen over snakken naar verlossing en het afsluiten.'

Cady begon het hoofd te schudden.

'Laat me uitspreken,' zei Jund, terwijl hij achteroverleunde. 'Ik ben door atheïstische ouders opgevoed en stel me mijn ziel voor als een kapotte vlieger die wappert in de wind, dus ik weet niets af van verlossing. Maar, agent Cady, ik kan wel het afsluiten van harte aanbevelen, waar jij volgens mij naar snakt. Het is privé en persoonsgebonden, ieder zijn meug, maar voor mij is afsluiten wanneer ik in de rechtszaal achter de beklaagde zit en met mijn ogen een gat brand in zijn achterhoofd. Na een tijdje voelt hij dat en draait hij zich om. Altijd. En dan geef ik mijn beste Stan Laurel-imitatie ten beste.'

'Van Laurel en Hardy?' vroeg Cady niet-begrijpend.

'Ik heb een steengoede Stan Laurel-imitatie in huis, agent Cady. Steengoed. Dan zien ze dat ze gepakt zijn door iemand met het IQ van een dode hamster. Herinner je je nog die hondenkennelmoordenaar van tien jaar terug? Bij het proces probeerde hij steeds naar me om te kijken, hij kon zijn ogen niet geloven. Ik liet mijn mond zelfs openhangen, om er helemaal als een halfgare dorpsgek uit te zien. Toen ze hem die middag terugbrachten naar zijn cel, probeerde hij door de aderen in zijn pols heen te knauwen. Ik vlei mezelf graag met de gedachte dat dat vanwege mij was. Ik besef dat ik hierdoor klink als een volslagen gek, agent Cady, maar zo sluit ik het af. Daardoor kan ik 's nachts slapen.'

Cady dacht na over wat de adjunct-directeur had gezegd, ervan overtuigd dat hij een grap maakte, en schudde het hoofd. 'Het heeft niks met afsluiten te maken.'

'Het heeft alles met afsluiten te maken.' De adjunct-directeur leunde naar voren en sloeg op de nieuwe dossiermap om zijn woorden kracht bij te zetten. 'Je hebt me vaak verteld dat je dacht dat de vogel was gevlogen, dat de slotscène in scène was gezet door het eerste het beste amateurgezelschap. Waarop drie jaar volgden van twijfels en bedenkingen die borrelden onder de oppervlakte; genoeg om je tot waanzin te drijven. Als het geen copycat blijkt te zijn, kun jij ons helpen die klootzak in te rekenen, agent Cady, en dan sluit je de boel goed genoeg af om je oude leven weer te hervatten.'

'Sir...'

'Nee, agent Cady. Laat me even uitspreken. Ik verlang niet van je dat je het onderzoek leidt. Dat doet Preston, voorlopig tenminste. Dit doe je gewoon vanuit je luie stoel. Ver van de krantenkoppen.'

'Wat wilt u dat ik doe?'

'Wat licht werk. De koppen bij elkaar steken met Liz en het Gottlieb-dossier doornemen. Dat zal niet lang hoeven duren, aangezien het ongeveer zo dun is als je vingernagel. Kijk of het woord "copycat" ervanaf druipt.'

'Om een of andere reden denk ik niet dat u me alleen hiervoor heeft laten overkomen.'

'Ik wil dat je de thuisbasis voor mij bemant.'

'Wat houdt dat in?'

'Als het geen copycat is, als de Schaakman echt nog leeft en zich gedeisd houdt nadat hij ons verschrikkelijk te grazen heeft genomen, is er niemand die beter dan jij weet wat er drie jaar geleden allemaal is voorgevallen. Je zult dus terug in de tijd moeten reizen en alle losse eindjes voor me moeten opsporen. Dan moet je me die losse eindjes brengen zodat we die klootzak keihard binnen kunnen halen en voor het gerecht slepen, tot aan zijn dodelijke injectie toe.'

'Wilt u dat ik het oorspronkelijke onderzoek als cold case heropen?'

'Na Patrick Farris kwam alles tot een abrupt einde. De Schaakman was dood, dus kon het onderzoek in feite onmiddellijk worden beëindigd. Maar als we fout zaten... Als we fout zaten...' De adjunct-directeur liet de stilte voor zich spreken.

'Een cold case,' zei Cady, in gedachten het denkbeeld verwerkend.

Jund stond op en raapte het FBI-dossier op. 'Als je die zaak uit het verleden oplost, kunnen we die moorddadige klootzak in het heden te pakken krijgen.' De adjunct-directeur stak het Schaakman-dossier uit.

Cady nam het van hem aan.

Jund kreeg niet de kans iets te zeggen, want er werd geklopt, de deur ging open en de sippe secretaresse kwam tevoorschijn.

'Neem me niet kwalijk dat ik stoor, directeur, maar *The Washington Post* heeft Gottliebs dood in verband gebracht met de Schaakman. Een van hun verslaggevers vraagt om een reactie.'

2

Cady zat in een stoel in zijn Embassy Suites-hotelkamer en verbaasde zich er nog altijd over hoe adjunct-directeur Jund hem had bespeeld als een virtuoos violist. Vlak voordat hij die terriër had kunnen afschudden had Jund hem een contractovereenkomst en verschillende geheimhoudingsverklaringen laten tekenen, en toen had hij hem overgedragen aan een blonde secretaresse die Penny Decker heette, die hem binnen de kortste keren een deugdelijk identiteitsbewijs en computertoegang tot het netwerk van het kantoor had verschaft, zodat hij Jund zijn statusrapporten kon toesturen.

Een piepkleine studeercel werd Cady beschikbaar gesteld voor wanneer hij op kantoor was. Cady had in het hokje Gottliebs dossier doorgenomen. De transparant glazen koningin bracht Gottlieb in verband met de voorgaande sterfgevallen, en inbraak leek geen motief te zijn, wat ook bij de vorige sterfgevallen het geval was geweest. Maar de adjunct-directeur had gelijk gehad; het viel niet te bewijzen of te weerleggen dat het om een copycatmoordenaar ging. Cady stuurde agent Preston een e-mailbericht met deze strekking en verliet zijn kantoor voor die dag. Toen Cady in het hotel incheckte, vertelde de receptioniste hem dat zijn boeking voor die week al de vorige avond was geregeld. Cady dacht aan Roland Jund en schudde het hoofd. Een virtuoos violist.

Het Schaakman-dossier lag op een koffietafel op hem te wachten. Hij herinnerde zich die eerste ochtend, de grimmige sfeer in de advocatenkantoren van Sanfield & Fine. Cady was er slechts als toeschouwer geweest, zich niet bewust van de reeks gebeurtenissen die zouden volgen... en de tol die ze zouden eisen op het geestelijke en het lichamelijke vlak. Cady sloot zijn ogen, haalde diep adem, en probeerde zich weer te concentreren. Toen hij tot drie had geteld opende hij zowel zijn ogen als zijn dossiermap.

Bovenop lag het rapport dat hij persoonlijk drie jaar terug had getypt. Daaronder lag een andere map, met erin een kopie van het onderzoek van de D.C. Metropolitan Police naar de brute moord op K. Barrett 'Barry' Sanfield. De rechercheurs van de MPD waren nauwkeurig te werk gegaan, maar waren niet te beroerd om dit hete hangijzer naar de FBI-jongens door te schuiven nadat eenzelfde werkwijze als bij de moorden op de Zalentine-tweeling was aangetoond. Het lag politiek uiterst gevoelig en de MPD hield zich maar al te graag op de vlakte, ook al bleven ze daarmee nauwelijks buiten schot van het kritische oog van de media.

Cady kon het ze niet echt kwalijk nemen.

Het moordrapport van de MPD over Sanfield begon met foto's van de machtige advocaat in betere tijden, wat standaard officieel uitziende foto's die de aanklager voor promotiedoeleinden had laten maken, zoals die op de website van zijn kantoor te zien waren, in artikelen of juridische organen, of bij conferenties waar hij spreker zou zijn. De afbeeldingen van Sanfield die erop volgden zouden nooit in juridische organen verschijnen of bij een toespraak worden verspreid. Die foto's waren door een forensisch fotograaf genomen. K. Barrett Sanfield was de machtigste advocaat van Washington – de Magiër, zoals hij in zijn wereldje werd genoemd – waar de politici met het meeste geld zich heen haastten om zich uit bepaalde 'lastige parketten' te laten halen. Sanfield was een van het handjevol adviseurs geweest van president Clinton in de Lewinsky-zaak, voor die blauwe jurk opdook, waardoor de rest er niet meer toe deed. Sanfield had achter de schermen voor Gore gewerkt tijdens de chaos in Florida. Die twee 'lastige parketten' hadden zijn pad niet gebaand, in tegenstelling tot het merendeel van Sanfields zaken – zaken die je niet te zien kreeg op het avondnieuws –

wat precies de reden was waarom zijn zenuwachtige cliënten niet om zijn tarieven maalden.

Sanfield was in 1976 Arlen Farris' campagnemanager geweest; de zege had Farris in de Senaat van de Verenigde Staten gebracht als de jonge senator uit Delaware. Farris was er in de slipstream van Jimmy Carter binnengerold maar was enige tientallen jaren langer gebleven. Sanfield was Farris na de verkiezingen naar Washington, D.C., gevolgd en had daar zijn zaak opgezet. Sanfield en Fine, advocaten. Een florerend bedrijf. De zaken gingen zo voorspoedig dat Sanfields populaire advocatenkantoor in het begin van de jaren negentig van de vorige eeuw een hoekvleugel kon betrekken op de twaalfde verdieping van One Franklin Square, een chique kantoorflat op K Street.

Sanfield, die lang geleden was gescheiden en geen eigen kinderen had, was pas de volgende ochtend gevonden. Stephen Fine, de zoon van Gerald Fine, Sanfields partner en vertrouweling, een junior partner en collega-workaholic, was op zijn gebruikelijke tijdstip rond halfzes in de ochtend op zijn werk verschenen, had gezien dat Sanfields deur dichtzat, was stomverbaasd dat iemand, en al helemaal zijn peetvader Barry, die ochtend eerder was komen opdagen dan hij, en na het brouwen van een pot sterke koffie had hij even zijn hoofd door de deuropening van Sanfields kantoor gestoken om hem te begroeten. Door wat de junior partner toen zag, had hij zijn bakkie troost laten vallen, was de hal uit gestoven alsof de duivel zelf hem op de hielen zat, had een paar keer op de liftknop naar beneden geramd en had het alarmnummer op zijn mobieltje ingetikt in de lift, op zoek naar de veiligheid van de bewakerspost op de begane grond.

Cady was een paar uur nadat Sanfields lijk was gevonden ter plekke. De reden van zijn aanwezigheid daar was tweeledig. In de eerste plaats was het schijnbaar om de plaatselijke dienders te helpen en te zorgen dat ze konden beschikken over het lab van de FBI bij het verzamelen en onderzoeken van gegevens op de plaats delict, maar het belangrijkste motief voor Cady om daar rond te hangen was om adjunct-directeur Jund op de hoogte te houden, uit de eerste hand en rechtstreeks, van alle nieuwe ontwikkelingen met betrekking tot de brute moord op Sanfield. Cady stelde zich voor dat zelfs in dit vroege stadium van het onderzoek een groep politici al in de rij stond om de adjunct-directeur in zijn nek te gaan hijgen.

'Ik dacht dat Barry's moordenaar nog in het kantoor zat,' zei Stephen Fine toen Cady hem als eerste had verhoord. Cady bekeek de forensische foto's van K. Barrett Sanfield en vroeg zich af of Fine nog steeds de vroege vogel van het kantoor was.

De MPD bepaalde, met instemming van Cady, dat het tafereel als volgt had plaatsgevonden. Sanfield was opgestaan, waarschijnlijk in een poging zich te verdedigen tegen de aanvaller of aanvallers. Er was een korte worsteling geweest, er zaten geen verdedigingswonden op Sanfields handen, maar het mes was omhoog opwaarts onder het borstbeen binnengedrongen, door het hartzakje heen, zodat de rechterhelft van Sanfields hart was doorboord. De dood was bijna onmiddellijk ingetreden. De eerste verklaring van de MPD was dat Sanfield geen gevaar had gevoeld tot het allerlaatste moment, en dat Sanfield zijn moordenaar misschien had gekend.

Wat ze vooral uit de ingangswond konden opmaken was dat de moordenaar vermoedelijk rechtshandig was. Het mes was waarschijnlijk een soort stiletto, het soort dat eind jaren vijftig van de vorige eeuw verboden was verklaard. Hoewel de moordenaar niet zo vriendelijk was geweest om de stiletto op de plaats delict achter te laten, maakte de lijkschouwer uit de ingangswond en de interne schade op dat het lemmet was gedraaid, met wrikkende bewegingen, om het gat groter te maken. Sommige mensen zouden dat overkill noemen, maar niet op de manier waarop steekpartijen in de huiselijke sfeer, waarbij allerlei keukengerei wordt gebruikt, overkill zijn. De lijkschouwer besefte dat hier, hoe verwrongen ook, logisch was nagedacht. Nadat Sanfield achterover was gezakt in zijn stoel, en na het nodige bloeden, had de moordenaar het schaakstuk – een glazen koningin – *head first* in het gat geduwd dat hij onder het borstbeen van de aanklager had aangebracht. Niet iets wat je dagelijks tegenkomt.

De CSI-jongens van de MPD namen vingerafdrukken van elk denkbaar oppervlak in het kantoor van Sanfield, alle deurknoppen, zijn oude mahoniehouten bureau, zijn dressoir, en de bijpassende en de hele muur bestrijkende boekenkast, zijn tweekleurige leren bank, zijn Herman Miller Aeron-stoel, zijn drankkast, de whiskyflessen... noem maar op. De MPD was in staat om heel stilletjes, en heel indrukwekkend, alle afdrukken te vergelijken met die van zijn cliënten, het personeel en de portiers. De cliënten en collega's van Sanfield maakten geen bezwaar tegen deze poging de afgenomen afdrukken te kunnen uitsluiten, nadat beloofd was dat geen van die afdrukken naar een database zou worden gestuurd. Jammer genoeg bleven er voor de MPD in deze zaak, nadat de uitsluiting van afdrukken was voltooid, geen onbekende afdrukken over.

Wat beveiliging betrof konden huurders ervoor kiezen met de bedrijfsveiligheidsfirma die door One Franklin Square in dienst was genomen, Cadence Security, in zee te gaan of een bedrijf naar keuze in de arm te nemen. Sanfield & Fine besloten Cadence Security aan te houden en lieten hen het toegangsbeheersysteem van de kantoren van S&F aanleggen. De oplossing waar het bedrijf mee kwam: één kaart die te gebruiken was voor het parkeren en betreden van het kantoor, evenals het gebouw en de lift na werktijden, leek een voor de hand liggende keuze. Iedere werknemer bij S&F kreeg een *proximity ID-card* verstrekt – een *proxcard* – die ze niet eens uit de portemonnee of tas hoefden te halen wanneer ze ermee voor de kaartlezer zwaaiden en de radiofrequentie-identificatietechnologie, een transponderchip in de proxcard, voor de rest lieten zorgen. Als je toestemming kreeg binnen te treden, ging de deur open. Zo niet, nou, dan had je pech.

Er leek een doorbraak gemaakt toen het elektronische bewakingsrapport van Cadence Security aangaf dat Debby Varner, een van de nieuwere advocaatassistenten, het kantoor had betreden en langs de receptie was gegaan om achttien voor negen die avond, een tijdstip dat de lijkschouwer kon bepalen als het waarschijnlijke uur van overlijden, op basis van de inwendige temperatuuruitslag van Sanfields lichaam.

Bij een directe persoonlijke ondervraging vertelde een hysterische juffrouw Varner de rechercheurs dat zij haar beveiligingsbadge, die ze normaal gesproken in het compartiment onder de armsteun van haar Subaru bewaarde was kwijtgeraakt, en dat ze had aangenomen dat ze hem per ongeluk had thuisgelaten. Ze was die ochtend naar kantoor meegereden met Peg Maynard, een ander nieuw gezicht bij de advocaatassistenten van Sanfield & Fine, en ze zou het zeker hebben gemeld als haar badge niet binnen twee dagen was opgedoken. Haar alibi voor die avond bleek te kloppen, aangezien deze juffrouw Varner en haar huisgenoot en partner van halfacht tot negen uur 's avonds bij een hondentraining aan de andere kant van de stad waren geweest, omringd door vele getuigen – en niet alleen van het viervoetige soort.

Cady herinnerde zich dat hij toen nog had gedacht dat hoe de zaak ook mocht uitpakken, die twee advocaatassistenten niet lang bij Sanfield & Fine zouden blijven werken.

Juffrouw Varners badge was ook gebruikt om de lift te gebruiken om twee voor negen in de avond. Vanaf de ontvangstruimte aan de voorkant duurde het minder dan een minuut om door de gangen de weg te vinden naar Sanfields kantoorsuite op de hoek. Dan nog wat extra tijd om terug te keren naar de hal en op het knopje te drukken om de lift te laten komen, aangenomen dat de moordenaar niet had gerend. Dan had de moordenaar zo'n veertien minuten gehad om Sanfield neer te steken, de glazen koningin in hem te stoppen en terug te keren naar de lift. Maar de echte vraag voor Cady was: waarom had het zo lang geduurd? Iedere seconde te veel op de plaats delict had de dader funest kunnen worden. Had Sanfield de moordenaar dus gekend? Zaten er daarom geen verdedigingswonden op Sanfields handen? Of was de dader daar voor de moord, maar zocht hij er ook iets? Te veel vragen.

Er was nog een doorbraak toen MPD-rechercheur Bruce Pearl en het rood aangelopen en ontzettend geïrriteerde hoofd van Cadence Security – Dick Heath, een ex-FBI-agent – het voor elkaar kregen dat de digitale opnames van die avond van de bewakingscamera's die strategisch bij alle ingangen en uitgangen van de het hele blok bestrijkende hoogbouw waren geplaatst bekeken konden worden. Videobeelden uit alle beveiligingscamera's werden naar de beeldschermen doorgezonden van de wachtpost die die toegang voor zijn rekening nam.

Heath, Pearl, en een team van Cadence-bewakers bestudeerden de digitale opnames van de vorige avond. Het gebouw was 's avonds grotendeels leeg rond dat tijdstip, met een enkele workaholic die in het vallende duister wegglipte. Heath had beet op de monitor waar hij naar staarde toen de tijdcode rechtsonder in het beeld op een over negen 's avonds stond, een tijd die naadloos aansloot op de digitale tijdslijn die door de proxcard van juffrouw Varner was geregistreerd. Er was een gekromde gestalte met een honkbalpetje op te zien, die iets onduidelijks droeg in zijn rechterhand, en door de noordoostelijke uitgang het gebouw uit liep. Hij verscheen plotseling op Heaths beeldscherm, als uit het niets, alsof hij een manier had ontdekt om door One Franklin te glippen en alleen op deze ene bewakingscamera te worden vastgelegd. Zijn gezicht hield hij omlaag, weg van de camera. Maar één ding was heel duidelijk; de gestalte liep behoorlijk mank.

Heath riep rechercheur Pearl en de andere Cadence-bewakers dat ze moesten komen, zocht de video-opname terug en toonde de anderen de misvormde gedaante die het pand verliet.

'Ach jezus,' sprak een van de nachtwakers. 'Dat is gewoon dat joch.'

Cady bladerde naar het interessantste gedeelte in deze sectie van het zaakdossier, het door rechercheur Pearl getypte afschrift van zijn ondervraging van de Cadence-bewaker, een bodybuilder genaamd Ritter, die 'dat joch' kende.

'Hoe lang hing die figuur al rond bij One Franklin Square?' vroeg rechercheur Pearl.

'Hij dook zo'n maand geleden voor het eerst op, misschien anderhalve maand geleden. Hij had een horrelvoet of zoiets, en een kreupele klauw waarin hij altijd een pakje sinaasappelsap vasthield, dat soort dat kinderen vaak op school drinken.'

'Heb je wel eens met hem gesproken?'

'Zeker. De eerste avond dat ik hem heen en weer zag hinken voor de hoofdingang, liep ik naar hem toe om te vragen of hij hulp nodig had.'

'Wat zei hij toen?'

'Hoor eens, rechercheur, ik ben niet zo thuis in de medische condities van licht gestoorden, dus ik nam aan dat hij kinderverlamming of zoiets had. Hoe dan ook, het was een vrolijke vent, hij knikte op alles en had een spuugprobleempje. Ik herinner me dat ik een stap naar achteren zette. Hij stotterde iets over de bus en ik concludeerde dat dat joch op die van vijf over negen stond te wachten. Dat joch bleef hier regelmatig wel een uur lang rondhangen.'

'Je blijft hem maar steeds "dat joch" noemen. Hoe oud schat je hem in?'

'Het was niet echt een joch. Ik geloof dat ik hem alleen maar zo zag, zoals ik ze ook bij de Special Olympics zo zie. Dat, en het feit dat hij uit die sinaasappelpakjes liep te slurpen. Moeilijk te zeggen, maar ik denk dat hij ergens tussen vroeg in de twintig en net veertig is.'

'Hoe zag hij eruit?'

'In ieder geval blank,' zei Ritter. 'Ik ben een meter tachtig en hij was iets langer dan ik, ook al liep hij krom, dus misschien twee meter lang als hij rechtop stond. Een beetje vettige huid, hij zag er altijd uit alsof hij net zijn gezicht met kippenvet of zoiets had gewassen. Zwart haar. En hij droeg altijd een Nationals-honkbalpetje, weer of geen weer. En hij droeg er zo'n haarnetje onder.'

'Droeg hij een haarnet?'

'Ik vermoed dat een van die restaurants verderop hem uienringen of zoiets makkelijks liet bakken, en dat hij hier de tijd kwam doden tot hij met de bus mee kon.'

'Heb je vaker met hem gesproken?'

'Alleen die ene keer, rechercheur. Eerlijk gezegd deed hij geen vlieg kwaad en ik wilde niet nog meer spuug over me heen krijgen, dus elke keer als ik hem in de hal zag of hem buiten door de ramen naar binnen zag kijken of wanneer hij bij de liften aan het spelen was, knikte ik hem alleen maar even toe. Ik geloof dat de anderen dat ook deden. We hadden allemaal best medelijden met hem, weet je wel.'

'Hing hij rond bij de liften?'

'Ik heb hem daar wel eens gezien. Een beetje rondlummelen. Weet je wel, op de knopjes drukken, in- en uitstappen. Hij deed er niemand kwaad mee want 's avonds op dat tijdstip had je een identiteitskaart nodig om de lift echt te gebruiken.'

Heath en rechercheur Pearl slaagden erin het handjevol andere mensen op te sporen die op de videocamera's die avond waren vastgelegd, maar 'dat joch' dook niet meer op. De buschauffeurs op One Franklin Square en de andere dichtbijzijnde trajecten herinnerden zich niets van een geestelijk gehandicapte man die hinkte en een Nationals-petje droeg. Pearl liet zijn mannen alle restaurants afzoeken binnen een straal van zes huizenblokken, maar in geen van die eetgelegenheden bakte er iemand frietjes of ruimde er iemand af die voldeed aan de beschrijving.

Cady leunde achterover in zijn hotelstoel, sloot zijn ogen en stelde zich Sanfield voor: alleen op zijn kantoor die avond, misschien net tien minuten voor hij er voor die avond de brui aan gaf, toen hij opeens een vreemde stem hoorde op de gang. Hij kijkt op en ziet een ogenschijnlijk geestelijk gehandicapte jongeman in de deuropening staan met een Nationals-honkbalpetje op zijn hoofd. Hij draagt ouderwetse rubberen doktershandschoenen – de lijkschouwer had sporen van maiszetmeel aangetroffen in het bloed op Sanfields overhemd en rondom zijn borstwond – en mompelt waarschijnlijk iets onverstaanbaars over Sanfields vuilnisbak. Een verwarde Sanfield vertelt hem dat de schoonmakers al een uur eerder langs zijn geweest en alweer weg zijn. Maar het joch strompelt naar Sanfields bureau toe om het zelf nog even te controleren. Sanfield is op dat moment niet bang; zoals de meeste mensen is hij niet op zijn gemak in de omgang met geestelijk beperkten maar hij is er ook niet bang voor. Dan loopt het joch langs Sanfields prullenmand, opeens strompelt hij niet meer en heeft die simpele ziel plotseling een soort dolk in zijn hand. Op dat moment staat Sanfield op om zich tegen de binnendringer te verdedigen, maar het is al te laat. Veel te laat voor Sanfield. Misschien was de laatste gedachte van de advocaat: mijn god, ik word door die vent uit *Flowers for Algernon* vermoord.

Cady krabbelde in zijn blocnote dat hij contact moest opnemen met rechercheur Pearl, een kleine man, misschien nog geen een meter vijfenzestig, met een verwarde bos grijs haar. Wat Pearl miste in lengte werd ruimschoots goedgemaakt door zijn intellect, en Cady herinnerde zich nog steeds hun laatste gesprek van drie jaar terug.

'Het zal een heidens karwei worden om die vent te pakken te krijgen,' had de rechercheur Moordzaken tegen Cady gezegd.

'Hoezo?'

'Het is een geslotenkamermysterie dat Edgar Allan Poe zou kunnen hebben verzonnen, maar als ik een bekend iemand wilde mollen in een beveiligd gebouw, terwijl het er wemelde van de bewakers,' zei Pearl zonder met zijn donkere ogen te knipperen, 'had ik het bijna precies hetzelfde aangepakt.'

3

Het eerste e-mailbericht van Richard Gere belandde rechtstreeks in Stouders virtuele prullenbak, samen met de rest van alle onzinberichten en reclame. Als onderwerp stond erboven alleen: *Ik ken je geheim*, maar het bericht had geen inhoud. Stouder merkte op hoe ze het e-mailadres van de filmster hadden nagemaakt door een extra 'a' in de voornaam te zetten; toen drukte hij op de deleteknop en zond het bericht naar de verwijderen-vergeetput, samen met zijn soortgenoten, van viagra tot farmaceutische reclames.

Het tweede bericht van Richard Gere – of liever Richaard Gere – had een iets ander onderwerp. Maar die kleine verandering was een schok van 10 op Stouders persoonlijke schaal van Richter en joeg de rillingen door zijn lijf. De titel van het nieuwe bericht was *Ik ken Stouders geheim*, en de tekst luidde dreigend: *We spreken elkaar snel.*

Hoewel Stouder veilig ingesloten zat in zijn luxe appartement in de ommuurde gemeenschap van Bedford Village, keek hij snel achter zich alsof hij wilde kijken of er iemand over zijn schouder stond mee te lezen. Hij liep naar beneden om te controleren of zijn voordeur goed op slot zat, met de privacybalk stevig onder de deurknop geklemd. Hij checkte of alle luiken stevig dichtzaten en liep toen naar de keuken. Stouder schonk zichzelf een tweede glas merlot in. Hij kneep zijn handen tot vuisten om het rillen te doen ophouden.

Ik ken Stouders geheim... We spreken elkaar snel.

Wat zijn bloed echt deed bevriezen was dat hij zijn e-mailberichten niet via zijn eigen account had bekeken. Hij kon zich voorstellen dat zijn naam in zijn formele e-mailverkeer via Outlook zou verschijnen, aangezien zijn naam daar deel uitmaakte van het adres, niet moeilijk voor de cybermarketingetterbakken om het langs die weg aan te passen. Maar Stouder las het vanaf zijn vrijetijds-AOL-account. Geen van de gegevens die Stouder had ingevoerd bij het instellen van zijn nep-AOL-account klopte: noch de naam, noch het adres, noch het telefoonnummer; helemaal niets. Bovendien had hij dit nieuwe AOL-account pas sinds het incident ingesteld... En het incident was pas afgelopen zaterdag gebeurd.

Een nep-Yahoo-account zond Stouders nep-AOL-account dus een bericht dat beweerde diens geheim te kennen. Het was al erg genoeg dat deze onbekende zijn gebruikersnaam in de onderwerpregel gebruikte, maar wat hem echt aan het denken zette, en meer merlot deed inschenken, was de beweerde kennis van Stouders geheim. Natuurlijk had iedereen zo zijn geheimen. Dingen die ze liever met de mantel der liefde bedekten of in de doofpot stopten.

En Stouder had zeker een geheim.

Maar dat ging niemand wat aan behalve hemzelf. Het was niet zo dat iemand er last van had gehad. Stouder bezocht graag middagvoorstellingen. Disney-films. Vertoningen in Fairfield County's bioscopen, vele, vele kilometers van huis. Met een honkbalpet en pluizige zwarte plaksnor als uitmonstering. Als een jong jongetje, alleen, naar de wc ging, volgde Stouder hem. Naast elkaar voor een urinoir staand, keek Stouder dan snel even omlaag als er geen andere volwassenen aanwezig waren. En als die onwetende kleine rekel klaar was – meestal vergaten ze hun handen te wassen voor ze zich terug haastten naar de filmzaal – bevredigde Stouder zichzelf in een hokje, waarna hij door de dichtstbijzijnde uitgang wegglipte. Niemand hoefde er iets van te merken. Hij deed geen vlieg kwaad. Een schoolvoorbeeld van een misdaad zonder slachtoffer.

Ik ken Stouders geheim... We spreken elkaar snel.

Het internet had veel deuren voor Stouder geopend, vandaar zijn verschillende e-mailaccounts. Hij downloadde niets, en vermeed meestal zelfs de legale pornosites. Maar zijn ondergang waren de chatrooms – die verdomd verleidelijke chatrooms – waar je alles kon zeggen wat je wilde, waar je alles kon zijn wat je wilde. Stouders vingers begonnen dan te trillen. Kon die 'onbekende' weten van het incident?

Maar dat incident had al nooit echt om Stouder gedraaid. Die verdomde, verdómde chatrooms. Stouder bracht zijn nachten scrollend door de berichten door, las de meeste ervan, plaatste hier en daar een reactie. Meer niet, maar de verzoeken om privégesprekken in Stouders 'hobbygebied' vielen bijna niet te negeren. Het was bedwelmend, onontkoombaar, zoals metaalvijlsel door een magnetisch veld wordt aangetrokken. Natuurlijk gebruikte hij een valse inlognaam, zoals ze dat allemaal deden, en paste hij op zijn woorden. Stouder kwam eerder over als een decaan of geschoolde mentor, als iemand die probeerde deze jongeren terzijde te staan, alsof hij ze probeerde af te helpen van deze kwalijke levensstijl.

Maar Ricky was als het lied van een sirene, hun nachtelijke gesprekken waren zinnenprikkelend, betoverend... uitermate bevredigend. Ricky bleef aandringen op een ontmoeting, aangezien hij al bijna veertien was en zijn ouders – rijk en ongeïnteresseerd – die maand in Europa zaten. Ricky's zus volgde overdag colleges, dus Stouder mocht een tijdstip voorstellen. Stouder wist dat hij met vuur speelde, wist van de valstrikken van de politie, en wist dat Ricky in werkelijkheid waarschijnlijk een stel dronken studenten was, die bier zopen en achter een toetsenbord in Madison, Wisconsin, of op een andere godvergeten plek zaten te grinniken.

Maar die kleine kans dat Ricky echt was wie hij zei vrat aan hem, vrat zijn ziel weg en benam hem zijn slaap, kwelde hem overdag tot hij zich uiteindelijk op een avond naar huis haastte, inlogde op de site en bijna een maagzweer kreeg bij het wachten tot Ricky zou verschijnen. Toen Ricky eindelijk inlogde, maakten ze een afspraak voor de volgende middag om één uur. Stouder sprong toen in zijn rode Mini Cooper en begaf zich diezelfde avond in een duizelingwekkende rit naar de wijk Greens Farms in Westport en reed langs het adres op Nash Street, om alvast even een blik te werpen.

Mooi optrekje, geelbruin stucwerk, arcades, precies zoals Ricky het had beschreven.

Stouder was een voorzichtig man. De volgende ochtend vroeg leende hij de poedel van zijn oude moeder, iets wat hij nooit deed, zei tegen die ouwe tang dat hij overwoog een hond te nemen en wilde zien hoe dat zou bevallen. Toen verfde hij zijn haren grijs en kamde zijn uitdunnende haar plat naar achteren, zette een afschuwelijke zonnebril op, de nepsnor, de slobbertrui waarmee hij vijf kilo dikker leek, en stopte zelfs wat sinaasappelschillen in zijn wangen om de vorm van zijn gezicht te veranderen, zoals hij ooit in een thriller had gelezen. Tegen tienen liep hij langzaam Nash Street in. Hij had zijn auto drie blokken verder geparkeerd. Tanzy, of hoe die godvergeten poedel ook mocht heten, leek te genieten van de zon en Stouder had nog steeds geen drollen van haar hoeven oprapen.

Dit deel van Westport riekte naar nouveau riche. Stouder kon het huis op Nichols Street goed bekijken terwijl hij er stevig langs stapte, als was hij een doodgemoedereerd buurtbewoner die een ochtendwandeling maakte. Het huis zag er overdag imposanter uit, erbinnen school Ricky's tragische eenzaamheid. Stouder liep een paar straten verder, hij wilde niet al te veel opvallen. Hij speelde met de gedachte vroeg op te dagen. De sinaasappelschillen uit te spugen en gewoon op Ricky's deur te kloppen. Hij was al naar Ricky's kant van de straat aan het oversteken toen hij een oud barrel voor Ricky's huis zag parkeren. Een man met haar tot aan zijn schouders sprong eruit en rende de oprit op. Stouder liet Tanzy snuffelen aan een struikje en overdacht deze vreemde ontwikkeling.

Een andere man. Hij voelde een steek van jaloezie in zijn hart. Tenzij... Kon het Ricky's vader zijn, vervroegd teruggekeerd van zijn twee weken in Europa? De man leek minstens tien jaar te jong om de vader van de jongen te zijn. En dat barrel leek niet te passen bij een rijke pa. Hij stelde zich Ricky's vader voor in een Lexus. Misschien was het het vriendje van Ricky's studerende zus. Dat zou verklaren waarom die jongeman zo'n haast had. Een dronken student die te laat verscheen en dadelijk de wind van voren zou krijgen van zijn vriendin. Dat klonk aannemelijk. Stouder trok aan de riem terwijl hij en Tanzy terugstruinden naar Ricky's huis.

Opeens sloeg er een deur dicht. De jongeman die Stouder een paar minuten eerder Ricky's oprit op had zien lopen, rende dwars door de voortuin naar zijn eigen auto. Hij had de gehavende Nova bijna bereikt toen twee van de zes agenten, die voor zover Stouder kon zien uit het niets waren opgedoken, de jongeman met de vette haren tegen de stoep werkten. Stouders hart begaf het bijna terwijl het incident zich voor zijn ogen ontrolde, alsof hij eerste rang zat bij een slecht geproduceerd absurdistisch toneelstuk. Tanzy begon te blaffen en even waren alle ogen op haar gericht. Hij rukte aan de riem en sleurde die rothond over de straat mee, weg van het spektakel. Een NBC-vrachtwagen was midden op straat verschenen; cameralui met draagbare camera's stonden het inrekenen van de gast te filmen. Er ging in Stouders hoofd een lampje branden. Ricky was geen gekwelde jongere die worstelde met zijn ontluikende seksualiteit. Verre van dat. Ricky was een verdomde *Dateline* NBC-valstrik.

Terwijl Stouder de nog steeds blaffende poedel over straat meesleurde, bleven zijn ogen onwillekeurig gevestigd op de man met het vette haar die op de stoep in de boeien werd geslagen. Er hing spuug uit de mond van die arme ziel, zijn gezicht was met tranen besmeurd. Even keken ze elkaar aan. Stouder sprak binnensmonds een dankgebed uit terwijl hij de overkant bereikte van de laan, onder het voortdurende geschreeuw: 'Ik heb niks gedaan! Ik heb niks gedaan!'

Ja, P. Campton Stouder was de dans die ochtend mooi ontsprongen. Hij stelde zich voor dat hij door de plaatselijke autoriteiten was gevloerd terwijl hij trachtte de plek waar hij in de val was gelokt te ontvluchten en een filmploeg van het nieuws alles, inclusief alle pijnlijke en vernederende details vastlegde. Niet echt een beproeving die paste bij de vice-procureur-generaal voor economisch recht in de mooie staat New York.

En nu kende iemand dus zijn geheim.

4

Het was al na elven, dus haastte Cady zich naar de Embassy Suites-bar en bestelde een Reuben-sandwich met friet om mee naar zijn kamer te nemen. Cady aarzelde even toen de barman vroeg of hij ook nog iets wilde drinken. Hij zou eerlijk gezegd een moord plegen voor een Guinness, maar hij had nog een lange nacht voor de boeg. Cady moest de merkwaardige zaak van Adrien en Alain Zalentine – de Zalentine-tweeling – nog nalopen voor hij in slaap zou dommelen, dus bestelde hij maar een grote kop koffie.

De juwelierszaak Zalentine – van de reclameleus *Zalentine, het rijmt op Valentine* – was in 1928 opgericht in een horlogemakerswinkel in San Francisco waarvan Lionel Zalentine de eigenaar was. Lionels filosofie was sieraden van de hoogste kwaliteit verkopen tegen de scherpste prijzen. In 1942, het jaar waarin Lionel op een bloedhete dag een groot glas ijsthee wegklokte en toen op een bankje voor zijn winkel ging zitten en stierf, waren er zestien winkels door heel Californië en Arizona. Lionels enige zoon, Lansing Zalentine, had drie favoriete woorden, die hij bij iedere vergadering of bedrijfsevenement herhaalde. Lansings drie woorden waren: uitbreiden, uitbreiden, uitbreiden, en toen hij in 1985 stierf, was Zalentine Juweliers uitgegroeid tot een keten met meer dan vijfhonderd vestigingen in de Verenigde Staten en Puerto Rico. Lansings oudste zoon, Vance Zalentine – de huidige Zalentine-diamantkoning – verdubbelde zowat het succes van zijn vader door in winkelcentra in buitenwijken door heel de Verenigde Staten en Canada zaakjes te beginnen. Hij had ook het hoofdkwartier van de diamantfranchise van San Francisco naar Los Angeles verplaatst. Vance trouwde eind jaren zeventig met Amanda Whitaker, een voormalige Miss Sacramento, en nog datzelfde jaar baarde zij de eeneiige tweeling Adrien en Alain Zalentine.

Cady herinnerde zich nog dat hij drie jaar tevoren op een gehaaste dagtocht naar Los Angeles was gevlogen om de ouders te ondervragen. Adjunct-directeur Jund had overduidelijk te kennen gegeven dat, gezien de status van de familie in die gemeenschap, zijn leidinggevende agent de diamantpatriarch en zijn vrouw zou ontmoeten. Pure diplomatie: de Zalentines laten zien dat de moord op hun zonen tot op het hoogste niveau de aandacht zou krijgen.

De vroegere schoonheidskoningin was gefacelift en gebotoxt tot een soort E.T. Amanda Zalentine zat stilletjes in de bibliotheek uit het raam te staren naar de uitgestrekte leegte van de voortuin. Mevrouw Zalentine was een hoopje ellende, en als ze niet die mistroostige blik in haar ogen had gehad, zou Cady hebben gedacht dat ze in coma verkeerde. Maar haar jongens waren vermoord, dus zat ze daar maar, alleen in die bibliotheek, starend naar een andere plaats en tijd; het merendeel van haar emoties verdoofd door de medicijnen.

Haar man, Vance Zalentine, was echter uit ander hout gesneden. 'Die verknipte monstertjes waren al sinds hun vijfde jaar echte etterbakken. Ze hadden een vreemde band, ze waren op een of andere manier op elkaar aangesloten – bijna tot één geheel – griezelig, als iets uit *The Twilight Zone*.'

Het aan het meer gelegen huis van de Zalentines stond op een heuvel in postcodegebied 90210, twaalf hectare poenige pracht; het soort plek waar je, als ze je weigerden binnen te laten, een Eisenhower nodig zou hebben om een invasie te plannen. Aan mevrouw Zalentine had Cady niet veel gehad, ze had op al Cady's vragen alleen maar als een vogel met haar hoofd geknikt. Hij besloot het rustiger aan te pakken en liep de fitnessruimte van de Zalentines in, die zo groot was als de startbaan van een vliegveld, terwijl meneer Zalentine hijgde en pufte op de hometrainer.

'Eigenlijk is het mijn schuld,' zei Zalentine, met een druipende arm wijzend naar de bibliotheek, waar Cady net mevrouw Zalentine had achtergelaten. 'Ik was altijd zo verdomde druk, dat ik ze door die zuipschuit heb laten grootbrengen. Maar ik zal nooit vergeten dat ik van een zakentrip op een vrijdagmiddag vroeg thuiskwam, de Bentley parkeerde en toen een paar knallen hoorde, als een terugslaande motor, van achter het zwembadhuisje. Ik sloop om het schuurtje van de tuinman heen om te zien wat er aan de hand was en betrapte die kleine psychopaten op heterdaad.'

Zalentine nam wat flinke teugen uit zijn fles Evian en vervolgde: 'De tweeling had een stuk of tien hamsters bij een of andere dierenwinkel gekocht en ze stouwden van die rotjes in de kont van die hamsters of in hun keel en staken ze dan aan, de ene na de andere. Boem! Boem! Boem! Stukjes dode hamster over het hele verdomde gazon verspreid, één grote teringzooi. Ze waren toen nog maar tien. Ik had die etterbakken een pak ransel moeten geven – weet u wel, zoals ze dat in Singapore doen – dan hadden ze nu misschien nog geleefd.'

'Waarom bleven ze na hun studie in het oosten wonen?' vroeg Cady. 'Waarom gingen ze niet terug naar huis?'

'Dat wilde ik niet. Ik hoopte dat ze na verloop van tijd wat wijzer zouden worden. Dus gaf ik ze een royale maandelijkse toelage waar ze goed van konden leven en waarmee ik ze ver van me vandaan hield. Wat sportwagens hier, wat halfbakken investeringen daar: peanuts.' Zalentine veegde zijn voorhoofd af met zijn onderarm. 'Wist u dat ze nooit van Princeton zijn afgestudeerd?'

'Dat heb ik gehoord.'

'Bleek dat ze wat studiebollen betaalden om hun colleges en opdrachten voor hen te doen. Iemand hoorde ervan en meldde het bij een docent. Drie jaar studiegeld en twee ton donaties naar de bliksem.'

'Kent u iemand die uw zonen wat aan wilde doen?'

'Misschien moet u eens uitzoeken waar ze hun partydrugs kochten, weet je wel, designerdrugs als Vicodin en ecstasy, of wat ze tegenwoordig ook spuiten of slikken.'

'Er is wat hoogwaardige cannabis aan boord van hun zeilboot gevonden. We maken daar werk van maar het lijkt onwaarschijnlijk dat een dealer zo ver zou gaan vanwege wat partydrugs.'

'Blijken dit soort zaken daar niet altijd om te draaien? Doden om de dope?'

'Vaak is dat inderdaad het geval, maar uw zonen hadden de beschikking over een klein fortuin, meneer Zalentine. Ik kan me niet voorstellen dat zij drugdealers zo'n grote poot uit zouden draaien dat die een dubbele moord zouden plegen.'

'Eerlijk gezegd kan ik me er totaal geen voorstelling van maken in wat voor wespennest die twee zich hebben gewerkt.' Zalentine nam nog een slok uit de fles water. 'Ik zeg het niet graag, maar er zou zomaar een link met bizarre seks kunnen zijn. Ik heb wat geruchten vernomen over de vreemde dingen die ze met vriendinnetjes uitspookten. Het klonk niet fraai, en dat was maar een paar jaar terug.'

'U wilde niet dat uw zonen hier in de buurt waren. Waarom was dat?'

'Ik verkoop diamanten ringen, agent Cady. Een hele hoop. Ik weet waar de mensen van houden. Ik kan bijvoorbeeld aan je blik zien dat je me heimelijk veroordeelt, als vader en als mens; je vindt dat ik tekortschiet.'

'Meneer, ik kom alleen maar wat vragen stellen...'

'Hou op, dat maakt geen zak uit.' Zalentine wuifde met zijn hand. 'Ik kan een stel dat een van mijn juwelierszaken binnen komt lopen binnen een halve minuut inschatten, en dan kan ik je precies vertellen welke verlovingsset ze zullen kopen, of ze na vijf jaar nog getrouwd zullen zijn, wie van de twee het eerst de ander zal bedriegen; noem het maar op en ik kan het je binnen een halve minuut vertellen. Dus je kunt je wel voorstellen hoe goed ik mijn eigen zonen kon doorgronden. Ik weet dat het geen beste reclame is voor mijn eigen vlees en bloed, agent Cady, maar herinnert u zich nog die twee broers Menendez – Lyle en Erik – herinnert u zich die nog?'

Cady knikte.

'De reden dat ik dus mijn uiterste best deed ervoor te zorgen dat ze hier niet kwamen wonen na die grote hamsterknalfuif, agent Cady, de reden dat ik ze naar willekeurig welke kostschool in het land wilde sturen die ze maar wilde aannemen, en toen naar een universiteit stuurde aan de Oostkust, was heel eenvoudig. Ik wilde niet op een nacht opeens wakker worden en zien dat Adrien en Alain aan de rand van mijn grote bed stonden, naakt en met scalpels, op het punt hun streken naar een compleet nieuw plan te tillen.'

Het kwam daarom dus niet als een heel grote schok voor Vance Zalentine toen hij het bericht kreeg dat zijn zoon Alain was doodgeschoten op een parkeerplaats langs Highway 50, in de buurt van Queenstown, Maryland.

Alain Zalentine, die in zijn Porsche Carrera GT aan het toeren was geweest, was gestopt bij een snelwegrestaurant en was een toiletgebouw in gegaan. Zonder dat Alain het doorhad, was iemand hem naar binnen gevolgd, had hem een paar minuten gegeven om te gaan zitten, had toen de deur van het hokje opengetrapt en Alain in het voorhoofd geschoten.

Het was geen beroving. Alains portemonnee van slangenleer, volgepropt met zeshonderd dollar contant geld en zes creditcards, en de sleutels van zijn Carrera zaten nog in de zakken van zijn Dolce & Gabbana-broek, die op zijn enkels in een plas bloed lag. Compleet het tegenovergestelde van een beroving, maar de reden dat de FBI onmiddellijk op de zaak afkwam, was dat er iets was achtergelaten. Er was een glazen loper rechtstreeks in de ingangswond gestoken, midden in Alains voorhoofd.

Er werd nog een vreemd detail op de plaats delict gevonden, een bordje met DEFECT was aan de deur vast getapet. De schoonmaakploeg uit Queenstown wist niks van het bordje of hoe het daar was gekomen. Het bordje, dat leek op iets uit zo'n winkel waar alles een dollar kost, was er niet een van hen. En in hun logboek stond niets over een defecte wc. De ploeg liep naar binnen en zag onmiddellijk twee benen uitsteken onder een van de hokjes. Ze hadden kunnen denken dat er iets anders aan de hand was als al dat bloed er niet was geweest... en die geur. Blijkbaar was de dood het ultieme laxeermiddel. De politie van Queenstown nam de zaak aan, maar toen het detail van het schaakstuk werd doorgegeven, spoedde een handjevol FBI-inspecteurs, in die tijd aangevoerd door Cady, zich naar de plaats van de moord.

Het schaakstuk bracht de moord op Alain Zalentine in direct verband met de Sanfield-zaak. De gerelateerde moorden hadden de staatsgrenzen overschreden, of preciezer gezegd, waren van het District of Columbia naar Maryland overgestoken, aangezien Washington, D.C., bij geen enkele staat hoorde. Daardoor vielen misdaden onder de jurisdictie van de FBI en kon Cady op stel en sprong een speciale eenheid bijeenbrengen om nauw samen te werken met de plaatselijke en landelijke autoriteiten, aangezien, anders dan men in het algemeen dacht en dan Hollywood het gewoonlijk afschilderde, de FBI de boel niet kwam overnemen van de lokale autoriteiten.

De politie van Queenstown had de politie van Beverly Hills al ingeschakeld. Een patrouilleauto was al met een rouwverwerkingsdeskundige op weg naar het landhuis van de Zalentines om Alains ouders op de hoogte te stellen. Queenstown had ook al contact opgenomen met het politiebureau van Cambridge, Maryland. Tot dusver waren ze niet in staat geweest om Adrien Zalentine op zijn thuisnummer of mobiel te bereiken, telefoonnummers die onmiddellijk door de plaatselijke telefoonmaatschappij waren verstrekt. Cambridge stuurde een politiepatrouille naar de Dorchester Towers, waar de gebroeders Zalentine allebei een luxe appartement bezaten, om te kijken of ze de ontbrekende tweelingbroer konden opsnorren.

Heel anders dan de drukke gelijknamige stad in Massachusetts was het in Cambridge in Maryland heel kalm en rustig... of dat was het in ieder geval geweest. De officier van justitie van Cambridge was op de hoogte gebracht. Omdat het slachtoffer een erfgenaam was geweest van de Zalentine Juweliers, zou de zaak veel aandacht trekken, en iedere stap die ze zouden zetten, zou volgens het protocol moeten gaan – het spreekwoordelijke boekje – om een sterke zaak te hebben in de rechtszaal. Agent Cady besefte onmiddellijk waarom ze deze voorzorgsmaatregelen troffen. Broer Adrien was nergens te bekennen en de rechercheurs hielden rekening met de mogelijkheid dat dit een familieaangelegenheid was, aangezien de meeste moorden door een bekende van het slachtoffer worden gepleegd, vaak een familielid. Adrien was vooralsnog de hoofdverdachte; een Paris Hilton als psychopathische moordenaar. Als hij inderdaad de dader zou blijken, zou het een mediacircus in de rechtszaal worden. Een moord op een bekendheid op de rol van de rechtszaal van Queenstown. Cady kon zich de aankondiging al voorstellen: SLAAPSTADJE IN PANIEK DOOR KAIN EN ABEL-MOORD, te zien in het nieuws van elf uur. Ja, de officiers van justitie zouden zowel in Queenstown als in Cambridge overal bovenop moeten zitten.

Maar eerst moesten ze Adrien Zalentine zien te vinden.

Het was een enorm understatement om het luxe appartementen te noemen. Alain en Adrien bezaten de bovenverdieping van de Dorchester Towers, aan Washington Street, nabij het stadscentrum. Ze hadden allebei flinke appartementen met drie slaapkamers, maar de rest van de verdieping werd gebruikt voor een gym waar hoogwaardige fitnessclubs steil van achterover zouden slaan, een bioscoop waar wel honderd mensen in konden, en een *gameroom* zo groot als Fort Knox, waar van alles te vinden was, van ouderwetse flipperkasten tot aan Donkey Kong en Pac-Man en verschillende Game Box-, PlayStation- en Wii-installaties. Weer een ander gedeelte bevatte een volledig uitgeruste bar, ingericht in een Disney World meets disco-sfeer. Cady had rondgelopen over de verdieping om een indruk te krijgen hoe Alain had gewoond. Alles bij elkaar was het de natte droom van elke zestienjarige jongen.

Alain was in betere dagen pezig geweest – mager maar gespierd – zo'n een meter tachtig lang, met een bos blond haar als van een model, met een scheiding naar rechts. Zijn identieke tweelingbroer Adrien droeg zijn haar hetzelfde, maakte Cady op uit de foto's waar de gangen van Alains appartement mee vol hingen. Alleen droeg Adrien zijn scheiding links, wat voor een bijzonder effect zorgde op een portretfoto die Cady opmerkte in de Disneybar. De jongens waren duidelijk verliefd op hun eigen beeltenis.

En over Adrien gesproken, hij en zijn blonde lokken waren nog steeds nergens te bekennen. Noch in zijn appartement, noch in zijn speelpaleis op de bovenste verdieping. Adrien bleef onbereikbaar via zijn mobiel, hoeveel dringende berichten er ook voor hem werden achtergelaten. Dit was heel verontrustend. Cady begon te geloven dat de Alain-zaak misschien toch om een familietwist zou blijken te draaien; een uit de hand gelopen huiselijke ruzie die tot moord had geleid. Misschien had Alain Adrien niet genoeg laten spelen op de Nintendo of wat voor spellen ze ook in die speelhal hadden staan. Cady piekerde over de schaakstukken. Wat had Sanfield ermee te maken? Kende Sanfield de tweeling? Had hij een van hen ooit vertegenwoordigd?

Met de hulp van de beheerder van het appartement kon Cady een snelle inventaris maken van de vijf sportwagens die de Zalentine-tweeling bezat. Afgezien van de Porsche waar Alain in reed voor zijn dodelijke wc-bezoek langs Highway 50 ontbrak er ook een Jaguar XKR. Binnen zes uur was er een opsporingsbevel uitgevaardigd waarin Adrien Zalentine als *person of interest* werd gezocht voor ondervraging en waarin de vermiste Jaguar werd beschreven: een zwarte cabriolet.

Agenten van het Cambridge Police Department begonnen langs de deuren te gaan en bewoners van de lagere verdiepingen van de Dorchester Towers te ondervragen. Er kwamen verklaringen binnen die de tweeling omschreven als niet sociaal, wat uit de hoogte, snobistisch; ze zeiden niets, groetten niet en glimlachten niet als je ze in de lift tegenkwam, alleen maar ongemakkelijke stilte tot de deuren openschoven en je opgelucht was om weg te kunnen. De Zalentine-tweeling deed niet mee aan buurtspelletjes of bijeenkomsten die door de vereniging van eigenaars werden georganiseerd.

Een huurster op de achtste verdieping, een aantrekkelijke openbaar aanklaagster, blond en single, meldde dat een van de twee, ze kon ze nooit uit elkaar houden, wanneer ze elkaar tegen het lijf liepen haar vaak had gevraagd met hem te gaan zeilen op zijn boot. De vrouw zei tegen de agent: 'Hij zag er goed uit, bijna knap, en ik wist natuurlijk dat de Zalentines goed in de slappe was zaten, maar ik verzon steeds een excuus, om het even wat, om het zeilafspraakje op de lange baan te schuiven, aangezien mijn griezelmeter telkens doorsloeg wanneer hij langskwam.'

De Zalentines bezaten dus een zeilboot.

Na wat speuren had Cady ontdekt dat de tweeling een Sydney 36CR bezat, een twaalf meter lange boot, met een ligplaats in de Bachelors Point Marina in Oxford, Maryland, nog geen veertig minuten rijden van Cambridge. De Bachelors Point Marina bood uitstekend toegang tot de Chesapeake Bay. Cady belde de jachthaven, kreeg een heel schappelijke beheerder aan de lijn, en vroeg deze heer of hij Adrien Zalentine die dag nog had gezien.

'Ik heb ze geen van beiden gezien,' zei de jachthavenbeheerder tegen Cady, 'maar die twee jongens komen en gaan als geesten. Ik zal even iemand op de steiger laten kijken.'

Vijf minuten later vertelde de beheerder dat de Zalentine-ligplaats leeg was. Drie kwartier later sprak Cady een nu nerveuze jachthavenbeheerder in levenden lijve. Op weg naar het clubhuis hadden de agenten Adriens zwarte Jaguar in de hoek van de parkeerplaats van de jachthaven zien staan, schuin geparkeerd om andere auto's op afstand te houden.

Adriens mobiel werd nog steeds niet beantwoord. De jachthaven kon *The She-Killer* – zo heette de zeilboot van de Zalentines – maar niet bereiken via de radio. Toen zette Cady de kustwacht in. Die zond onmiddellijk helikopters uit om te zoeken naar *The She-Killer*, in de hoop de verdwenen Zalentine te vinden.

Het bleek dat de tweeling al net zo introvert was in Bachelors Point als in hun appartementengebouw – geen goede zeilmaten – maar een van de jachteigenaars had een gepeperde mening over de gebroeders Zalentine. 'Ik geloof niet dat ze erg veel zeilen, als ze dat ooit hebben gedaan,' zei die man. 'Ik zie ze meestal wat rondvaren met die Yanmar-dieselmotor van ze. Echt jammer, want de Sydney is gebouwd om mee te racen. Kostte meer dan een kwart miljoen dollar en wordt gebruikt als speedboat; eeuwig zonde.'

De algemene mening bij Bachelors Point was zelfs dat de Zalentines niet echte zeilfanaten waren en de boot alleen maar als statussymbool gebruikten. Iets om mee te pronken tegenover de meisjes. Afgezien van Adriens dinsdagochtendtochtjes, meenden enkele leden gezien te hebben dat ze verschillende vriendinnetjes hadden meegenomen voor een nachtelijke boottocht. Een goochemerd zei dat hij de Sydney 36CR van de Zalentines de *Love Boat* was gaan noemen.

De beheerder merkte op dat de paar keer dat hij Adrien op zijn dinsdagochtenduitstapjes had gezien, hij steeds voor twaalf uur 's middags weer terug was. Hij kon zich niet voorstellen dat Adrien een hele dag en nacht weg zou blijven.

Ondertussen had de politie van Cambridge een huiszoekingsbevel verkregen voor Adriens appartement, tegenover Alain op de gang, dus ging Cady terug naar de Dorchester Towers. Die woensdag, om vijf uur 's middags, bijna een hele dag nadat de schoonmaakploeg in Queenstown Alain in het wc-hokje had aangetroffen, nam de kustwacht contact op met Cady.

Broer Adrien was gevonden.

5

Cady lag op het nog opgemaakte bed, gunde zijn ogen wat rust en bleef minutenlang in het balletje knijpen, iets wat hij zes keer per dag deed in de hoop de spieren in zijn rechterhand sterker te maken. Hij ging nooit van huis zonder zijn schuimrubberen balletje.

Toen hij klaar was met die oefening, keerde Cady terug naar de tafel in zijn hotelkamer en dook weer in het Zalantine-dossier.

Een helikopter van de kustwacht had de zeilboot gesignaleerd, er stond op de achtersteven met grote letters THE SHE-KILLER. Toen ze eroverheen vlogen zagen ze iets verontrustends en ze riepen de patrouilleboot op de boel van dichtbij te gaan bekijken.

Tien minuten later werd Cady gebeld. Adrien Zalentine was inderdaad gevonden, alleen, aan boord van zijn vaartuig, met een kogel in het midden van zijn voorhoofd, een glazen loper diep in de ingangswond gestoken. De eeneiige tweeling die samen ter wereld was gekomen, verliet die weer op dezelfde dag en op precies dezelfde manier.

Onafscheidelijk zowel in het leven als in de dood.

Cady had weinig verstand van zeilen, maar de jachteigenaars van de Bachelors Point Marina hadden zo hoog opgegeven over de Sydney 36CR dat Cady wist dat het vaartuig het neusje van de zalm was. Wat er van Adrien Zalentine over was, was niets voor iemand met een zwakke maag; niet gek als er een stuk ter grootte van een honkbal aan je achterhoofd ontbreekt. Het lichaam lag schuin over de achtersteven, met de voeten onder het roer. Adriens bloed was gaan stollen, zijn gezicht bood een afschuwelijke aanblik, en twee dagen in de zinderende zon had hem ook geen goed gedaan.

De Chesapeake Bay was voor het grootste deel ondiep, en de plek waar de Zalentine-tweeling had aangemeerd was zo'n acht meter diep. Cady had zich laten uitleggen dat Adrien blijkbaar met nog draaiende dieselmotor het anker had uitgeworpen vanaf de boeg, de ankerketting had gevierd en de motor in zijn achteruit gezet tot het anker in de bodem vastzat. Zalentine had het tegen de wind in gedaan, zodat de boot niet zou deinen. De boot was nog niet dicht bij de kust dus hij had het anker niet hoeven uitwerpen; hij had gewoon kunnen blijven dobberen, maar misschien had hij een duik willen nemen of wilde hij genieten van precies dit idyllische plekje. De dagen ervoor waren betrekkelijk kalm en zonnig geweest, met een aangenaam briesje, ideaal voor relaxte zeiltochtjes. Cady dacht na over de schutter. Hadden de twee elkaar gekend? Of was de OV Zalentine gevolgd naar dit idyllische plekje, was hij afgemeerd langs de 36CR, met een brede grijns en misleidende praat tot hij zijn pistool had getrokken, Adrien Zalentines hersens de baai in had geknald en een schaakstuk in de dodelijke wond had gestoken?

Cady liet Adrien liggen voor de lijkschouwers en stapte benedendeks. Het leek alsof hij in een optische illusie terecht was gekomen, aangezien het veel ruimer leek dan wat hij bovendeks had gezien toen hij de kustwacht de zeilboot terug had zien slepen naar hun post in LeCompte Bay. De hoogte tot het plafond was ruim twee meter dus Cady kon rechtop staan en rondkijken in de cabine. Hij zag een grote ijskast onder iets wat een van de kustwachten een nav-station noemde. Tegenover de kombuis bevonden zich een wastafel en een op propaangas werkend fornuis en een oven. Aan weerszijden van de kajuittrap zaten de kooien. Aan bakboord en achter de V-vormige kajuit bevonden zich de voorsteven en de douche.

Cady liep naar de twaalfvolts ijskast en gebruikte een zakdoek om de deur te openen. Een paar interessante dingen. Een verscheidenheid aan geïmporteerde kaasjes, met namen als Fourme d'Ambert en camembert, en een doosje minitoastjes en biscuitjes stonden er zorgvuldig naast geplaatst. Er was een halve fles wijn met het etiket Château Margaux die waarschijnlijk meer kostte dan een vlucht met de spaceshuttle. De kurk was op zijn plaats teruggeduwd. Cady vroeg zich af of geopende wijn wel in een ijskast moest worden bewaard. Maar achter de wijn, kaas en crackers zat iets wat pas echt Cady's aandacht trok: een boterhamzakje met iets wat op marihuana leek, later door het lab gedetermineerd als ijshasj. En toen de lijkschouwers de cabine doorzochten en hun vondsten specificeerden, waren er wat waterpijpen gevonden in een van de kastjes langs de zijkanten van de Sydney.

Het was duidelijk dat Adrien Zalentines dinsdagochtendtripjes meer om het lijf hadden dan een diepgaande liefde voor het zeeleven. Andere voorwerpen op de lijst cabineartikelen waren een enorme doos Oreo-koekjes, een twaalfpak flessen bronwater, een plastic pak Kool Aid en een half leeggegeten zak Fritos. Blijkbaar geloofde Adrien niet in half werk als het om snaaien ging. Maar toen was er iets gebeurd, voordat Adrien zijn waterpijp tevoorschijn had kunnen halen, iets waardoor hij nooit meer van zijn ijshasj zou kunnen genieten.

In de verschillende compartimenten werden een twaalfpak condooms gevonden, een aantal flessen zonnebrandolie, een grote halflege tube glijmiddel, driedraads polyester touw, extra zwemkleding – waaronder een paar bikini's, type reetveter – en bijna honderd kilo haltergewichten van het soort met een gat in het midden. Cady stelde zich de tweeling voor terwijl ze het vrouwelijk gezelschap vermaakten, de cabine in duikend om hun badkleding aan te trekken en tien keer snel gewicht te heffen om hun biceps op te pompen voor ze terugkeerden aan dek.

De aanblik van Adriens appartement bevestigde het beeld dat beide Zalentines heel netjes waren, extreem netjes vond Cady toen hij vuile was netjes gevouwen in de wasmand zag liggen, er geen vieze vaat in de zwartgranieten wastafels of in de geruwd nikkelen vaatwassers stond, en er ondanks het gebrek aan ingehuurde schoonmakers nergens een stofnest te vinden was.

Vriendinnen van vroeger werden ondervraagd. Waaruit Cady kon opmaken dat geen van beide Zalentines langdurige relaties onderhield. Een relatie langer dan drie weken in stand houden was voor hen blijkbaar een hele opgave. Blijkbaar had Vance Zalentine gelijk gehad. Zijn jongens konden heel innemend zijn – natuurlijk kwam hun rijkdom goed van pas – maar geen van de tweeling speelde leuk mee in de zandbak. Er deden verhalen de ronde over hoe Adrien of Alain een meisje het hof maakte, een waar verrassingscharmeoffensief, tot hij zijn meisje tussen de lakens kreeg, en dan stond hij zijn verovering af zodat de andere broer ervan kon genieten. Dat wil zeggen, Adrien gaf zich dan voor Alain uit, en omgekeerd, tot beide broers hun vriendinnetjes van binnen en van buiten kenden. Dan, na nonchalant de nietsvermoedende vrouw te hebben ingelicht over hun seksuele verraad, zat de tweeling naast elkaar op de leren bank te zwelgen in het grote verdriet van de vrouw, waarbij de blauwe ogen van beide broers zo groot werden als schoteltjes, als bij iemand die voor het eerst het noorderlicht aanschouwt.

Een recente ex vatte het heel mooi samen: ze hadden een lege plek waar hun hart had moeten zitten, twee zwijnen in een veld vol zwanen.

De alibi's van deze vriendinnen doorstonden een uitvoerige controle.

Agent Dan Kurtz, de Yoda van de ballistische afdeling van het Bureau, was er bijna zeker van dat de geplette kogel – die een .45 ACP-patroon bleek te zijn, die dwars door Alain Zalentines voorhoofd was geschoten en aan de achterkant van zijn schedel eruit was gekomen, toen door de muurtegel heen knalde en zich in de gipsplaat erachter had vastgeboord – uit een SIG Sauer P220 was gekomen. Man, dacht Cady, er waren zelfs nog FBI-agenten die hun SIG droegen om nostalgische redenen. Genoeg vuurkracht om een flinke ingangswond en een walgelijke uitgangswond te veroorzaken. De P220 was waarschijnlijk hetzelfde wapen als de OV had gebruikt om Adrien Zalentine op zijn zeilboot te doden. Kurtz, briljant als hij was, haalde zelfs een digitale afbeelding van de kogel door de IBIS-database – Integrated Ballistics Identification System – om te zien of hij de SIG Sauer P220 die de kogel had afgevuurd waarmee Alain Zalentine was gedood, kon linken aan andere misdaden die met hetzelfde wapen waren gepleegd. Helaas leverde dat niets op. Cady dacht dat zijn kans dat ze ooit de echte SIG Sauer zouden vinden en Kurtz dezelfde groefjes zou constateren even groot was als de kans dat hij de verschrikkelijke sneeuwman zou vangen of op de heilige graal zou stuiten. De schutter zou niet goed snik zijn geweest als hij de SIG Sauer niet in de Chesapeake Bay had geslingerd na zijn bezoekje aan Adrien Zalentine.

Cady sloeg het Zalentine-dossier dicht. Hij keek naar zijn nog niet opgegeten Reuben-sandwich en toen naar de digitale klok in zijn hotelkamer. Bijna twee uur 's nachts. Cady was uitgeput, geestelijk en lichamelijk, maar hij vroeg zich af hoe goed hij zou slapen terwijl de beelden van de Zalentine-tweeling door zijn hoofd spookten. Cady liep de badkamer binnen, gooide water in zijn gezicht en vroeg zich herhaaldelijk af waarom hij ermee had ingestemd deze zaak weer op te rakelen.

Toen boog hij zich weer over het Zalentine-dossier.

De politie van Cambridge herleidde de ijshasj naar een onbeduidende yuppiedealer die Courtenay LaMotte heette, een man die zijn klantenbestand had uitgebreid door rond te hangen in de chiquere kroegen in Cambridge en omringende buurten. Het bleek dat Courtenay LaMotte in werkelijkheid Jim Webber heette. Webber kon zijn vaste lasten tot een minimum beperken door in zijn moeders kelder te wonen. Hij was zesentwintig maar zag eruit als veertien, een lange lijs die zich nog niet eens schoor.

Een zwarte rechercheur uit Cambridge die Allan Sears heette pikte Webber op, bracht hem naar het bureau, smeet hem in een lege verhoorkamer, liet hem daar drie uur zitten – geen stoelen, geen tafel, geen plaspauzes – en ging toen weer naar binnen, vertelde hem wat zijn rechten waren en informeerde Webber dat hij zwaar gestraft zou worden voor de twee Zalentine-moorden. Webber, die zat te jammeren als een klein kind, biechtte Sears alle kruimeldiefstallen en pekelzonden op die hij sinds zijn schooltijd had gepleegd. De Zalentines waren zijn beste klanten geweest, hadden altijd vooruitbetaald, hem zelfs fooien gegeven en vooruitbestellingen bij hem geplaatst. Hij had absoluut geen motief gehad om Alain of Adrien te doden. Helaas bevestigden fastfood- en benzinebonnetjes Webbers alibi: hij had in Virginia gezeten, waar hij ecstasypillen van zijn leverancier had gekocht, toen Alain en Adrien werden vermoord.

Rechercheur Sears ging naar Adriens appartement om Cady de resultaten melden van de ijshasjconnectie, liep naar binnen, zag Cady in de keuken staan, keek naar het kookeiland en liep weer weg. Even later kwam Sears weer binnen en vroeg hij: 'Heb je zijn geheime bergplaats gevonden?'

'Wat bedoel je?' vroeg Cady.

'Het kookeiland uit Alains keuken is van *Better Homes & Gardens*. Open kasten onder het aanrecht om mooie potten en pannen op te stapelen die ze nooit gebruikten. Maar Adrien heeft zijn eiland dichtgemaakt, ziet er prima uit met die houten deuren aan een kant, maar zo ziet het er in zeg maar mijn huis uit. Beslist niet in *Better Homes & Gardens*.'

Cady hurkte neer. 'Je hebt gelijk. De appartementen zijn exact gelijk, behalve dit. Waarom zou de ontwerper voor economy kiezen in het ene appartement en first class in het andere?'

'Het lijkt me waarschijnlijker dat Adrien zelf wat verbouwd heeft,' antwoordde Sears. 'Toen ik in Baltimore werkte hadden we een kinderpornograaf bij zijn kladden, een echt zieke gast. Hij downloadde niet, hij verspreidde de boel. We kregen een huiszoekingsbevel en doorzochten zijn huis, vonden zijn film- en fotocamera's, maar geen foto's, zelfs geen digitale bestanden in de verschillende fototoestellen. Toen hakten we met voorhamers het kookeiland in puin en stuitten op de grote buit. Acht camera's vol met de meest schokkende shit die je je maar kunt voorstellen, en zo'n tien kilo foto's op papier. Hij zit nu levenslang in Hagerstown – tenminste, als de andere gevangenen hem dat gunnen.'

Cady begon op de houten planken van het kookeiland te kloppen. 'Moeten we dit openbreken?'

'Nou,' Sears hurkte neer bij Cady, 'we ontdekten bij het wegbreken dat er een verborgen grendel zat.'

Sears kroop onder het aanrecht, gleed met zijn hand langs het hout, voelde een naad en tastte toen van boven naar beneden langs de zijwand. Hij kreeg een idee en hij ging vijftien centimeter terug. Hij begon met zijn vingers onder het aanrecht te voelen.

'Yep,' zei rechercheur Sears. Hij drukte op een soort knopje en een gedeelte van de zijwand sprong open. 'Heel vernuftig.'

Cady keek Sears aan. 'Ik neem je in dienst.'

Sears liet een baritonlach horen. 'Nee, dank je. Ik ben uit Baltimore hiernaartoe verhuisd voor een wat lagere bloeddruk.'

Cady gooide het deurtje open. Hij en Sears keken naar een Gardall-muurkluis met een soort elektronisch toetsenbordslot. 'Wel verdomd.'

'Wat zou erin zitten?' vroeg Sears.

'Vergeet niet dat we met de Zalentines te maken hebben, dus ik vermoed kostbare sieraden: ringen, horloges, het soort dat meer kost dan wij in een jaar verdienen. Misschien partydrugs. Misschien een stapel contanten.'

'Is je team nog op cijfercombinaties gestuit?'

'Nee,' zei Cady. 'Laten we de ouders bellen, kijken of die er meer over weten. Anders halen we er iemand met een boor bij.'

Cady's vermoeden van wat er in de kluis zat zou onjuist blijken. De volgende ochtend, toen de Gardall werd opengeboord, veranderde alles.

6

'Shakespeare had het bijna goed: "het eerste wat we moeten doen is alle juristen doden". Maar hij vergat het belangrijkste gedeelte: dat we ze daarvóór ondersteboven aan een boom moeten ophangen en kokende olie in hun reet gieten.'

Stouder knikte even instemmend naar de reusachtige dronkenlap naast hem aan de bar. Hij betreurde het dat de barman, die op het eerste gezicht die dinsdag om tien uur 's morgens de enige aanwezige leek in de Brass Rail, hem had achtergelaten nadat hij Stouder een glas huiswijn had ingeschonken. Nou, dit huiswijn noemen was misschien een beetje overdreven, aangezien Stouders glas merlot smaakte als iets wat een stinkdier zou kunnen gebruiken om zichzelf te verdedigen. Natuurlijk kon de vieze smaak samenhangen met het lastige parket waarin Stouder zich bevond.

Het had niet bepaald geholpen toen hij zijn barkruk had rondgedraaid en opeens die barhanger op de kruk links van hem had zien zitten, die Stouders *personal space* binnendrong. Het gezicht van de dronkenlap bevond zich maar een paar centimeter van het zijne vandaan. De vreemdeling zag eruit als Mr. Clean, de mascotte van het gelijknamige merk voor schoonmaakproducten: wit T-shirt, helemaal kaal, witte wenkbrauwen, maar zonder de oorbel van Mr. Clean. Wat Stouder vol vuur deed knikken waren niet de enorme bicepsen van de man of zijn knokkels, die eruitzagen als boomwortels, het soort waar je een halve dag lang in je tuin op stond in te hakken, of de Canadian Club die Mr. Clean maar bleef inschenken in een borrelglaasje en van daaruit rechtstreeks in zijn keel goot, het ene glaasje na het andere, maar vooral de manier waarop Mr. Clean zijn hartgrondige afkeer van het juridische beroep uitte.

'Als een loodgieter je afzet, houd je er tenminste nog een werkende plee aan over. Maar die verdomde juristen hebben geen gevoel voor proportionele waarde. Totaal geen gevoel. Je betaalt ze om de hele papierwinkel en zo na te kijken wanneer je een huis koopt, waar of niet? Weet je wel die kleine lettertjes die ze zogenaamd voor je neus zitten te lezen aan hun bureau?'

Stouder knikte weer, herhaaldelijk.

'Dan dienen die kloothommels een rekening in alsof het om het proces van het jaar ging. Niet te fucking filmen.'

Stouder had de vorige avond opnieuw een bericht gekregen van Richaard Gere. Er had alleen in gestaan: 'The Brass Rail, 29th Street en Lexington Avenue, dinsdag tien uur 's morgens.' Stouder had de hele nacht overeind gezeten, zich afvragend of hij de autoriteiten moest inlichten, vooral aangezien hij zelf deel uitmaakte van de autoriteiten. Die schurken zouden misschien een zware straf krijgen omdat ze geprobeerd hadden een vice-procureur-generaal van de staat New York te chanteren. Maar er was immers ook die kwestie van zijn geheimpje waar hij rekening mee moest houden. Wat wisten die lui en wat konden ze aantonen? Hij had zijn ochtendschema helemaal omgegooid, met een haastig excuus over ziekte en een verzonnen doktersafspraak, en was naar buiten gevlucht vóór hij zich zou verstrikken in die leugen.

'Die klootzak die mijn scheiding regelde, rekende bijvoorbeeld achthonderd dollar voor elke keer dat hij door de kamer liep om een paperclipje op te rapen. Er is er maar één die ooit waar voor zijn geld heeft gekregen bij een advocaat, en dat was O.J. Simpson.'

Mr. Clean had duidelijk heel sterke overtuigingen.

En dus hield Stouder zijn gemak, tegen beter weten in, en knikte zo nu en dan om aan te geven dat hij het helemaal met Mr. Clean eens was. Hij vroeg zich af hoe lang hij nog moest wachten voor hij de Brass Rail uit zou rennen.

'Eerlijk gezegd heb ik wat dingetjes uitgehaald – dingen waar ik niet al te trots op ben – waardoor het huwelijk op de klippen liep. Ik ben niet te beroerd om dat toe te geven. Mijn ex heeft zich er niet bepaald overheen gezet, maar we gaan gelukkig vreedzaam met elkaar om. Jezus, ik ben vorige maand nog bij haar langsgeweest in haar appartement om wat te drinken en ze heeft zelfs mijn ballen gelikt. Maar daar gaat het nu niet om. Ik wil alleen maar zeggen dat die rekeningen die die klojo bleef sturen buiten elke proportie waren. Echt een mes in de rug.'

Stouder knikte, hartgrondig wensend dat hij ergens anders was.

'En dat maakte me pas echt nijdig,' vervolgde de dronkenlap. 'Dat is een woord dat je niet vaak meer hoort, maar het maakte me pisnijdig. Elke keer dat ik een nieuwe cheque voor hem uitschreef, was het alsof ik een schroevendraaier in mijn oogballen stak. Maar ik hield me goed, klopte hem op de schouder toen de scheidingspapieren binnenkwamen. Ik trakteerde hem zelfs op een drankje – hij bestelde nota bene van die rooie zeik die jij daar drinkt – toen ik zijn laatste cheque voor hem uitschreef in een kroeg zoals deze. Een en al beminnelijkheid en wat heb je me toch goed geholpen en al dat soort gezeik want je moet het netjes afhandelen en er wat tijd overheen laten gaan. Snap je wat ik bedoel?'

Stouder knikte automatisch.

'Ik gaf zijn naam zelfs door aan mensen. Weet je wel, van die lummels om wie ik geen moer gaf. Ik heb die louche vent zelfs een kerstkaartje gestuurd, die eerste kerst na de scheiding. Een en al vrolijkheid en vrede op aarde en dat soort shit. Maar weet je, ik was zijn afzetterij niet vergeten. Ik kon me er gewoon niet overheen zetten, denk ik. Dus nadat er genoeg tijd overheen was gegaan, zocht ik hem een keer 's avonds laat op, haalde hem uit zijn bed omdat hij mij ook wat schuldig was, als je begrijpt wat ik bedoel?'

Stouder begon te knikken maar stopte en staarde Mr. Clean aan.

'Ik zette het hem betaald. Een rekeningetje dat nodig moest worden vereffend. Je had dat bleke smoelwerk van die sukkel moeten zien. De klootzak... en terecht!' Mr. Clean veerde overeind, snorde iets op uit zijn zak en smakte het boven op de bar, vlak naast Stouders glas merlot. 'Zo kom ik aan dit portemonneetje.'

Stouder bekeek het jammerlijke portemonneetje dat voor hem lag op de bar. Het had een vreemde vorm, met een gleuf die door het midden openkrulde, waardoor het veel meer leek op de gedroogde varkensoren die zijn moeder voor Tanzy de poedel kocht dan op een portemonnee.

'Dat is honderd procent balzak, dat daar,' zei Mr. Clean. 'Honderd procent.'

Stouder voelde zich misselijk worden en probeerde het tegen te houden.

'Ik zou als ik jou was naar de achterkamer lopen, voorbij de biljarttafels.' Mr. Clean klonk opeens geheel nuchter. 'Ze wachten op je.'

Stouder stond stil in de deuropening van de achterkamer; hij probeerde zich te herstellen van een al te opdringerig fouilleren door Mr. Clean. Het was geen grote kamer, beslist niet geschikt om een evenement in te houden anders dan een gangbang voor een motorbende. Een ronde tafel stond in het midden van het vertrek. Hij was bedekt met een limoengeel tafelkleed dat misschien nieuw was geweest toen Kennedy president was. Een luidspreker stond boven op de tafel. Ernaast lag een duimdikke map van manillapapier met de naam Stouder erop. Er stond een houten stoel voor de tafel. Het was duidelijk waar hij verondersteld werd plaats te nemen.

'Kom toch binnen, vice-procureur-generaal Stouder. Maakt u het zich gemakkelijk.' Er klonk een stem uit de luidspreker. 'Wat een genoegen u eindelijk in levenden lijve te mogen ontmoeten.'

Stouder zette drie stappen de kamer in, waarna de deur van de ontvangkamer met een klap dichtviel. Hij vloog zowat tegen het plafond en keerde zich snel om om te zien of er iemand anders in het vertrek was. Helemaal leeg.

'Excuses daarvoor, meneer, maar we moeten eens even praten. En we willen daarbij geen pottenkijkers, of wel?'

Stouder bleef staan. Hij beet op zijn onderlip, probeerde niet te trillen en zei de zinnen op die hij op de heenweg had geoefend. 'Als u denkt een New Yorkse vice-procureur-generaal met dit soort kinderachtige streken te kunnen intimideren, vergist u zich schromelijk. Als ik mijn secretaresse niet binnen een kwartier heb gebeld, geeft ze mijn aanklagersteam een enveloppe met daarin onze correspondentie, mijn gedachten over deze zaak, evenals het adres van dit...' Stouder keek minachtend rond door het vertrek en vervolgde, '... etablissement.'

'Maar natuurlijk, vice-procureur-generaal. Natuurlijk kunt u uw secretaresse bellen. Ik vrees dat we op de verkeerde voet zijn begonnen.' De stem klonk onuitstaanbaar ontspannen, als een middernachtelijke deejay op een jazzzender die de luisteraars vertelt over de milde nachttemperatuur, waarna hij weer een lied van Miles Davis opzet. 'En we hadden misschien niet St. Nick als gastheer moeten gebruiken.'

St. Nick was zeker Mr. Clean, dacht Stouder. 'Die vent van u is een dronkenlap!'

'Kom kom, vice-procureur-generaal Stouder, voordat we St. Nick van van alles gaan beschuldigen – in december speelt hij trouwens echt voor kindjes als Kerstman – wist u dat Ulysses S. Grant beval dat er altijd een vat whisky voorhanden moest zijn? Die beste generaal dompelde vaak zijn kop erin om zijn dorst te lessen. Of zullen we het hebben over Winston Churchill, die bij het ontbijt een hele fles wijn dronk?'

Stouder staarde naar zijn vingernagels. 'En wat wilt u daarmee zeggen?'

'St. Nick heeft heel speciale talenten, meneer. Laten we het erop houden dat hij van aanpakken weet. Geef me een handjevol bruikbare dronkenlappen als St. Nick en ik kan over de hele wereld regeren.' De stem door de luidspreker klonk steeds meer als zo'n geslachtloze presentator op de publieke omroep, en niet langer als een nachtelijke jazzdeejay. 'Vice-procureur-generaal, heeft u wel eens gehoord van "de wortel en de stok"-aanpak? Weet u wel, het belonen van goed gedrag en het bestraffen van slecht gedrag?'

'Ja.'

'Mooi, meneer, want ik schep niet graag op maar het dossier vóór u is een flinke stok. Blader er gerust doorheen als u me niet gelooft.'

'Als u uw huiswerk heeft gedaan, zult u weten dat mij niets méér aan het hart gaat dan de gezondheid en het welzijn van kinderen. Ik behartig al jaren de belangen van kinderen, al lang voordat ik mijn huidige positie kreeg. Ik heb duizenden dollars gedoneerd aan kinderopvanghuizen overal in de Verenigde Staten.'

'Natuurlijk heeft u dat gedaan, vice-procureur-generaal,' zei de jazzdeejay langzaam, alsof hij ging afronden voor die avond. 'Natuurlijk.'

'Laten we dan ophouden met deze poppenkast. Ik heb er onderzoek naar gepleegd hoe seksuele predatoren het internet gebruiken om te jagen op argeloze kindertjes. Ik maak binnenkort de oprichting bekend van een speciale eenheid om dat probleem aan te pakken. Tientallen gerespecteerde collega's weten dat ik een voorvechter ben op dit vlak.' Stouder was beland bij een van zijn meest geoefende punten. 'Niets in dat dossier zal iemand iets zeggen.'

'Doet u mij een genoegen, vice-procureur-generaal Stouder. U wilt toch echt niet dat St. Nick die pagina's met u doorneemt, of wel, meneer? Ik heb een zwakke maag.'

Bij de herinnering aan St. Nick – Mr. Clean – opende Stouder het dossier en bladerde snel door het eerste gedeelte, waar transcripties in stonden van zijn chatroomgesprekken met Ricky en de anderen.

'Dit betekent niks.' Stouder gooide zijn hand omhoog. 'En is waarschijnlijk in elkaar geflanst.'

'Blader verder, vice-procureur-generaal Stouder,' drong de publieke-omroepstem uit de luidspreker aan.

Het volgende gedeelte bevatte naast elkaar geplaatste foto's van hem, zowel met als zonder kleren. Stouder trok wit weg. Maar dat was niet wat hem het meeste schokte. Wat vice-procureur-generaal Stouder bijna een anafylactische shock bezorgde, was dat de foto's waren genomen in zijn riante badkamer. Die klootzakken waren in zijn huis geweest.

'Ongelooflijk wat die cameraatjes allemaal kunnen vastleggen, nietwaar, meneer?'

Stouder voelde dat zijn handen weer begonnen te trillen, maar hij deed zijn best in zijn rol te blijven. 'U heeft zojuist nog een paar extra misdrijven aan uw chantageplannetje toegevoegd.'

'Zodra men een patroon bespeurt, vice-procureur-generaal Stouder, is al het andere kinderspel.' De publieke-omroepstem klonk niet langer ongedwongen ironisch.

Stouder zei niets meer terwijl hij door de rest van de map bladerde. Foto's van hem op strooptocht, voor Ricky's huis, in de wc van een bioscoop, naast een jongen in een urinoir.

'Als u er eentje ziet die u als vakantiekaart wilt gebruiken, kan ik korting voor u regelen bij Proex,' merkte de publieke-omroepstem op.

Stouder bleef door de foto's bladeren, de ene na de andere. De laatste waren een reeks foto's van de jongen die naast hem in het urinoir had gestaan. Het laatste document was uit de krant van die ochtend gehaald, met een foto van diezelfde jongen, die sinds dinsdag werd vermist, sinds hij met andere kinderen uit de buurt was gaan spelen en nooit meer was thuisgekomen. Geen van de kinderen uit de buurt had hem die dag nog gezien.

'Klinkt toch vreemd om dit een Amber Alert te noemen als het om een jongen gaat, vindt u niet?'

'Vuile klootzak.'

'Kom kom, vice-procureur-generaal Stouder, zeg toch geen dingen die ik als beledigend zou kunnen opvatten. Dat Connelly-jochie heeft niets te vrezen. Zeker niet van jullie soort. Op dit moment zit hij in Zuid-Amerika – laten we zeggen in Guatemala – aan het werk in een sweatshop waar ze Nike-imitaties maken.'

'Haal hem onmiddellijk terug,' prevelde Stouder.

'Niet zo sip kijken, meneer. Zie het maar als een zomerkamp. Hij leert er een vak en de bewakers is opgedragen hem extra rijst en bonen te geven.'

De maskers waren af; alle wind was hem uit de zeilen genomen. Hij was hopeloos de lul. En hij wist precies hoe dit zou aflopen. Hij zou de gevangenis in draaien als het laagste van het laagste. Stouder werd helemaal slap, als te gaar gekookte spaghetti die tegen een muur was gegooid, begon te beven alsof hij met zijn blote kont in een tochtige iglo zat.

'Het enige wat u hoeft te doen, vice-procureur-generaal Stouder, is mij, St. Nick en het handjevol andere kerels dat u de afgelopen week zo intiem heeft leren kennen een kleine dienst te bewijzen, en dan zal dat Connelly-jochie bij de bibliotheek in de buurt van zijn huis worden afgezet, waar hij een ongelooflijk verhaal kan gaan vertellen. Maar voor dat knaapje naar Zuid-Amerika ging, heeft hij een spelletje verstoppertje met de kerels in uw huis gespeeld. U weet wel, hij verstopte wat haar hier, wat vingerafdrukken daar. St. Nick vertelde me dat dat Connelly-knaapje misschien zelfs zijn vinger heeft geprikt en wat voorwerpen kan hebben aangeraakt voor het bloeden ophield. Maar maakt u zich geen zorgen om de troep, meneer. St. Nick zegt dat er zo'n CSI-lamp voor nodig is om zelfs maar te merken dat er iets loos is. Dus vertel eens, vice-procureur-generaal Stouder – als geleerd jurist – indien dit dossier naar de inspecteurs die dit onderzoeken wordt gestuurd, zou dat voldoende aanleiding zijn voor een huiszoekingsbevel?'

'Wat... wilt u van me?' fluisterde Stouder nauwelijks hoorbaar.

'Alleen dat u ons een kleine dienst bewijst, vice-procureur-generaal. We hebben een extra stel ogen en oren nodig. Meer niet. Alleen een extra stel ogen en oren.'

Vice-procureur-generaal Stouder deed toen iets wat hij in geen veertig jaar meer had gedaan, niet meer sinds hij de leeftijd van dat Connelly-knaapje had.

Stouder begon te huilen.

Washington, D.C.

Drie jaar eerder

7

'Eens kijken of ik het met mijn grijze celletjes goed begrijp,' zei adjunct-directeur Jund met een rood hoofd tegen een vergaderzaal vol inspecteurs. 'Alain Zalentine had de enorme pech dat zijn hersens uit zijn achterhoofd werden geblazen in de wc van een snelwegrestaurant.'

'Een wc bij een parkeerplaats langs de weg, sir.'

'Ja, agent Cady, bedankt voor het met ons delen van je verfijnde onderscheidingsvermogen inzake publieke privaten,' zei Jund zuchtend. 'Toen vonden we de volgende dag zijn tweelingbroer, Adrien Zalentine, dood in zijn zeilboot en wiens hersens de Chesapeake Bay in waren geblazen. Nou zijn deze twee jongens geen doorsnee gozers... nee, verre van dat. Die twee zijn de erfgenamen van het grootste vermogen in Noord-Amerika na Bill Gates. En laat het nou zo zijn dat bij die twee jongens een glazen schaakstuk diep in de wond is gestoken.' De adjunct-directeur kwakte een stapel foto's op de vergadertafel. Niemand reikte ernaar. Ze hadden allemaal dezelfde gruwelijke foto's in hun eigen map, mappen die Cady aan iedereen had uitgedeeld voordat de adjunct-directeur arriveerde.

'Dan hebben we K. Barrett Sanfield nog, topadvocaat in Washington, D.C. – hij werd godbetert de Magiër genoemd – zo'n vijf weken geleden doodgestoken in zijn eigen kantoor; een zaak waarin we nog geen meter zijn opgeschoten. Maar eindelijk hebben we een aanwijzing, of eigenlijk meer een link, en een niet al te subtiele link ook, op grond van een glazen schaakstuk dat in Sanfields borstbeen was gewrikt.'

Jund keek de tafel rond en vervolgde: 'Nu ontdekken we, na een of andere geheime muurkluis te hebben geopend in Adrien Zalentines keuken, wat tussen twee haakjes klinkt als iets uit *The Hardy Boys*, dat de Zalentine-tweeling – die van het *Zalentine, rijmt op Valentine*-imperium – dat deze twee minderwaardige onderkruipsels misschien wel de grootste seriemoordenaars zijn die de Oostkust hebben geplaagd sinds de verdomde Boston Strangler!'

Er viel een gedempte stilte. Cady wist dat Jund de dood van vrouwen en kinderen heel zwaar opnam, en persoonlijk, maar hij had de adjunct-directeur nog nooit zo gespannen gezien en vermoedde dat de andere aanwezigen hem ook nog nooit zo hadden gezien. Hij keek snel de tafel rond. Daar had je Elizabeth Preston, die bladerde in haar stapel documentatie alsof ze zocht naar een wonder; rechts van haar zat agent Tom Hiraldi. Hiraldi was jong, betrekkelijk onervaren en betrokken bij het Schaakman-onderzoek omdat hij twee jaar achtereen de beste was van de schaakclub van zijn middelbare school; de schaakdeskundige van het Bureau. Voor Jund was aangekomen had Hiraldi zitten theoretiseren over de betekenis van de koningin en de loper, welke schaakzetten ze mogelijk vertegenwoordigden, welke aanwijzingen ze misschien gaven. Zijn dissertatie over het koningsgambiet werd abrupt beëindigd toen Jund de vergaderzaal binnenstormde en plaatsnam.

Aan de andere kant van de tafel zat Bryce Drommerhausen, een topanalist die uit de Behavioral Analysis Unit in het National Center for the Analysis of Violent Crime was gehaald om de agenten te helpen de motieven van de Schaakman in het vizier te krijgen. Drommerhausen had voor aanvang ter vergelijking de werkwijze van de Schaakman in de Violent Criminal Apprehension Program-database ingevoerd, maar zoals te verwachten viel had VICAP niets opgeleverd. Dat wil zeggen: er werd geen patroon gevonden. Drommerhausen staarde Jund strak aan.

De agenten Arty Gonzalez en Maggie Fitzwilliams, de forensisch specialisten die beide plaatsen delict van de Zalentines hadden onderzocht, zagen er bleek en geschokt uit.

Agent Dan Kurtz, waarschijnlijk heel blij dat hij niet persoonlijk aanwezig was, maar had ingebeld vanuit Quantico. Cady had Allan Sears meegenomen, de rechercheur uit Cambridge die zo hulpvaardig in Dorchester Towers was geweest, voor wat een verhitte discussie beloofde te worden. Daar ging Sears' bloeddruk.

'Sir,' begon Cady, 'de brandbestendige kluis die in het kookeiland van Adrien Zalentines keuken verborgen zat, bevatte de tasjes van zes vrouwen. Een ervan behoorde toe aan Sarah Glover uit Wilmington, Delaware. Miss Glovers lichaam is triest genoeg aangetroffen in een ondiep graf in een bebost gebied bij een afrit van de 270 ter hoogte van Rockville. De moord op deze vrouw wordt nog altijd onderzocht, en is eerlijk gezegd al een jaar of drie een cold case.'

'Nou, agent Cady, ik denk niet dat de zaak van de wurging van Miss Glover nog lang een cold case blijft.'

'Nee, sir.' Cady besefte dat de adjunct-directeur het dossier had gelezen. In eerste instantie geloofden de inspecteurs die de moord op Sarah Glover onderzochten dat zij door één OV was ontvoerd en herhaaldelijk verkracht. 'Maar de labresultaten geven nu aan dat het sperma in haar vagina en anus overeenkomt met het DNA van de gebroeders Zalentine.'

'Welke, Alain of Adrien?'

'Hoogstwaarschijnlijk allebei, sir.' Cady keek omlaag naar zijn aantekeningen. 'Wanneer een enkel bevrucht eitje zich in tweeën splitst, ontwikkelen de twee embryo's zich tot een identieke – of eeneiige – tweeling. Aangezien deze tweeling uit hetzelfde eitje en sperma komt, hebben ze hetzelfde DNA, hun genetische samenstelling is identiek, dus niet te onderscheiden in een standaard DNA-analyse. In sommige gevallen gebruiken ze vingerafdrukken om een eeneiige tweeling uit elkaar te houden.'

'O ja?'

'Ja, sir, en nu wordt het interessant. Sarah Glovers lichaam werd gevonden door een vrachtwagenchauffeur die plasmaschermen naar Frederick vervoerde. Hij had de 270 verlaten om een van zijn banden te controleren, en toen hij daarmee klaar was, glipte hij weg achter de bomen om te plassen en zag hij een bleke hand uit de grond steken. Hij zei dat hij zichzelf helemaal had ondergepist terwijl hij terug was gerend om zijn mobieltje te pakken. Sarah Glover werd toen al drie weken vermist. Ze was naar Catonsville gelift om een optreden van een grungeband bij te wonen en er was sindsdien niets meer van haar vernomen.' Cady wees naar de rechercheur uit Cambridge en vervolgde: 'Ik heb met rechercheur Sears een Glover-Zalentine-tijdslijn opgesteld. Het staat genoteerd als A7 in jullie dossier. Wij zijn van mening dat de Zalentine-tweeling in paniek is geraakt. Ze hadden snel een ondiep graf gegraven, vingen op dat Glovers lijk was gevonden nadat het op het nieuws bekend was gemaakt en nog diezelfde dag ruilden ze hun tien maanden oude Mercedes-Benz CL600 in voor een Ferrari 575 M Maranello.'

Cady voelde zijn mobieltje trillen in zijn borstzak, wist dat het Laura was, zijn vrouw, die belde over hun plannen voor die avond, en wist dat hij haar weer zou moeten teleurstellen.

'Had Glover in de Mercedes gezeten?'

'De CL600 was de enige sportwagen met voldoende kofferruimte die de Zalentines bezaten. Ze hadden waarschijnlijk genoeg CSI-afleveringen gezien om te weten dat ze de lul waren als men erachter kwam dat ze Sarah Glover in de kofferbak hadden vervoerd naar haar begraafplaats langs de 270. Toen, de dag nadat ze de Mercedes hadden ingeruild, zat de tweeling in een Airbus naar Frankrijk.'

'Ze wisten dat ze het hadden verkloot, dus zorgden ze dat ze aan de andere kant van de wereld waren toen het onderzoek begon,' zei rechercheur Sears.

'Precies,' antwoordde Cady. 'De tweeling volgde het nieuws over het onderzoek via internet vanuit een of ander vijfsterrenhotel in Parijs. Het personeel van de Dorchester Towers bewaarde hun post. De vrouw van de Dorchesteradministratie meldde dat dat het enige was waarover ze serieus met de Zalentines had gesproken die maand dat ze in Parijs zaten, toen ze haar om de dag bleven bellen om haar te herinneren aan de post. Natuurlijk hoorden ze haar uit, ze probeerden erachter te komen of iemand voor hun woning had rondgeneusd. De telefoongegevens laten zien dat ze in die tijdsperiode hun eigen antwoordapparaat bleven bellen, dagelijks controleerden of politie-inspecteurs probeerden contact met hen op te nemen.'

'Toen ze zo'n vijf weken niets over zichzelf hadden gehoord of gelezen,' zei rechercheur Sears, die het woord overnam, 'veegden ze het zweet van hun voorhoofd en keerden ze terug naar huis. Waarschijnlijk schichtig om zich heen kijkend voor ze de Dorchester Towers weer binnenstapten. Nadat er nog wat weken voorbij waren gegaan kregen ze een beter idee, om hun nieuwe hobby wat te vergemakkelijken. Een zeilboot.'

'Dat is zeker hoe ze de andere vijf gedumpt hebben, hè, die nooit gevonden zijn?' vroeg agent Preston zachtjes.

Cady knikte. 'A12 in jullie dossier is een lijst spullen die zijn gevonden aan boord van hun boot, *The She-Killer*.'

'Schaamteloze naam.'

'Zeg dat wel,' beaamde Cady. 'Zien jullie bij A12 die gewichten? En die dertien meter touw?'

'Het is een enorme baai, agent Cady,' zei de adjunct-directeur. 'Zou het mogelijk zijn de stoffelijk overschotten van de vijf vermiste vrouwen te vinden?'

'Laat ik u daar ook even over bijpraten, sir. Hun boot had zo'n dieptemeter, die vissers ook gebruiken.' Cady raadpleegde opnieuw zijn aantekeningen. 'Een Humminbird Matrix 97 Combo, een hoogwaardig dingetje met het vermogen diepten van een paar honderd meter te bereiken. Ik denk alleen niet dat ze hem gebruikten bij het vissen. De Zalentines hadden geen vissersspullen, geen hengels of visgerei aan boord of in hun appartement. Geen van beide Zalentines heeft ooit in zijn leven een visvergunning gekocht, en een pijnlijk ongemakkelijk telefoontje met Vance Zalentine leerde me dat hij toen ze klein waren zelfs nooit met ze is gaan vissen.'

'De Humminbird had een tweeledig doel. Ze visten er wel mee, maar naar het volmaakte onderwatergraf.'

'Precies, sir,' antwoordde Cady. 'En toen vielen we met onze neus in de boter. Het nav-station aan boord van *The She-Killer* had een draadloze bluetooth-gps voor elektronische kaarten – vissers kunnen coördinaten invoeren om terug te kunnen keren naar een visrijk plekje. Wij denken dat de Zalentines het gebruikt hebben om een navigatieplek vast te leggen, noem het een markeringspunt, op een paar uitgekozen diepe plekken in de Chesapeake Bay.'

'Wat gebeurt er met die gps-coördinaten?'

'Bedenk dat de Chesapeake Bay gemiddeld zeven meter diep is. Dat is slechts het gemiddelde, er zijn veel diepere plekken. De Zalentines hadden twee markeringspunten in hun gps geprogrammeerd. Helaas bevindt een van die routepunten zich in het diepste gedeelte van de baai, bij Bloody Point, in de buurt van Annapolis. Het wordt The Hole genoemd en ligt drieënvijftig meter onder zeeniveau. The Hole vinden zal wat lastiger zijn en meer tijd vergen. Maar het andere markeringspunt ligt zo'n twintig meter diep. De kustwacht laat op dit moment het gebied door duikers uitkammen.' Cady keek naar rechercheur Sears. 'Allan en ik kregen net voor deze vergadering een telefoontje van de agent die het duiken leidt.'

Sears schraapte zijn keel. 'De kustwachtduikers hebben zojuist twee vrouwelijke lichamen ontdekt bij die gps-coördinaten. Volgens de eerste berichten hadden ze beiden geen kleren aan en waren ze in een soort tentzeil gewikkeld, strak ingesnoerd met precies hetzelfde soort driedraads polyester touw dat aan boord van de Zalentine-boot is aangetroffen. Aan het touw waren tachtig kilo zware haltergewichten bevestigd; ook hier weer precies hetzelfde soort gewichten als in een compartiment aan boord van *The She-Killer* zijn aangetroffen. De kustwacht breidt het gebied van de zoekactie op deze duikplaats uit, maar ik vermoed dat de andere drie slachtoffers zich in of nabij de andere coördinatenreeks van het gps bevinden: The Hole.'

'En al die andere vrouwen die de Zalentines meenamen op hun "doodsboot",' vroeg agent Preston, 'waarom mochten die wel blijven leven?'

'Ik denk,' antwoordde rechercheur Sears op de vraag van de FBI-agent, 'dat die waren om de schijn op te houden. Afspraakjes als afleidingsmanoeuvre waarmee ze over de jachthaven paradeerden om de aandacht van de andere jachteigenaars niet te veel op één bepaald meisje te laten vallen. De broers kregen waarschijnlijk een kick van het wijn drinken en kaas met crackers eten, samen met die schijndates, terwijl ze donders goed wisten wat ze aan boord van *The She-Killer* hadden uitgespookt.'

'Bovendien,' voegde Cady eraan toe, 'konden de "schijndates" gemakkelijk naar de broers worden getraceerd wanneer er eentje verdween. Van de vijf vermiste vrouwen wier tasjes in de souvenirkast van de Zalentines lagen waren Claire Townley en Jenny Granger liftende tieners, Meagan Wright werd opgepikt in een stampvolle nachtclub in Virginia Beach en Dayna St. Claire was een prostituee die in de buurt van Richmond, Virginia, werkte.'

'Afgaand op de kilometerteller van de sportwagen van de tweeling,' zei Sears, 'vermoed ik dat Alain en Adrien hun tijd doorbrachten met rondscheuren over de *interstate*, op zoek naar eenzame liftsters, jonge vrouwen die ze tot een avondmaal en wat drankjes konden verleiden, misschien wat nachtjes onderdak konden aanbieden, en dan mogelijk, als ze daar zin in hadden, een leuk nachtelijk tochtje op hun zeilboot. Onder A-1 in jullie dossier staan de namen en leeftijden en thuisadressen van de slachtoffers. Meagan Wright, die opgepikt werd op de vleesmarkt in Virginia Beach, was de oudste. Zij was drieëntwintig. Jenny Granger, de jongste en pas zestien, werd waarschijnlijk bij Highway 81 in de buurt van Scranton, Pennsylvania, opgepikt. Je kunt zien hoe de Zalentines met hun auto's grote afstanden aflegden zodat de verdwijningen niet allemaal in een klein gebied zouden plaatsvinden.'

Agent Preston keek naar de adjunct-directeur. 'Als we de Schaakman te pakken krijgen, arresteren we hem dan of geven we hem een medaille?'

'Ik zal ervoor zorgen dat hij een tweede toetje krijgt vóór hij zijn injectie krijgt,' zei Jund tegen Preston, en hij wendde zich toen tot Cady. 'Wat heeft de Schaakman precies te maken met die "pretmoorden" van de Zalentines?'

'De families van de zes slachtoffers zijn door agenten ondervraagd. Op dit moment is er geen bewijs dat de Schaakman betrokken was bij de pretmoorden van de Zalentines. Bootbezitters in de jachthaven hebben nooit mannen op *The She-Killer* gezien. De als souvenir bewaarde tasjes zitten vol met Alains en Adriens vingerafdrukken en besmeurde afdrukken van de verschillende slachtoffers.'

'Vertellen die vingerafdrukken ons nog iets anders?'

'Agenten die de families van de slachtoffers hebben ondervraagd, hebben nauwkeurig afdrukken afgenomen van oude jaarboeken of fotoalbums of cd's om ons te helpen de vingerafdrukken op de tasjes en verschillende identiteitsbewijzen, creditcards en sleutels in de trofeeënkluis van de Zalentines uit te sluiten. Na het uitsluiten van de afdrukken van de slachtoffers zijn hier en daar terugkerende afdrukken die toebehoren aan een pompbediende of caissière die een creditcard aan heeft genomen. Hoe dan ook zitten Alains en Adriens vingerafdrukken overal. Die twee moeten die tasjes vaak tevoorschijn hebben gehaald om te kijken naar de portemonnees, rijbewijzen, make-updoosjes, noem maar op.'

Het bleef even stil in het vertrek, een stilte die uiteindelijk door Jund werd verbroken.

'Ik weet dat we hem de Schaakman hebben genoemd – een uitzonderlijk figuur – gebaseerd op de beveiligingsopname bij de moord op Sanfield, maar die tweeling... Deze dubbele moord vergt een grondige planning. Kan de Schaakman misschien meer dan één persoon zijn?'

'Twee punten, sir. Ten eerste, Adrien was die ochtend twee uur nadat hij met zijn boot was vertrokken al dood. Rond tien uur 's ochtends. Een schutter die in zijn eentje opereerde zou nog makkelijk om twaalf uur terug kunnen zijn bij de Dorchester Towers om Alain te schaduwen. Ten tweede,' vervolgde Cady, 'was het al vijf weken na Sanfields dood. Dat is veel tijd om de tweeling te schaduwen, zich hun gewoontes in te prenten, ze in de val te laten lopen. Als je echter een team van moordenaars hebt, waarom zou je dan niet de appartementen 's nachts aanvallen? Ze gewoon bestormen. Veel makkelijker.'

'Gezien de precisie en de ingewikkelde planning die bij deze drie moorden komt kijken,' sprak Bryce Drommerhausen voor het eerst, 'evenals het hebben van – neem me niet kwalijk, Elizabeth – de ballen om dat voor elkaar te krijgen, vermoed ik dat de OV een militaire achtergrond heeft. Ex-Special Forces, ex-Navy SEAL, je weet wel, zo iemand.'

'Interessant punt, Bryce,' zei de adjunct-directeur. 'Iets om in ons achterhoofd te houden gedurende het onderzoek.'

Er werd geknikt rond de vergadertafel.

'Nog iets, we moeten ons als een gek storten op de werkwijze van de Schaakman. Erachter komen hoe Sanfield verband houdt met de Zalentines.'

'Interessant genoeg is er een soort verband,' zei Cady. 'Sanfield & Fine vertegenwoordigde Alain Zalentine bij een paar bekeuringen voor snelheidsovertredingen. De succesvolle lobbyist Sanfield bracht Alain binnen, maar verwees hem door naar Stephen Fine om de bekeuringen nietig te verklaren. Trouwens, Stephen Fine heeft tegenwoordig last van angstaanvallen en is voor langere tijd weg naar een onbekende plek op Bermuda.'

Rechercheur Sears begon te lachen en wreef met zijn knokkel langs zijn ooghoek. 'Sorry als dit ongepast is, maar ik herinner me opeens dat de trouwring van mijn vrouw een Zalentine is. Ik denk dat ze de reclamekreet moeten gaan veranderen.'

'Zalentine,' haakte agent Kurtz in uit de luidspreker, 'rijmt op Frankenstein.'

Rechercheur Sears had de grootste moeite om niet te lachen. 'De komende kwartaalcijfers zullen misschien een beetje in het rood staan.'

'Bedankt voor de frivoliteit, heren,' zei Jund kortaf, waarna hij de aandacht weer op de zaak vestigde. 'We moeten ons blijven focussen op de Sanfield-Zalentine-connectie. Ik verzeker jullie dat er meer in zit dan wat snelheidsovertredingen.' De adjunct-directeur fronste. 'Nog iets over de betekenis van die schaakstukken?'

'De OV heeft alle lagere stukken overgeslagen en is rechtstreeks naar de achterste rij gedoken door de koningin als eerste uit te schakelen en toen de lopers. De koningin is het machtigste stuk op het bord, ze kan in iedere richting bewegen, dus de OV hield Sanfield blijkbaar voor een hoge pief.' Agent Tom Hiraldi had Junds vraag verwacht. 'Hoewel natuurlijk niet zo machtig als de koningin of zelfs de torens, zijn lopers ook heel effectief en kunnen ze diagonaal over het bord schuiven. Ze worden, strategisch gezien, als van gelijke waarde beschouwd als de paarden. Elk spel begint met twee lopers. De OV zag de Zalentine-tweeling als de lopers en heeft ze van het bord geveegd.'

'En wat wil dat zeggen?'

'Dat wil zeggen dat de OV planmatig de verdedigingsmiddelen van de koning aan het wegnemen is.'

'Dan is het glashelder dat deze zaak nog niet voorbij is,' zei Jund, 'aangezien de koning nog in het spel is.'

Er was op dat moment in Cady's gedachten maar één ding glashelder. Dat Vance Zalentine zijn tweelingzonen maar al te goed kende.

8

'Goedemorgen, senator Farris.' Cady stond in de ingang van Farris' privévertrekken in het Dirksen Senate Office Building en schudde de oudere senator van de staat Delaware de hand. De handdruk van de senator was als een bankschroef en zijn glimlach schreeuwde 'kronen'.

'Bedankt dat u ons zo snel kon opzoeken, agent Cady,' zei senator Arlen Farris terwijl hij de agent op de rug klopte en meevoerde naar zijn bureau. 'Kent u mijn zoon Patrick?'

'Ik heb het genoegen nog niet gehad, meneer,' zei Cady. 'Goedemorgen, Congreslid.'

Het Congreslid stond op uit de leunstoel voor bezoekers en schudde Cady de hand. 'Het genoegen is geheel aan mijn kant, agent Cady. Noemt u me alstublieft Patrick.'

Cady knikte. Hij herinnerde zich dat hij beide mannen een paar jaar terug op de cover van de *Newsweek* had gezien toen Patrick Farris dezelfde zetel in het Huis van Afgevaardigden had gewonnen die zijn vader enige tientallen jaren daarvoor had verlaten voor een zetel in de Senaat. Het artikel had gesproken over de Farris-dynastie in Delaware, met een knipoog naar de families Kennedy en Bush. Het was een flutartikel geweest en twee derde van de Farris-dynastie stond nu tegenover Cady. Het derde lid van de dynastie, Arlens broer Graham, die twee termijnen gouverneur van Delaware was geweest, was enige jaren terug gestorven aan leukemie.

'Adjunct-directeur Jund zei ons dat u wat informatie had over de Barrett Sanfield-moordzaak.'

'Een werkelijk verschrikkelijke zaak,' zei senator Farris schuddend met zijn hoofd, voor hij Cady in de ogen keek. 'Barry en ik zijn samen opgegroeid in Milford. Wij waren in ons laatste jaar samen aanvoerders van ons footballteam de Muskets. We zouden dat verdraaide staatskampioenschap zelfs hebben gewonnen als we niet een *holding call* tegen hadden gekregen en we die *fieldgoal* hadden gemist in de laatste aanval van de wedstrijd, twee acties die ik nog op mijn doodsbed zal vervloeken. Barry is sindsdien altijd mijn *wingman* gebleven. Ik hield van die zak.'

'Gecondoleerd, meneer. Ik weet dat u en meneer Sanfield goede vrienden waren.'

'Ik waardeer uw medeleven, agent Cady.' De oudere Farris drukte op een knopje van zijn telefoon. 'Mavis, zijn er nog drie porties van dat overheerlijke biscuitgebak over?'

'Ja, senator,' antwoordde een stem uit de luidspreker.

'Zou je zo vriendelijk willen zijn ons drie stukken te brengen – ach wat, Mavis. Breng maar wat er nog over is en drie lekkere bakjes troost.'

'Komt in orde, Arlen,' zei Mavis door de telefoon.

'Senator, u hoeft echt niet...'

'Eén hap en u trekt uw pistool om het recept te krijgen. En noem me geen senator meer. Mijn naam is Arlen.'

Senator Farris sloeg zijn arm om Cady's schouder alsof ze oude makkers waren en voerde de agent door de kamer naar een plek op de bank. Farris was geboren voor de politiek, een en al beminnelijkheid; hij ging de meest mysterieuze dood bespreken sinds Vince Foster alsof hij sprak over een prijsvarken op de jaarmarkt van Delaware. Mavis, die haar zilveren haren opgestoken had en een zwarte bril aan een kettinkje om haar nek had hangen, duwde een karretje naar binnen met kopjes koffie en drie porties van haar blijkbaar beroemde biscuitgebak. Bij het weggaan sloot ze de deur achter zich.

'En?' De senator keek Cady gespannen aan terwijl die zijn eerste hap nam.

'Uitstekend.'

'Zeg haar dat maar wanneer u vertrekt. Mavis leeft van

complimentjes over haar gebak. Gisteren nog had ze een kaneelkruimeltaart gemaakt, die ik bij wet verplicht ga stellen in alle bakkerijen.' Farris werkte een lepel vol naar binnen. 'Ik zou wel vierhonderd kilo wegen als ik haar lekkernijen niet deelde met bezoekers.'

Cady kon wel zien waarom Arlen iedere zes jaar met een verpletterende meerderheid in Delaware werd herkozen. Hij had die huiselijke ouwe-jongens-krentenbroodact goed onder de knie. Maar Cady voelde dat er iets achter de groene ogen van de senator op de loer lag. Misschien een hint dat hij niet met zich liet sollen, iets wat generaal Ezelsoor, zoals sommige rechtse lieden Farris waren gaan noemen, nodig had om een waslijst aan lievelingsprojecten ten gunste van Delaware door te drijven; bruggen hier en daar, windenergie-installaties, kinderopvangprogramma's, het antidrugsprogramma van de Delaware National Guard, het nieuwe Farris Cancer Center in het medisch centrum van de universiteit van Delaware, onderzoek en ontwikkeling van een regionale Delaware Bay-computer, openbaarvervoerinitiatieven, noem maar op. Die zorgden in november allemaal voor een groot aantal dankbare groepen kiezers. Farris kon niet worden verweten dat hij zich niet aan zijn beloften hield.

'De reden dat ik Roland gisteravond heb gebeld,' zei Farris – de senator leek iedereen ten noorden van de evenaar bij zijn voornaam te noemen – 'was om terug te komen op enkele vragen die hij me had gesteld ten tijde van Barry's moord. Helaas kon ik niet veel betekenen. Dat deed me pijn.' De senator zette zijn koffiekop weg en stak zijn handen naar voren. 'Want als u erachter komt wie mijn beste vriend heeft neergestoken, agent Cady, zou ik hem graag met zijn eigen ingewanden wurgen. God ja, Barry had vijanden, veel politieke, zoals u zult weten als u de kranten een beetje volgt. We hebben het godbetert over Washington D.C., maar alles is geoorloofd in liefde en in oorlog, elkaar de hand schudden, een geweldige verzoeningstoespraak houden en de volgende dag het gevecht weer aangaan. Ik vertelde Roland indertijd dat het vast een kruimeldiefstal was die uit de hand was gelopen, en dat Barry gewoon de pech had om op de verkeerde tijd op de verkeerde plek te zijn.'

'Maar sindsdien is u iets te binnen geschoten?'

'Nou, het is meer het inzicht van mijn zoon dat bij mij een belletje deed rinkelen. Misschien is het van waarde, maar het kan evengoed niets te betekenen hebben.' De senator keek naar zijn zoon, het Congreslid. 'Patrick, vertel deze agent eens over die minkukels op de Ivy.'

'Ik kende Alain en Adrien Zalentine toen ik op Princeton zat.'

Cady reikte in zijn borstzak en haalde een blocnote tevoorschijn. 'Hoe goed?'

'Een klein beetje.' Het Congreslid maakte een handgebaar. 'Ik was een paar jaar ouder, maar we zaten in dezelfde eetclub, T.I.: Tiger Inn.'

'Wat is een eetclub? Van een studentenvereniging?' vroeg Cady. Hij had op de Ohio State-universiteit gezeten en had studentenhuiseten gegeten.

'Nee. Studentenverenigingen waren op Princeton tot in de jaren tachtig verboden, daarom doken die eetclubs op, voor avondeten en gezelligheid. Dikke pret op de zaterdagavonden.'

'Heeft u nog contact met ze onderhouden?'

'Ik weet wat u denkt. Farris is een politicus die om de paar jaar herkozen moet worden; natuurlijk gaat hij de Zalentines paaien voor campagnedonaties,' zei Patrick. Hij ontblootte een brede glimmende grijns. 'Hij zou gek zijn als hij dat niet deed. Dat zou logisch zijn, toch?'

Cady knikte.

'Ik heb geen van beiden ooit voor sponsoring benaderd. Nooit. We hebben ook geen contact onderhouden. Eerlijk gezegd waren het vreemde eenden in de bijt, toen al.'

'Hoezo?'

'Om te beginnen herinner ik me niet dat ik ze ooit alleen heb gezien, los van elkaar bedoel ik, zonder dat de ander ook maar in de buurt was. Verder hadden ze altijd zo'n vreemde onderzoekende blik. Ik durf te zweren dat wanneer je een kom gelatinepudding voor hun neus zou laten vallen, ze er allebei een poos naar zouden staren, onderzoekend, alsof ze het wilden ontleden, waarna ze elkaar, ter bevestiging of zo, zouden aanstaren. Eén keer liep ik de T.I. uit na de lunch en... Kent u dat gevoel dat u zeker weet dat er iemand naar u staart?'

Cady knikte opnieuw.

'Nou, ik kreeg dat gevoel tienmaal zo sterk. Ik kreeg echt de rillingen. Bij de deur keerde ik me om. En ja hoor, daar zat de tweeling, naast elkaar, me aan te staren.'

'Hadden de Zalentines nog goeie vrienden in de Tiger Inn?'

'Niet dat ik me kan herinneren. De T.I. is behoorlijk exclusief en er is heel wat voor nodig om er toegelaten te worden. Hospiteren, onzinnige spelletjes, dat soort dingen. De Zalentines waren niet echt van de camaraderie. Het was bijna onmogelijk een band met ze te krijgen, ze leken in een andere realiteit te leven, dus nam ik aan dat ze hier en daar wat mensen hadden omgekocht.'

'Vertel agent Cady over dat feest,' zei senator Farris om het gesprek weer op het juiste spoor te krijgen.

'Ja.' Het Congreslid vouwde zijn handen en keek weg naar de hoek van de kamer, zijn gedachten ordenend. 'Dane Schaeffers familie bezat een zomerhuis in de buurt van Hillsdale in Bergen County, aan het Snow Goose Lake. Dane is ook een alumnus van Princeton en een oude T.I.-makker van me. Zijn vader heeft veel zakengedaan in Italië, industriële lasersystemen of zoiets. Hoe dan ook, Danes vader wipte om de zoveel tijd even over naar Milaan of Napels voor een paar weken, en nam dan zijn vriendinnetje van het moment mee. Dane had dan het huis aan het meer voor zichzelf en hij gaf dan van die woeste fuiven die het hele weekend duurden. Alles verzorgd, overal drank, single malt whisky's, Dom Pérignon, geïmporteerd bier.'

Patrick liet zijn Tom Cruise-grijns weer schitteren. 'En je kon maar beter eerst aankloppen voor je een kamer binnenliep. Een beetje *The Great Gatsby*, maar dan met condooms. Als je bij een feestje van Dane geen beurt kon krijgen, was er beslist iets helemaal mis met je. Iedereen werd uitgenodigd, en iedereen had dolle pret... Tot de laatste fuif.'

'Wat gebeurde er toen?'

Patricks filmsterrengrijns verdween. 'Er stierf een meisje, agent Cady. Ze verdronk in het Snow Goose Lake. Ze zat met haar vriendje bij het botenhuis en blijkbaar zijn ze naakt gaan zwemmen. Niet ongewoon op een van Danes feestjes, maar het was al diep in de nacht. Buiten was het donker. Ik vermoed dat ze allebei dronken waren en dat dat arme meisje wegdreef en verdronk.'

'Was u ook op dat feest?'

'Maar even. Ik moest die maandagochtend een examenopgave inleveren waar ik nog niet aan was begonnen... En een zeker iemand die ik niet bij naam zal noemen werd kwaad, of beter gezegd razend, vanwege een kleine daling in mijn cijfergemiddelde.'

Senator Farris grinnikte. 'Ik betaalde geen collegegeld voor zesjes.'

'Een paar leden van mijn vaders kiesdistrict zouden graag zien dat hij net zo zuinig was met het belastinggeld.'

De senator grinnikte opnieuw.

'Hoe dan ook, ik reed erheen op vrijdagmiddag, dronk wat Laphroaig en at twee porties geroosterde kip of wat Dane ook voor die middag had laten aanrukken. Toen sloeg ik een paar cappuccino's achterover en glipte weg voor Dane me zou afzeiken omdat ik zo vroeg wegging.'

'Maar was de Zalentine-tweeling ook van de partij?'

'Ja. Ze waren net aangekomen toen ik vertrok, zo rond negen uur. Iedereen parkeerde op het veld langs de grindweg tegenover het huis van de Schaeffers. Alain had kort tevoren een Alfa Romeo aangeschaft, een Spider, geloof ik. Ik stond me eraan te vergapen voor ik wegreed.'

Cady krabbelde wat op zijn blocnote. 'Hoe heette het meisje?'

'Marly nog wat. Ze was best aantrekkelijk, als ik het me goed herinner. Misschien heeft ze wel eens bij mij in de klas gezeten, maar ik kende haar alleen goed genoeg om haar in de gangen te groeten. Ik kan haar naam wel voor u opzoeken; of misschien heeft Google nog wel wat krantenartikelen van tien jaar terug waarin u haar kunt vinden.'

'Ik zal eens kijken. Hoe zit het met die vriend, weet u zijn naam?'

'Sorry. Ik geloof niet dat ik de beste man ooit ontmoet heb.'

'Maar u gelooft dat de Zalentines iets met de dood van dat meisje te maken kunnen hebben?'

'Na de afgelopen week op het nieuws te hebben gehoord wat Alain en Adrien uitspookten met die arme vrouwen, weet ik niet meer wát ik moet geloven.'

'Vertel hem wat die minkukels wilden,' zei senator Farris.

'Ik was gistermiddag met paps aan het golfen op de Chevy Chase Country Club en we hadden het over oom Barry. Ik kan nog steeds niet geloven dat hij dood is. De kranten insinueerden dat zijn dood en de moorden op de Zalentine-tweeling met elkaar verband zouden houden. Dezelfde werkwijze of zoiets, toch?'

'Ik mag niets over het onderzoek zeggen.'

'Begrepen,' antwoordde het Congreslid. 'Hoe het ook zij, ik zei tegen paps dat ik de tweeling had doorverwezen naar oom Barry voor een juridische kwestie waar zij zich zorgen over maakten.'

Cady keek op. 'Was dat in die tijd in Princeton?'

'Ja. Het was zelfs de volgende maandagochtend, de maandag na het ongeluk op Danes feestje. Ik had na mijn examenopgave voor sociale wetenschappen te hebben voltooid maar zo'n drie uur slaap gehad, toen Alain en Adrien me wakker maakten door rond zeven uur 's ochtends op mijn deur te bonken. Ik wist dat ze geen vroege vogels waren en ze waren nooit eerder bij me langsgekomen. Het was vreemd, maar ze wisten wie mijn vader was en ze dachten dat ik ze aan een goede advocaat kon helpen. Ze wilden een echte straatvechter en dachten dat ik er misschien een zou kennen.'

'Dit ging zeker niet om een snelheidsovertreding of het rijden onder invloed, of wel?'

'Nee.' De jongere Farris schudde het hoofd. 'Dit ging om iets ernstigs. Ze hebben me nooit verteld wat het was, maar ik kreeg sterk de indruk dat het te maken moest hebben met het familiebedrijf, dat ze het gevoel hadden dat hun vader ze een poot uitdraaide, ze hun geboorterecht ontzegde of zoiets. Ik verwachtte dat er een juridische oorlog over de diamanten zou volgen, dus verwees ik ze door naar oom Barry. Ik dacht dat ik, als het een heel lucratieve zaak werd, misschien wel wat commissie zou krijgen.'

'Hebben ze een afspraak gemaakt met meneer Sanfield?'

'Dat neem ik wel aan. Ik liet een boodschap achter op Barry's antwoordapparaat. Hij belde me terug terwijl we net onze koffie opdronken. Ik vertelde wat er aan de hand was en gaf de telefoon aan Alain en ging toen mijn tanden poetsen en mijn schoenen aantrekken. Toen ik terugkeerde in de keuken zei Alain dat hij een afspraak had gemaakt.'

'De archieven van Sanfield & Fine vermelden alleen dat ze de Zalentines hebben vertegenwoordigd bij een reeks vrij recente bekeuringen voor snelheidsovertredingen.' Cady keek van het Congreslid naar de senator. Senator Farris knikte eenmaal. 'Ik denk dat we allemaal wel van Bars reputatie afweten. Er waren bepaalde dingen waar Barry aan werkte die maar beter niet besproken of op papier gezet konden worden. Ik doe dit voor jou, doe jij dit voor mij... dat soort werk.' De senator had vochtige ogen. 'Maar ik zal u één ding vertellen, agent Cady. Barry heeft beslist nooit de dood van een meisje in de doofpot gestopt, niet voor die twee minkukels.'

9

'Godsamme, agent Cady, ik heb bij het onderzoek alle puntjes op de i gezet. Alles gecheckt, tot op de bodem uitgeplozen. Er was geen enkele reden om boze opzet te vermoeden.'

'Ongetwijfeld, sheriff Littman.' Cady sprak de sheriff van Bergen County over de speaker in zijn krappe kantoortje met twee stoelen in het J. Edgar Hoover Building.

'In dit soort gevallen heeft een familie juist last van haar vermogen. De Schaeffers bulken dan misschien van het geld, maar dat betekent niet dat ze een voorkeursbehandeling krijgen. Het onderzoek werd juist extra grondig verricht.'

'Nogmaals bedankt voor het faxen van de samengevatte resultaten en het rapport van de patholoog-anatoom. Ik heb nog een paar vragen.'

'Vertel op.'

'De lijkschouwer hield de hoeveelheid alcohol in het bloed van Marly Kelch op 0,58 promille. Dat is onder de wettelijk toegestane limiet.'

'Ik zou niemand aanraden te gaan rijden met dat alcoholpeil, maar waar wilt u heen? We hebben haar niet uit een autowrak getrokken. We trokken haar uit een meer.'

'Waar ik heen wil,' zei Cady tegen de Bergen County-sheriff, 'is dat we het over een heel atletische jonge vrouw hebben, een uitblinker in het vrouwelijke tennisteam van Princeton, die volgens de meeste getuigenissen niet veel drinkt. En ze gaat even zwemmen bij de pier bij het botenhuis van de Schaeffers en krijgt het voor elkaar te verdrinken.'

'Daar gaat u weer, u doet alsof ik mijn vak niet versta. Ik liet Bev u gisteren die informatie sturen, ik heb u net punt voor punt door die zaak heen geleid, en nu trekt u alles weer in twijfel.'

'Hoor eens, sheriff, ik speel alleen maar advocaat van de duivel, op zoek naar zwakke plekken, om te kijken of er lacunes zitten in de gebeurtenissen van die nacht bij het huis van de Schaeffers.'

'Lacunes?' vroeg sheriff Littman. 'Wat ben je in godsnaam tien jaar later aan het onderzoeken dat terugleidt naar de dood van dit meisje?'

'Ik zal u het weinige dat ik weet vertellen, sir, maar ik wil uw antwoorden vooralsnog niet beïnvloeden.'

'Dan speel ik nog even mee, Cady. Ten eerste dronk Marly Kelch, zoals u al zei, niet veel, dus de fuif van Schaeffer waar de drank niet aan te slepen was, was voor haar blijkbaar iets heel nieuws. En Kelch woog, wacht even, ik heb hier het hele rapport voor me liggen.' Cady hoorde papier ritselen door zijn telefoon. 'Kelch woog zevenenvijftig kilo. Ten tweede, verschillende getuigen op het feest zagen Kelch wijn drinken die avond, ze liep rond met een glas merlot. Jemig, agent Cady, een tengere jonge vrouw die niet tegen drank kan... Verbind me door met de president.'

'Goeie,' zei Cady.

'Ten derde, die heel atletische meid heeft net heel atletische seks gehad met haar vriendje, en dan krijgen ze het snuggere idee om om twee uur 's ochtends te gaan zwemmen in het donkere, koude water van Snow Goose Lake. Kelch krijgt waarschijnlijk kramp of raakt gedesoriënteerd of begint water binnen te krijgen. Aan de vriend, die wel 1,1 blies toen we daar aankwamen, hadden we niks. Hij was naar de oever gesparteld, was een uur lang compleet uitgeteld, werd toen wakker en vroeg zich af waar zijn meissie heen was.'

'Bret Ingram was niet Kelch' vriendje. Ik heb gesproken met Dorsey Kelch, haar moeder, en een paar van haar oude tennispartners. Die zeggen dat ze geen vaste verkering had.'

'Nou, als haar moeder dat zegt zal het wel zo zijn. Maar er zijn getuigen die op Schaeffers feestje waren en klaagden dat ze wel érg gezellig deden voordat ze rond middernacht samen verdwenen in de richting van het botenhuis. Weet u wat er allemaal gebeurde op de feestjes die jonge Schaeffer gaf? De drank deed alle remmingen wegvallen, terwijl het donker werd lagen er overal stelletjes te vrijen, en de volgende dag wisselden ze van partner – hitsige jongelui die tekeergingen als konijnen. Wat is ook alweer die term die de jeugd van tegenwoordig zo graag gebruikt... neukmaatjes. Weet je, die Schaeffer-knul is in wezen een goeie jongen. Ik heb gehoord dat hij de hele zaterdag in zijn ponton over het Snow Goose Lake heeft gevaren, de oevers en werfkades afzoekend om te zien of Kelch ergens aan land was gekomen en out was gegaan. Hoe dan ook, ik heb die jonge Schaeffer even terzijde genomen voordat het lijk uit het meer werd gedregd en ik heb hem duidelijk te verstaan gegeven dat het afgelopen was. Geen feestjes meer.'

'Daarna zijn er geen problemen meer geweest bij het huis aan het meer?'

'Nooit meer, maar ik denk niet dat die jonge Schaeffer na dat weekend daar ooit nog verbleef. Slechte herinneringen. Zijn vader is vorig jaar hertrouwd en ik zag die knul toen bij de receptie.'

'Was u uitgenodigd?'

'Leuk geprobeerd, Cady. Het was een groot feest in Hillsdale en de vader was zo aardig me een uitnodiging voor de receptie te sturen. Ik blijf liever thuis sport kijken maar ik ben een verkozen beambte en die lui in Schaeffers kringen kennende, wist ik dat het niet zo snugger zou zijn om geen acte de présence te geven.'

'Wat doet de jonge Schaeffer nu?'

'Hij is een beetje een kluizenaar geworden. Hij is een financieel genie en beheert de geldzaken van de familie vanuit een hutje in een gat in de buurt van Chester. Die knul heeft tegenwoordig grijs haar. Volkomen grijs.'

'Die nacht heeft heel wat levens veranderd.'

'Zeg dat wel.'

'Heeft uw team sonar gebruikt om Kelch te vinden?'

'Yep. We hebben er een duikteam heen gestuurd met de *side scan sonar*. Ze hoeven pas nat te worden als er een lijk gevonden is. We wilden niet dat er een "drijver" in Snow Goose Lake zou bovenkomen. Heeft u wel eens een drijver gezien, agent Cady?'

'Ja.' Cady deed zijn best het beeld uit zijn gedachten te bannen. Na een verdrinking kwam een lijk op een gegeven moment weer boven water, nadat het door een giftig gas helemaal opgeblazen was. Het stoffelijk overschot van een drenkeling bood geen fraaie aanblik. Vaak aten vissen van het ontblote vlees, wat het afbraakproces versnelde.

'Nou, dan weet u wel wat ik bedoel,' antwoordde Littman. 'De duikers vonden haar de volgende avond. Op zondag. Ze was er niet zo erg aan toe als een drijver, maar ook niet best.'

'Ik zie in het rapport van de patholoog staan dat er wat krassen en schrammen waren.'

'Heel lichte verwondingen. Geen beurse plekken bij het gezicht of wurgsporen rond de nek. Geen weefsel onder de vingernagels. Niets wat op een worsteling of verkrachting voorafgaand kon duiden.'

'Behalve wanneer er een getuige is, of als het slachtoffer zwaargewond is,' zei Cady, hardop denkend, 'is bewijzen dat een verdrinkingsdood moord is geweest bijna onmogelijk.'

'De lijkschouwer had het gevoel dat Kelch een standaard verdrinkingsslachtoffer was. Water in de longen gaf aan dat ze nog leefde op het moment dat ze onder water verdween. Het bewijsmateriaal staafde de verklaring van de jonge Ingram. En Ingram kwam ook niet bepaald over als de ideale schoonzoon.'

'Heeft u Ingram zijn verklaring ter plekke laten afleggen?'

'Dat joch was een snotterend hoopje ellende. Hij moet zes uur eerder al strontlazerus zijn geweest. Hij was niet in staat geweest om miss Kelch aan te kunnen randen. Nee, het was waarschijnlijk gewoon zo'n dronken naaipartij, niet bepaald wat ze in de Princeton-brochures aanprijzen, maar ja. Niets aan te doen. Seks met wederzijds goedvinden.'

'Ik zie in het rapport staan dat er sperma in haar vagina zat. Is dat ook getest als zijnde van Bret Ingram?'

'Ook op dat punt was er geen aanwijzing voor kwade opzet. Geen spoor van strijd; het onderzoek staafde de verklaring van die jongen. Hij bekende met Marly Kelch twee keer seks te hebben gehad voordat ze naakt gingen zwemmen. Eerlijk gezegd, Cady, denk ik dat er op een feestje van die Schaefferknul waarschijnlijk op meer plekken gemengd sperma zat dan in de Playboy Mansion van Hugh Heffner. Man, Kelch' kleren lagen zelfs netjes opgevouwen in het botenhuis.'

Cady herinnerde zich het vuile wasgoed dat netjes gevouwen in de wasmanden lag in de appartementen van de Zalentines. 'Netjes gevouwen voor "gewoon zo'n dronken naaipartij"?'

'U begint me weer te irriteren, Cady,' zei sheriff Littman. 'Kelch was nou eenmaal een net iemand en was voorzichtig met haar spullen. En wat dan nog?'

'Ik volg gewoon even mijn gedachten. Wanneer gaf Ingram zijn officiële verklaring?'

'Diezelfde middag. We lieten hem tot twee uur in detox zitten totdat hij weer een beetje nuchter was.'

'Had hij een advocaat?'

'Natuurlijk. Ik geloof dat een paar van zijn vrienden namens hem gebeld hebben, aangezien Ingram niet in staat was een telefoontje te plegen.'

'Herinnert u zich zijn advocaat?'

'Een plaatselijke strafadvocaat, Leon Grotsworth. Prima kerel. Nou ja, behalve dan het beroep dat hij had gekozen. Maar Ingram beantwoordde iedere vraag, keer op keer, en niets week af van het dronken gebrabbel van die ochtend. Een eenvoudig verhaal, eigenlijk: ze hadden het op een zuipen gezet, seks gehad, waren gaan zwemmen, hij viel flauw, stond op om te piesen en te kotsen, zag zijn schatje niet maar haar kleren lagen er nog, hij strompelde rond op zoek naar haar, raakte toen in paniek en maakte iedereen wakker in een poging om haar te vinden.'

'Heeft Schaeffer die Grotsworth voor hem in de arm genomen?'

'Zoals ik al zei ging Schaeffer er nadat we hem hadden ondervraagd onmiddellijk in zijn boot vandoor op zoek naar Kelch. Ik geloof zelfs niet dat de naam Bret Ingram hem toen wat zei. Het waren allemaal verwende rijkeluiskinderen, dus iemand zal het voor hem geregeld hebben.'

'Ingram was niet rijk. Hij kwam op Princeton dankzij beurzen en cijfers. Hij werkte daarnaast fulltime in de schoolbibliotheek om rond te komen.'

'Hoor eens, agent Cady, ik heb u braaf te woord gestaan. Over een kwartier heb ik een vergadering met mijn staf. Kunnen we dit afronden?'

'U heeft me bijzonder goed geholpen, sheriff. Nog één vraag. U zei dat Ingram wat vrienden had die waarschijnlijk Grotsworth voor hem in de arm hebben genomen. Herinnert u die zich nog?'

'Er hingen wat lui rond die probeerden dat joch te troosten. Twee broers waren...' De sheriff stopte midden in zijn zin. 'Godverdomme!'

'Sheriff?'

'Godverdomme!' herhaalde de sheriff. 'U werkt toch aan de Zalentine-zaak?'

'Ja, dat klopt.'

'Ik heb u het verslag van het pathologisch rapport gestuurd, maar ik heb het hele Kelch-dossier hier liggen. We hebben iedereen die op het Schaeffer-feest was verhoord. Ik zal even die lijst zoeken.' Cady hoorde opnieuw papier ritselen. 'Godverdomme! Zij waren het!'

'Ik wist al dat de Zalentines die avond op Schaeffers feestje waren, sheriff.'

'Ik herinner me hoe die verdomde tweeling met Ingram op de kade zat, hem op de schouder kloppend, koffie brengend, troostend. Maar wat die kloteklappers écht deden was zorgen dat hun verhalen met elkaar overeenkwamen. Ik durf er honderd dollar om te verwedden dat zij die advocaat voor Ingram regelden.'

Cady zei niets. Er volgde een doodse stilte.

'Het spijt me vreselijk, agent Cady. Het leek indertijd zo'n verschrikkelijke tragedie. Het is nooit bij me opgekomen om Ingram eens stevig aan de tand te voelen,' zei sheriff Littman zachtjes. 'Blijkbaar heb ik toch niet alle puntjes op de i gezet.'

'Niemand wist het rond die tijd van de Zalentines, sheriff.'

'Ik weet het goed gemaakt, agent Cady. Ik laat Bret Ingram hier subiet verschijnen. Ditmaal geen fluwelen handschoenen. Ik zal tot op de bodem uitzoeken wat er in Snow Goose Lake is gebeurd.'

'Het is te laat, sheriff.'

'Wat bedoelt u?'

'Ingram is dood.'

10

Na het verslag van het onderzoek uit Bergen County te hebben ontvangen, had Cady agent Preston aangespoord alles te weten te komen over Bret Michael Ingram: waar hij vandaan kwam, eventuele andere aanvaringen met het gezag, wat hij tegenwoordig deed, enzovoort enzovoort. Cady had Preston bovendien opgedragen hetzelfde te doen bij de nog levende familieleden van Marly Kelch: uitzoeken of er nog een vader of broer kon zijn die als wrekende engel optrad.

Nog geen halfuur later had agent Preston al bij Cady voor de deur gestaan.

'Hij is dood.'

'Je maakt zeker een grap.' Die opmerking was vooral retorisch. Cady maakte zelden grappen, maar vergeleken bij Liz Preston was hij een ontzettende lolbroek.

Haar bovenlip krulde zich. 'Alleen als er twee Bret Michael Ingrams zijn met hetzelfde Social Security-nummer en dezelfde geboortedatum die in die periode op Princeton zaten.'

'Vermoord?'

'Nee. Hij kwam om in een brand in Noord-Minnesota, bijna een jaar geleden.'

'Minnesota?'

'Ja.'

'Ik wil er alles over weten.'

Het bleek dat Ingram nog een maand na het 'ongeluk' op Princeton voortmodderde, voor de vorm de colleges bijwoonde, voor hij er de brui aan gaf en met zijn universitaire opleiding stopte. Cady snapte heel goed dat het voorval in

Snow Goose Lake een jongeman zijn leven kon doen heroverwegen, maar waar Ingram vervolgens was beland, verbaasde Cady.

'Nadat hij Princeton de rug had toegekeerd, verbleef hij drie maanden lang in het Copacabana Palace Hotel in Rio de Janeiro, pal aan het strand.'

'Jeetje, Liz, en ik dacht nog wel dat de meeste uitvallers weer bij pappie en mammie thuis gingen wonen en bij de videotheek gingen werken.'

Preston haalde haar schouders op. 'Daarna, na Rio, duikt Ingram weer op, om een huis aan het meer te kopen in Cohasset, Minnesota, nog wel. Hij kocht er eigenlijk een heel resort. Een plek die Sundown Point heette.'

Cady dacht even na. 'Nu weten we waarom ze Sanfield de Magiër noemden.'

Cady's telefoon ging. Hij nam gelijk op. De patholoog was net klaar met de autopsie van de vijf vrouwelijke slachtoffers die van de bodem van de Chesapeake Bay waren gedregd.

Cady parkeerde achter de patrouillewagen van de D.C. Metropolitan Police.

Hij was om de tuin geleid. Het Congreslid en de senator waren bang. Tenminste, bang genoeg om de FBI een klein duwtje in de goede richting te geven. Bang genoeg om de beveiliging van Patrick Farris op te voeren. Maar niet bang genoeg om de waarheid te spreken.

Senator Farris was naar een fundraising in Dover, Delaware, een chique aangelegenheid om de schatkist van de campagne te helpen vullen. Dat de oudere Farris op twee uur afstand zat, werkte in Cady's voordeel. Zijn instinct zei hem dat Patrick Farris nooit zou afwijken van het vaste patroon als zijn vader de senator als stoorzender in de kamer aanwezig was. Met die gedachte in zijn achterhoofd belde Cady het Congreslid op weg naar diens huis op, bood zijn excuses aan voor het late tijdstip en zei dat hij nog een paar vraagjes had over andere studenten die de Zalentines indertijd in Princeton hadden gekend. Cady loog ook dat het maar een paar minuten zou kosten van de kostbare tijd van het Congreslid.

Tot zijn verbazing was Patrick Farris aangenaam meewerkend geweest.

Cady liep naar de bestuurderskant van de patrouillewagen en toonde zijn identiteitsbewijs.

'We hebben de opdracht gekregen ieder uur langs te rijden,' zei de agent achter het stuur. 'Weet u wat er aan de hand is?'

Cady haalde zijn schouders op. 'Preventieve maatregelen.'

'Ik hoor dat de geheime dienst hem van en naar Rayburn rijdt,' zei de agent in de bijrijdersstoel. 'Het gaat om de Schaakman, niet waar?'

Cady vloekte binnensmonds. Er waren te veel pottenkijkers in een steeds groter wordende zaak, wat het bijna onmogelijk maakte om het stil te houden. 'Het Congreslid kende zowel Sanfield als de Zalentines. Maar vertel dat niet verder. Zoals ik al zei, preventieve maatregelen.'

'Verwacht hij u nog zo laat?'

Cady keek op zijn horloge. Bijna elf uur. 'Ja.'

11

Patrick Farris opende de deur van zijn huis van drie verdiepingen, een bakstenen gebouw in Woodley Park – een paar steenworpen van Connecticut Avenue vandaan. Farris zag er doodmoe uit.

'Agent Cady,' zei het Congreslid, en hij zette een stap opzij om de FBI-agent binnen te laten. 'Welkom in mijn nederige stulp.'

'Het spijt me, Congreslid, dat ik u en mevrouw Farris zo laat ophoud.'

'Geen probleem. Mijn vrouw zit in Florida en ik ben een nachtbraker.'

'U ziet er uitgeput uit.'

'Lange dag gehad.' Farris ging Cady voor op een trappetje naar een woonkamer ter grootte van een basketbalveld met een cappuccinobruine leren hoekbank die in het midden van de hardhouten vloer stond. Twee bijpassende hockers stonden op een wollen kleed voor de langwerpige sofa. Twee leunstoelen van Italiaans leer stonden aan weerszijden van de bank. De zitplaatsen stonden zo opgesteld dat de gasten perfect uitzicht kregen op iets wat onmiddellijk Cady's aandacht trok toen hij het trappetje opkwam. De familie Farris had een aquarium zo groot dat het uit een Chinees restaurant leek te komen. Als er ergens in dit gebouw van drie verdiepingen een vertrek was om mensen te ontvangen was dit het wel.

'Alternatieve brandstoffen zijn dan wel de toekomst,' vervolgde Farris, 'maar je kunt maar zoveel moties van het Huis lezen over biobrandstof, windenergie en elektrische auto's voordat al het leven uit je merg wordt weggezogen en je ernaar snakt jezelf in de Potomac te slingeren.'

'Dus u maakt deel uit van die werkgroep?'

'Ik was zo stom te denken dat ik de jackpot had gewonnen toen ik ervoor werd opgegeven.'

Cady liep langs de voorkant van het aquarium en bekeek Farris' verzameling exotische vissen. Het aquarium stond op een eikenhouten basis en moest wel twee meter lang zijn en wel zestig centimeter hoog. Er lag een aantal decoratieve voorwerpen op het lichtblauwe grind op de bodem van het bassin: een gezonken doormidden gebroken piratenschip, een half bedolven schatkist en een gele onderzeeër met erop afgebeeld de Beatles, die naar Cady terugstaarden vanuit de vier patrijspoorten in de onderzeeër. Er zaten nog wat roerloze zeesterren in, een grote verscheidenheid aan veelkleurige waterplanten reikte naar boven, en er lagen stenen, koraal, leistenen trapjes en wrakhout over het gekleurde grind verspreid.

'Gelukkig komt er iemand om het filtersysteem en de temperatuur te controleren,' zei Farris. 'Die vissen waren een ideetje van mijn vrouw. De Beatles en de topless zeemeermin op die schommel waren mijn bescheiden bijdrage.'

'Dat geloof ik graag.' Cady keek even naar de zeemeermin en richtte zich toen op de vissen. 'Wat is dat er voor een, met die rode staart?'

'Dat is een Siambarbeel. Die moet nog een beetje groeien. Er zitten veel regenboogvissen bij en een aantal goerami's. Ook een *blue dempsey* en een zilverhaai, en een aal die in de buurt van het piratenschip ligt verscholen.'

'Interessant.' Cady draaide zich om en bekeek het vertrek. Geopende deuren aan de muur tegenover hem kwamen uit op een terras op de tweede verdieping.

'Wilt u iets drinken?'

'Nee, bedankt.'

'Heb u er bezwaar tegen dat ik mijn Glenfiddich opdrink?' Farris pakte zijn glas en hief het naar Cady.

Cady schudde het hoofd.

'Ik had nooit gedacht dat ik ook een Glenfiddich-drinker

zou worden, zoals mijn vader.' Farris dronk zijn glas in één teug leeg. 'Ach wat, misschien zou zelfs scotch werken als biobrandstof.'

'Ik heb vandaag ontdekt dat de vriend van Marly Kelch – het meisje dat op Schaeffers feestje verdronk – een zekere Ingram, vorig jaar bij een brand is omgekomen.'

Farris liep naar een drankkarretje in de hoek dat vol stond met flessen, pakte de geopende fles Glenfiddich 15 en schonk zich nog wat in. 'Ze zullen nu wel allemaal dood zijn.'

'U lijkt niet erg verbaasd.'

'Ik vind het rot te horen van Bret, agent Cady.'

'U zei dat u hem niet kende.'

'Wat?'

'In uw vaders kantoor zei u dat u Marly's vriend niet gekend had, maar u zegt net dat u het rot vindt om van Brets dood te horen. Ik heb Ingrams voornaam nooit genoemd.'

Farris keek door de geopende terrasdeuren naar buiten. 'Ik werd na ons gesprek nieuwsgierig en heb oude artikelen gegoogeld.'

'Bret Ingram is nooit beschuldigd van enige misdaad, sir. Ik heb alle nieuwsberichten ook gelezen. De artikelen, die meestal maar kort waren, richtten zich op Marly Kelch' "verdrinkingsongeluk" in Snow Goose Lake. Het werd als een tragedie beschouwd. Ze hebben de bijzonderheden niet gespecificeerd, wie met wie aan het feesten was, misschien uit respect voor de familie Kelch. Of uit angst voor de Schaeffers.'

Farris liep naar de rand van zijn terras, met zijn drankje in de hand.

Cady volgde hem.

'Wat is er die avond bij het meer gebeurd, meneer?'

Farris nam nog een flinke slok uit zijn glas en keek over het pad uit. 'De Robillards zijn vroeg terug.'

Cady keek even naar de overkant van de straat, een zwak licht uit een gangetje werd gedoofd in het appartement van de overburen.

'Ze hebben een timeshare-appartement in Venetië.' Farris keerde zich om en keek Cady aan. 'Wanneer ze niet in

Italië zitten, nodigen Gretchen en Phil me vaak uit voor een van Gretch' zelfbereide maaltijden. Ze zijn al bijna zestig jaar met elkaar getrouwd, agent Cady. Ooit van liefde op het eerste gezicht gehoord? Bij de Robillards is het liefde op elk gezicht. Ik heb het van dichtbij meegemaakt. Elke keer als Gretchen de kamer binnenkomt, begint Phil te stralen en gedragen die twee zich alsof ze weer tieners zijn. Ik krijg dan steeds het gevoel dat ik me moet excuseren en ze wat privacy moet geven.' Farris keek weer naar het huis van zijn buren. 'Zo zou het moeten zijn, toch?'

Cady zei niets.

'Ze zullen ontroostbaar zijn als ze het van mij en Emma horen.'

'Emma?'

'Mijn vrouw en ik zijn uit elkaar. Het zat er al lange tijd aan te komen. Maar Emma is een echte schat; ze zal me steunen bij de komende verkiezingen... En dan in stilte scheiden en dan gaan we allebei ons weegs.' Farris nam nog een grote slok. 'Ik zie dat u een ring draagt, agent Cady. Heeft u een lot uit de loterij? Heeft u wat Phil en Gretchen hebben?'

Cady zei niets. Laura was al in haar vijfde maand toen ze afgelopen december een miskraam kreeg. Cady was op dat moment in Detroit om geruchten over Al-Qaida-connecties bij een van de islamitische centra te onderzoeken; opmerkingen van een geestelijke hadden de aandacht getrokken, maar uiteindelijk bleek dat hij slechts een publieke discussie had willen aanwakkeren. Cady vloog terug naar huis, nam een paar weken vrij, maar er was iets kapotgegaan – het was al jaren aan het stukgaan, volgens Laura – en dat was heel moeilijk te herstellen. Cady was van plan extra lang vrij te nemen zodra de Schaakman-zaak was opgelost.

'Uw stilzwijgen spreekt boekdelen.' Farris proostte naar de agent met zijn glas. 'Welkom bij de club.'

'Wat is er bij het meer gebeurd, sir?'

Farris begon te giechelen en Cady besefte dat hij minstens twee whisky's ophad. Hij begon sterk de indruk te krijgen dat het Congreslid dit ritueel elke avond herhaalde. 'Wat gebeurt in Snow Goose, blijft in Snow Goose.'

'Ik zie er de humor niet van in.'

'Op dat punt zijn we het met elkaar eens, agent Cady.'

Hij probeerde een andere tactiek. 'U kende Marly Kelch beter dan u ons wilde doen geloven, nietwaar? Marly was meer dan iemand die u in de gangen groette.'

'Neem me niet kwalijk dat ik Faulkner verhaspel, beste vriend, maar het verleden is niet dood.' Farris poetste zijn glas schoon en kauwde op een ijsklontje. 'Het is zelfs niet verleden tijd.'

'Wat moet ik daaruit concluderen?'

Nu was het Farris' beurt om te zwijgen.

'En waar is al die beveiliging goed voor? Chauffeurs van de geheime dienst, patrouillewagens die door de buurt rondcirkelen?'

Farris bleef stil.

'Ik snap het niet.' Cady liep de woning weer in en hij bekeek de regenboogvissen. 'Ik kwam u vanavond de resultaten melden van het onderzoek van de patholoog aangaande de vijf slachtoffers in de Chesapeake Bay. Die Alain en Adrien meenamen op hun zeilboot. Alle vijf vrouwen werden verdronken, verschillende keren gestoken na hun dood, toen in zeil gewikkeld en met gewichten in de baai geworpen.'

'Neergestoken na hun dood?' vroeg Farris.

'Zodat het lichaam niet omhoog zou drijven door het gas, een extra voorzorgsmaatregel zodat die vrouwen nooit meer boven water zouden komen. Ik benijdde de patholoog-anatoom die met de rottende, uiteenvallende resten van die vijf jonge vrouwen aan de slag moest niet, maar hij kon ons op een ander punt wel informeren. Alle slachtoffers hadden rijtwonden rond hun middel, sir.' Cady keerde zich tot het Congreslid. 'Touwstriemen.'

Farris was op het terras blijven staan, met zijn rug naar Cady toe, starend naar de Robillards en de ongrijpbare aard van ware liefde, maar Cady zag dat de schouders van de man schokten.

'Ziet u, nadat de slachtoffers herhaaldelijk verkracht waren door Alain en Adrien, waren ze overboord gegooid, met een touw rond hun buik, een beetje zoals een aapje aan een touwtje, sir. Die vrouwen moesten urenlang verdrinken ter vermaak van de Zalentines.'

'Verdomde psychopaten.' Farris zette zijn glas neer op de stenen balustrade.

'Steeds wanneer een meisje zich gewonnen gaf, trok de tweeling haar omhoog, liet haar even bijkomen en begon haar dan weer te martelen. Ik vermoed dat ze daarmee hun pret wilden rekken. Wat denkt u...'

'Houd op,' fluisterde het Congreslid.

'Wat denkt u dat de bloeddorst van de Zalentines heeft ontketend, meneer Farris?' vroeg Cady, dieper gravend. 'Wat is er die avond bij het meer nou echt gebeurd?'

De stilte tussen de twee mannen was oorverdovend. Cady keerde zich naar het aquarium, zocht de paling in het piratenschip, maar toen werd zijn aandacht door iets anders getrokken. Hij verstijfde. Het topje van een schaakstuk stak uit de gekleurde steentjes achter een stuk koraal omhoog. Een koning van doorzichtig glas. Cady boog zich ernaartoe om het beter te kunnen bestuderen. Het leek qua vorm en formaat identiek aan de koning in het schaakspel dat het forensisch lab had opgespoord, het schaakspel met doorzichtige glazen stukken die overeenkwamen met de stukken die in de dodelijke wonden waren gestoken bij zowel Sanfield als de Zalentine-tweeling. De stukken maakten deel uit van een vijfendertig centimeter breed glazen schaakbord dat voor nog geen twintig dollar te koop was en in iedere spelletjes- of speelgoedwinkel in Amerika verkrijgbaar – daardoor was het onmogelijk om hun aankoop te traceren. Cady had met precies zo'n glazen koning gespeeld terwijl hij zich afvroeg wat voor statement de moordenaar wilde maken.

En dat hij nu dit stuk vond, verborgen in Farris' aquarium als een speeltje in een doos cornflakes, dat was verbijsterend.

'Ik heb u blijkbaar misleid.' Farris sprak de woorden moeizaam uit in het donker. 'En mezelf ook, agent Cady. Ooit, lang geleden, wist ik precies hoe dat voelde; Phil Robillards affectie voor zijn vrouw. Zit ontzettend diep en is oneindig. Helaas... onbeantwoord.'

Terwijl hij koortsachtig nadacht, trok Cady zijn Glock 22 uit zijn schouderholster. Was Farris de Schaakman? Had hij Marly Kelch gekend? Had hij van haar gehouden? Had hij ontdekt wat de Zalentines haar die avond hadden aangedaan, hoe Sanfield ze had geholpen hun sporen uit te wissen, en wilde hij wraak nemen? Had hij de glazen koning in het aquarium verborgen als een soort morbide souvenir?

'Draait u zich heel langzaam om, meneer Farris.' Cady mikte op zijn borst, hij prentte zich in wat de Schaakman met de Zalentines en Sanfield had gedaan. 'Hou uw handen omhoog zodat ik ze kan zien.'

Farris draaide zich om, een vragende uitdrukking op zijn gezicht.

'Loop langzaam de kamer in, sir. Geen plotselinge bewegingen.' Cady vervloekte zichzelf. Hij had zijn handboeien in de auto laten liggen.

'Dit is dus blijkbaar het einde.' Farris liep de woonkamer in, naar Cady toe, met de handen in de lucht. 'Tot de allerlaatste. Maar,' zei Farris, turend naar Cady, 'wie ben jij?'

Cady tuurde naar hem terug, probeerde Farris' vreemde opmerking te verwerken, toen er opeens een donderslag klonk en de bovenhelft van het gezicht van het Congreslid uiteenspatte, Cady met een nevel van hersenweefsel, bloed en schedelstukjes besproeiend.

Cady liet zich meteen op de grond vallen, met zijn zij tegen de hoekbank. Een oogwenk later schoot Cady twee kogels richting de plafonnière, waardoor de kamer bezaaid kwam te liggen met glasscherven en in een klap donker werd. Het enige licht kwam uit het aquarium en van de halvemaan die vanaf het open terras scheen. Cady krabbelde achteruit tot hij tegen het drankkarretje aan zat. Hij kon in het midden van de kamer de donkere vorm onderscheiden die een paar seconden eerder nog Congreslid Farris was geweest. Hij was dood, dat was duidelijk.

De Robillards zijn vroeg terug, flitste het door het hoofd van de agent. *Ze hebben een timeshare-appartement in Venetië.* Cady wist opeens dat het niet Phil en Gretchen Robillard waren geweest – die Marcus Antonius en Cleopatra aan de overkant – die het licht in het appartement aan de overkant hadden uitgedaan.

Cady trok een nepantiek telefoontoestel van de drankkar, daarbij Farris' bijna lege Glenfiddich-fles omstotend en stukgooiend. Hij kwakte de telefoon op de hardhouten vloer en drukte het alarmnummer in. Cady kroop op handen en voeten geruisloos richting de terrasdeur en luisterde. Niets. Toen voetstappen. Hij sloot zijn ogen, herinnerde zich de betonnen patio onder het terras. Cady sprong omhoog en sprintte het terras over. Zette zijn linkerhand op de balustrade, slingerde zich eroverheen. Vijf meter lager kwam hij hard neer in een grindhoop; hij wist onmiddellijk dat er iets goed mis was met zijn rechterknie.

Cady werkte zich overeind en strompelde naar de houten poortdeur die uitkwam in de steeg. Hij zag het hangslot in het maanlicht en schopte uit alle macht ter hoogte van de deurknop. De pijn schoot dwars door zijn rechterzij. Hij zette zijn tanden op elkaar, draaide zich om en herhaalde de zijwaartse trap, dit keer met zijn linkervoet. De poort vloog open en Cady drong erdoorheen, het gewicht op zijn linkerbeen. De Glock ging van links naar rechts voor hem uit. Hij hield zijn adem in en luisterde of hij iets kon horen dat hem zou vertellen welke kant hij op moest. Niets.

Cady zette een stap de steeg in, wist dat als de schutter Connecticut Avenue bereikte, hij snel tussen de restaurants en nachtclubs in de buurt van Woodley Park Metro spoorloos zou kunnen verdwijnen. Cady hobbelde in de richting van Connecticut Avenue. Opeens een schaduw in zijn nabijheid – toen knalde een voorhamer tegen de zijkant van zijn gezicht. Cady zeeg in elkaar als een zak cement, zijn pistool kletterde over de weg. Verdoofd, op zijn buik, zwom hij achter zijn Glock aan toen een klophamer van duisternis op zijn rechterhand neerkwam, botten en weefsel verpletterend – zijn handpalm was een bloedrood washandje.

Cady schreeuwde het uit. Hij schreeuwde om bij bewustzijn te blijven. Er was iets mis met zijn mond en zijn kreet kwam eruit als een zachte keelklank, nauwelijks hoorbaar. Hij proefde bloed en voelde tanden en keek op. Er vloog een figuur door de schaduwen, en bereikte het einde van de steeg, een lange jas wapperde erachteraan als een cape, een donkere koffer in de ene hand, opeens vertraagde hij, ging de hoek om... ontsnapte.

Cady hoorde de sirenes terwijl hij zichzelf terug sleepte naar de ingang van Farris' patio, overgaf en het bewustzijn verloor.

12

Twee dagen later probeerden FBI-agenten, na een aanwijzing tussen de operaties door van een bedlegerige agent Cady in het George Washington University Hospital, zonder succes Dane Schaeffer te spreken in zijn huisje nabij Chester, New Jersey. De dag daarop kwamen agent Preston en haar team terug met een huiszoekingsbevel, maar Schaeffers woning was verlaten. Er stond geen auto in de aangebouwde garage en zwarte bananen lagen eenzaam op een verlaten keukenaanrecht. Het enige belangwekkende was dat toen agent Preston Schaeffers muis op de mousepad in zijn kantoor bewoog de monitor aansprong. Twee korte zinnen in een Word-document stonden in Times New Romanfont op het scherm.

Vergeef me, vader. Vergeef me, alstublieft...

Een week later troffen wat wandelaars uit Mason Neck State Park een Lexus RX Hybrid aan op een landweg in de buurt van de rivier, achtergelaten op een plek waar geen auto's hoorden te komen. De wandelaars dachten aan tieners, een gestolen wagen en een joyride, en ze belden de politie. De Lexus RX bleek toe te behoren aan Dane Schaeffer. Agenten vonden een handvol glazen schaakstukken in een bruine kartonnen enveloppe in Schaeffers handschoenenkastje, en een geplette trombonekist, verborgen in de kofferbak van de auto. Nadat ze zowel de Kohlert TB524 als de hoogpolige wollen voering eruit hadden gehaald, vonden de FBI-agenten iets wat dubbel zo interessant was: een Remington 700 LTR 308, een licht scherpschuttersgeweer.

Een dag nadat ze Schaeffers achtergelaten Lexus hadden gevonden, concludeerde inspecteur Dan Kurtz dat de kogel die Congreslid Patrick Farris had gedood – een .308 Winchester – uit de Remington 700 kwam. Ze konden ook vaststellen dat het de harde klappen met de stevige Kohlert-trombonekist waren geweest die agent Cady's kaak hadden verbrijzeld, zijn neus en jukbeen hadden gebroken en zijn rechterhand tot moes hadden gebeukt.

Een week na deze ontdekking dregden ze een drijver op uit de Potomac-rivier. Dane Schaeffer bood geen aangename aanblik.

II

Middenspel

13

Heden

Elaine Kellervicks echtgenoot bevond zich tot vrijdagavond op de Chem-Eng-conferentie in Denver, wat vrij vertaald betekende dat zij het laatste stuk nam – zogenaamd Steves stuk – van de twee extra stukken tiramisu-kwarktaart die ze de avond tevoren mee naar huis had genomen na haar diner in het Prudential Center met The Dames, zoals haar groepje vriendinnen zich noemde. Ze had Steve die ochtend door de telefoon niets verteld over de kwarktaart en hoewel ze allebei hetzelfde goede voornemen hadden voor het nieuwe jaar om die extra kilo's rond hun middel kwijt te raken, en hoewel ze allebei het hele jaar fanatiek hadden gekickbokst, vond Elaine dat Steve hier niets van hoefde te weten. Trouwens, ze had die avond misschien wel iets heel belangrijks te vieren, en het kon haar geen zier schelen wat die kwarktaart met haar middelbare heupen zou doen.

Elaine had van haar baas, Albert Banning, met zijn walrussnor en zijn inhoudsloze broek, de taak gekregen de handelsstrategie en inkomstenstroom van een concurrent te analyseren en onderzoeken zodat hun investeringskantoor in Boston, Koye & Plagans Financials, de lucratieve resultaten van *Mr. Schmooze* kon nabootsen. Ze had Mr. Schmooze ooit eens ontmoet en was hem in de afgelopen tien jaar met enige regelmaat tegen het lijf gelopen op evenementen in de financiële sector, en ze was verbaasd en vereerd toen ze een handgeschreven brief van Mr. Schmooze kreeg in antwoord op het cv dat ze een halfjaar daarvoor naar zijn kantoor had gestuurd na een heel zware week met Albert Banning. Hoewel ze op dat moment geen vacature hadden die aansloot op haar vaardigheden, stond in zijn brief dat hij 'met warme gevoelens aan haar terugdacht' en haar 'het allerbeste' toewenste. Verder stond er dat ze 'boven aan de lijst stond' als er een geschikte baan vrijkwam en dat ze 'beslist contact moesten onderhouden'.

Hoewel het niet in vakliteratuur of in reclamebrochures te lezen was, was het in de financiële wereld niet ongebruikelijk om het model van de concurrent te kopiëren. Toen die onnozelaar Banning haar die opdracht had gegeven, had ze, in haar niet-aflatende pogingen haar naam boven aan Mr. Schmooze' lijst te houden, Mr. Schmooze een plagerig e-mailtje gestuurd dat ze opdracht had gekregen het geheim van zijn succes te achterhalen, met een knipogende smiley aan het einde van de laatste zin.

Iedere keer als ze met Banning afsprak of die malloot aan de telefoon had of een van zijn spellingscontrolevrije e-mails kreeg of die oelewapper maar op de gang passeerde, was Elaine weer stomverbaasd. Stomverbaasd dat Albert Banning hoofd Investeringen was bij K&P. Stomverbaasd dat deze blaaskaak zich omhoog had gewerkt naar een positie waar hij het kantoor elke dag maximale schade kon berokkenen. Hoewel er, achteraf gezien, in de vorm van miscommunicaties wel wat voortekenen waren tijdens de sollicitatieprocedure, twee jaar terug, stond Elaine sinds haar tweede werkdag volkomen versteld toen duidelijk werd dat achter zijn pompeuze uiterlijke leeghoofdigheid geen verborgen briljantheid school. Ze was stomverbaasd dat Banning elke ochtend zijn kantoor weer wist te vinden en niet belandde in een naburig kantoorpand, op zoek naar zijn stoel.

Haar lieve mannetje Steve genoot van haar verhalen over Albert Banning, hoe de jaarlijkse beoordelingsgesprekken sterk deden denken aan een oudejaarsconference; hoe als iemand anders een presentatie hield op een vergadering, je er de klok op gelijk kon zetten dat Banning in zijn neus begon te peuteren en altijd dat wat hij opdolf aan de onderkant van de vergadertafel smeerde; hoe hij een tweede en zelfs derde donut stal, telkens wanneer iemand van het personeel – maar nooit Banning zelf – ze meenam om met de rest te delen; hoe Bannings ogen als een magneet steeds weer werden getrokken als er ook maar sprake was van een hint van een decolleté. Maar goed, Steve kon om die verhalen makkelijk lachen; hij hoefde niet iedere week bij die oetlul verslag uit te brengen.

Bannings uiterlijk paste ook precies bij zijn rol: donkere wollen kostuums, sneeuwwitte overhemden, allemaal keurig op maat gemaakt en gestoomd, en op een of andere manier had hij ook nog ergens manchetknopen op de kop weten te tikken. Hij liep constant met een kalfslederen koffertje rond waarvan zij sterk het vermoeden had dat die zijn voorraad gummibeertjes en M&M's bevatte in plaats van zijn werk. Na Elaines eerste maand als investeringsstratege bij K&P moest Steve haar ervan weerhouden een privédetective in te schakelen om uit te zoeken of Bannings MBA van Yale wel echt was. Steve vertelde haar dat een cv vervalsen een bepaalde creatieve aanleg vergde waarvan zij beiden wisten dat Banning die miste, en 'eerlijk gezegd, Elaine, een derde van de afgestudeerden uit de Ivy League is te dom om voor de duvel te dansen, en Albert Banning zou niet eens weten hoe je "Ivy League" moest spellen.'

Maar Elaine wist dat haar dagen bij K&P Financials geteld waren toen Banning een paar maanden terug haar en een paar andere collega-marktanalisten een e-mailbericht had gestuurd met wat algemene economische vragen en hun om antwoord, input of commentaar verzocht. De vragenlijsten hadden echt Elaines interesse gewekt en ze had een paar paragrafen getikt met haar denkbeelden over de huidige veranderlijke staat van aandelen en de kosten/inkomensverhouding, waarop ze van die blaaskaak niet eens een ontvangstbevestiging of bedankje of wat voor antwoord dan ook kreeg. Dus je kunt je voorstellen hoe groot Elaines verbazing was toen ze haar overdenkingen woord voor woord in een kort interview met een zeker iemand in de *Fidelity Investor*-nieuwsbrief zag staan. Elaine was uit haar vel gesprongen, woedend Bannings kantoor binnengestapt met een exemplaar van de nieuwsbrief zwaaiend, en zag dat hij zelf al een exemplaar ingelijst aan de muur had gehangen achter zijn zwarte directiebureau, tussen zijn MBA en een foto van hem naast een duidelijk opgelaten Alan Greenspan bij een allang vergeten conferentie.

'Ik heb de redacteur verteld dat die conclusies van ons briljante team van K&P afkomstig zijn,' mompelde een geschrokken en vergoelijkende Banning. 'Ik heb ze zelfs jullie namen doorgegeven, maar ze hadden daar waarschijnlijk geen ruimte voor in zo'n kort stukje.'

Elaine stormde het kantoor van dat zwijn uit om zich ervan te weerhouden zijn nieuwe, pas ingelijste artikel aan gruzelementen te slaan met de verzwaarde plakbandhouder op zijn bureau. De kapitale kloteklapper bleef de hele week schuldbewust om haar heen hangen – zo van: *Wacht, ik doe wel even voor je open* en *Hoe gaat het met je?* Maar alsof hij bij haar zout in de wond wilde strooien, was haar citaat, dat werd toegeschreven aan die druiloor, opgepikt en nog eens gepubliceerd in het zakelijke katern van *The Boston Globe*. Voor Elaine bestond er geen God meer.

Na twee dagen met de wiskundige modellering van Mr. Schmooze bezig te zijn besefte Elaine dat ze zelf iets had verprutst, dat haar datamodel niet klopte – ongetwijfeld bezoedeld door Bannings bemoeienis – dus belde ze Mr. Schmooze' kantoor onder het mom van een beleefdheidspraatje, en werd door een ijzige en waarschijnlijk in de menopauze verkerende secretaresse afgewimpeld. Ging vervolgens door haar vol met rotzooi zittende bureaulaatje en vond het visitekaartje van Mr. Schmooze. Ze stuurde hem een e-mail met het verzoek om meer informatie. Toen verwijderde Elaine haar mislukte model en begon ze, onder het mom van accuraatheid, opnieuw – of, zoals Steve zou zeggen, mierenneukerij. Tegen het einde van de volgende werkdag, terwijl die oelewapper Banning haar elke keer als ze elkaar in de gang passeerden vroeg naar de analyse, was ze op precies dezelfde resultaten uitgekomen.

Ze onderzocht de samenvattende spreadsheet, bekeek even bepaalde getallen in de tekst van haar marktanalyse, bekeek dan weer haar aannames. Er begon zich een vermoeden van een patroon in haar achterhoofd te nestelen, maar ja, Elaine kon zelfs een numeriek patroon in sommige dobbelsteenworpen ontwaren. Het datamodel deugde niet, dat kon niet anders. Elaine legde al haar dossiers netjes – *netjes, Steve, niet mierenneukerig* – voor zich op tafel en begon alles door te nemen. Hoewel markten op en neer jojoden, had Mr. Schmooze – wiens cliëntenlijst zo uit *People Magazine* leek overgenomen, de hoofdrol vertolkte in grote films, en Oscars, Emmy's en Grammy's binnensleepte – een bedrijfsdiagram dat alleen maar omhoogliep. Het kon niet anders dan dat haar getallen niet klopten, want het betrof hier een statistische onmogelijkheid; slechts zeven procent van Mr. Schmooze' maanden toonde een daling, terwijl de gemiddelde investeringswinst minimaal tien procent per jaar bedroeg.

Elaine schudde het hoofd om de onzinnige gedachten van zich af te schudden. Ze had al veel te lang voor die oetlul gewerkt; zijn stompzinnigheid was blijkbaar besmettelijk. Als zij haar werk aan Banning zou laten zien, zou hij haar in haar gezicht uitlachen en er iedere keer op terugkomen wanneer ze hem erop betrapte dat hij zichzelf voor gek zette. Waarschijnlijk interpreteerde ze Mr. Schmooze' *afgedekte beleggingsstrategie* niet helemaal zoals het hoorde, aangezien het sowieso een buitengewoon complexe investeringsmethode was, maar dat was toch waar de truc, als die er was, in moest zitten.

Haar telefoon ging. Ze herkende het New Yorkse kengetal en nam op. Serendipiteit: het was Mr. Schmooze zelf. Hij liet weten dat hij niet veel tijd had, maar hij wilde haar terugbellen voor hij met de vicegouverneur naar een of ander stomvervelend dinertje ging. Ze kletsten wat over de jammerlijke toestand van de sector en Elaine bracht heel voorzichtig ter sprake dat ze aan *data modeling* had gedaan.

'Ik dacht al dat dat de reden van je telefoontje was,' zei Mr. Schmooze. 'Ik wou dat het zeven was, maar we weten allebei wat dat zou betekenen... Bovendien ben ik Merlijn de tovenaar niet. Nee, Elaine, het percentage ligt dichter bij de dertig, en zelfs dan heb ik cliënten die al klaarstaan met de pek en veren.'

'Dat vermoedde ik al,' zei Elaine. '*Garbage in, garbage out*: slechte input, slechte output.'

'Als je begin volgende week langs kunt komen in New York en me je op een lunch laat trakteren kunnen we het hebben – in grote lijnen uiteraard – over de werkwijze van het bedrijf. Maar de ware reden dat ik je bel, Elaine,' had Mr. Schmooze gezegd, 'is dat mijn favoriete data-modeler Paulette Glimski net een drieling heeft gebaard, zo'n invitrobevruchting waar je tegenwoordig zo veel over hoort. Hoe het ook zij, Paulette heeft eerder deze week en dat hadden we min of meer al zien aankomen, mijn hart gebroken. Ze heeft haar ontslag ingediend, ze zei dat ze Excel-spreadsheets inwisselt voor luiers en speentjes, dus we zijn nu een beetje onderbemand... dus mocht je nog steeds een baan zoeken...'

De gedachte Banning de bons te geven, en die wandelende blundermachine onthand achter te laten, wond haar op; het speet haar dat Steve in Colorado zat, om verschillende redenen. Ze kon niet wachten tot hij haar 's avonds zou bellen. In gedachten had ze, hoewel ze natuurlijk niet te gretig wilde lijken, de baan al aangenomen. Mr. Schmooze had benadrukt dat ze niet hoefde te verhuizen, dat het grootste deel van het werk op afstand gedaan kon worden, telewerken en af en toe een persoonlijke ontmoeting of een presentatie hier of daar, maar veel daarvan kon via videoconferenties worden gedaan. Ja, dacht Elaine, ze zou haar cv meenemen naar New York volgende week.

Elaine ging er vroeg van tussen en op weg naar huis dacht ze er eens goed over na. Telewerken voor Mr. Schmooze in New York was precies wat ze nodig had, daar hoefde ze niet lang over na te denken; ze zou weer opknappen. Elaine popelde om het Steve te vertellen. Hij zou dolblij voor haar zijn, ook al zou hij dan de komische capriolen van Albert Banning gaan missen. Ze had in gedachten al een korte ontslagbrief opgesteld, die ze waarschijnlijk nog wel wat zou afzwakken – het was ook weer niet nodig al je schepen achter je te verbranden – hoewel het bijna orgastisch voelde om die drol van haar schoen af te schrapen. Elaine begon de code van die maand in te toetsen in het alarmsysteem aan de muur toen ze besefte dat het niet goed functioneerde.

'Misschien werkt-ie niet meer,' fluisterde een stem achter haar.

Elaine sprong zowat in de lucht van schrik, maar draaide zich om en kwam neer in een klassieke karatehouding. De lange man in zwart kostuum, zo'n meter van haar vandaan, keek op haar neer. Elaine wist dat ze de deur nooit op tijd zou bereiken. Ze dacht aan haar zwartebandtraining en probeerde de man tegen zijn hoofd te schoppen.

De lange man zette een stap naar achteren en weerde haar voet af met de vingers van zijn linkerhand. Daardoor werd ze uit evenwicht gebracht, maar ze herstelde zich en ging weer in de vechthouding staan. Het was moeilijk te zien, maar de lange man leek te glimlachen. Elaine haalde uit naar zijn keel, een felle zweepslag om hem uit te schakelen terwijl zij naar de deur zou sprinten. Maar er ging iets fout. Ze werd opeens tegen de muur geduwd. Ze had de slag van de man niet gevoeld, maar ze leek geen adem meer te kunnen krijgen. Haar gezicht werd tegen het paneel van het alarmsysteem gedrukt.

De lange man keek haar in de ogen terwijl de stiletto onder haar borstbeen gleed en zich in haar hart boorde. Hij draaide aan het mes en gaf Elaine nog een laatste stoot, waarna ze stierf. Een laatste stoot om de vrouw de ironie van de nutteloosheid van haar jaren karateles in een winkelcentrum te doen inzien. De lange man liet Elaine, zijn stiletto daarbij als handvat gebruikend, langzaam op de vloer bij de ingang zakken. Hij knielde naast haar neer en trok het mes uit haar. Hij haalde een glazen pion tevoorschijn en drukte het bovenstuk ervan in de meswond. Toen trok hij de chirurgische handschoenen binnenstebuiten uit, de stiletto in de rechterhandschoen wikkelend.

De lange man was er al vroeg aangekomen en had de woning van de Kellervicks grondig uitgekamd, alle voor de hand liggende plekken en niet zo voor de hand liggende plekken had hij doorzocht. Er was niets te vinden. Hij zocht op de pc naar recent aangemaakt bestanden en die week verstuurde e-mailberichten. Maar vond niets dat van belang was.

De lange man liep naar de achterdeur maar hield halt voor de ijskast, zo'n grote met een dubbele deur. Hij pakte een handdoekje om het gevaarte te openen. Hij greep de doos van The Cheesecake Factory.

De lange man was gek op tiramisu.

14

Een halfjaar geleden

Lucy kon nu ieder moment thuiskomen. Hij moest het haar vertellen. Drake Hartzell had zo lang mogelijk getalmd met Lucy de waarheid te vertellen vanwege de pijn en het verdriet en het walgelijke verraad die haar nieuwe realiteit zouden worden. Maar de tijd begon te dringen. Het zou haar wereld in elkaar doen storten – hun wereld. Hartzell moest het haar vanavond nog vertellen. Er zat niets anders op.

Hij staarde over de Hudson-rivier naar buiten door het enorme raam van zijn penthousesuite, tweeënzeventig verdiepingen boven Manhattan. Hij wilde niets liever, met heel zijn hart – of het stuk houtskool dat daarvoor door moest gaan – dan dat hij en Lucy weer veilig en wel in Engeland zouden zitten, op hun landgoed in St. Leonards-on-Sea. De voormalige voorzitter van de NASDAQ nam nog een flinke teug van zijn borrel en deed wat hersengymnastiek; hij probeerde uit te zoeken hoe lang hij nog alle ballen in de lucht zou kunnen houden. Ze zeggen dat je een eerlijke man niet voor de gek kunt houden, maar Hartzell wist uit de eerste hand dat dat kletspraat was. Hij had een buitensporig dikke boterham verdiend met het bedriegen van eerlijke mannen... en flink wat vrouwen trouwens ook. Hartzell stommelde de woonkamer weer in, schopte een lege cognacfles omver en liet zich diep wegzakken in de leren sofa. Goeie god, dacht hij. Goeie god.

Hij had het onvoorstelbaar ver geschopt sinds zijn jeugd, die helse schrale grond in Walton, en Hartzell wist niet wat hij minder miste aan dat rotgat in Liverpool: de manier waarop zijn familie aardappels en haverpap bij elkaar scharrelde om van te leven, of de pijn van zijn vaders riem wanneer die oude klootzak zijn uitkering verzoop of stoom moest afblazen na een bijzonder irritante ploegendienst in de haven – tijdens de steeds korter wordende perioden dat hij werk had. Hartzell was er nooit meer teruggekeerd na een laatste woordenwisseling met die wrede klootzak, een treffen waarbij een vijftien jaar oude Hartzell de tanden van zijn vader eruit sloeg, de ene na de andere, met een pijptang. Hij had nooit meer teruggekeken; toen het geld binnenstroomde had hij nooit geld naar Walton gestuurd, zelfs niet om zijn moeder en drie zussen te ondersteunen. Het kwam niet eens in hem op. Zij maakten deel uit van Hartzells leven dat maar beter verleden tijd kon blijven. En na een tijdje bij de marine kwam hij eind jaren zeventig naar Amerika om een nieuw leven voor zichzelf op te bouwen in dit land van ongekende mogelijkheden. En reken maar dat Hartzell een nieuw leven voor zichzelf opbouwde.

Drake Hartzell genoot aanzien en was erg populair, en had een riant leven als financieel manager en investeringsgoeroe. Daarbovenop zamelde Hartzell, een erkend filantroop, onophoudelijk geld in voor een waslijst van goede doelen – modieuze doelen, doelen waardoor hij vrijelijk toegang kreeg tot de rijken en beroemde filmsterren en weduwen die bulkten van het geld. En die waren op hun beurt verrukt over Hartzells opgewektheid, zijn Engelse accent en, nu hij tegen de vijftig liep, zijn gedistingeerde grijze lokken. Hartzell was de grote charmeur van de glitterende glamourmenigtes aan zowel de oost- als de westkust van de VS. Ze waren gek op de verhalen over zijn lunchafspraken met Tony Blair, zijn onroerendgoedzaken met prins Charles en zijn gebroken hart toen Lady Di stierf. Fascinerende verhalen die hij met een glimlach op zijn gezicht en een twinkeling in zijn ogen vertelde, en die allemaal met een blik van ontzag en een hartgrondig knikken van spontane vriendschap werden aangehoord. Ja, Hartzell had zichzelf beslist opnieuw uitgevonden, als een volleerde praatjesmaker voor de grotesk en obsceen rijken. Wat gaf het dat er niks waar was van zijn verhalen uit Engeland?

Ach, de meeste investeerders investeerden niet eens bewust rechtstreeks via hem, maar gebruikten een van de twintig hedgefondsen die op hun beurt Hartzell van hun activa voorzagen om te beheren. Het leven was buitengewoon magnifiek. Hartzells winnende investeringsalgoritme was een goed bewaard geheim; dat moest wel, in deze tijd van bedrijfsspionage en schimmige praktijken. Eerlijk gezegd had Hartzell zijn succesvolle investeringsalgoritme gestolen van een Italiaanse immigrant van bijna een eeuw terug... Een zekere Charlie Ponzi.

Hartzells investeringsfraude bewoog zich geruisloos onder de radar om geen argwaan te wekken. Hij beloofde cliënten bescheiden winst en regelmatige inkomsten, terwijl alle bedragen die door investeerders werden teruggevraagd in werkelijkheid uit de opbrengsten van recentere investeerders kwamen. Hartzell had zelfs de kritische blikken kunnen weerstaan die op de sector werden geworpen dankzij die blunderende kluns Bernard Madoff, vooral dankzij het omkopen van een aantal Securities and Exchange Commission-beambten, alsook door de zeer gewiekste aard van zijn verschillende toevoerfondsen. Hartzell was ook een heel pientere speculant, die in de loop der jaren flinke bedragen doneerde aan beide zijden van het politieke spectrum, als een blackjackdealer die kaarten uitdeelt.

Hartzells investeringsadviesbureau, waarvan hij de broker-dealer was, voerde orders voor zijn cliënten uit, op papier in ieder geval. Hartzells aanzienlijke kennis van elektronische handel was van onschatbare waarde bij het wegwerken van een tastbaar papierspoor en het creëren van schijntransacties. Anders gezegd: de verklaringen die zijn investeerders ontvingen waren vervalst met misleidende op het verleden gebaseerde prestatiecijfers en aanverwante financiële data die op de plaats van de ware opbrengsten van de fondsen waren ingevoegd. Nóg anders gezegd: een heel geavanceerd knip- en plakwerkje. In werkelijkheid bedreef Hartzells kantoor zo goed als geen handel. Om de boeken te verdonkeremanen, de wateren te vertroebelen voor een potentieel onderzoek, vermengde Hartzell zijn persoonlijke fondsen met de activa van zijn adviesbureau, met zijn beursmakelaarsfinanciën – allemaal behoorlijk tegen de regels in, en hevelde hij steeds meer over naar de geheime bankrekeningen die over de hele wereld waren geopend.

Zijn idool, een man uit Connecticut die Phineas Taylor Barnum heette, of kortweg P.T. Barnum, zat er mijlenver naast. *Er wordt niet iedere minuut een sukkel geboren – eerder elke seconde, en zelfs dat is een lage schatting.* Hartzell had een hele waslijst standaardgedachten die hem iedere nacht lieten slapen als een roos. Neem bijvoorbeeld die ontelbare bedrijfsleiders die met hun gouden parachutes zachtjes afdalen naar de begane grond terwijl hun bedrijven tegen de vlakte gaan. Neem bijvoorbeeld de ambulances narennende, geldgraaiende louche advocaten die steeds uit hun holen komen kruipen om de juridische loterij te winnen. Neem bijvoorbeeld de vakbondssukkels die de kip met de gouden eieren slachten en hele bedrijfstakken verwoesten door compensatievoordelen, die in geen verhouding staan tot het opleidingsniveau of de vaardigheden van hun leden, compleet uit te melken. Neem bijvoorbeeld het uit de pan rijzende lesgeld, dat duizendmaal sneller stijgt dan de inflatie, waardoor het langzaamaan tot afstuderende ouderejaars doordringt dat ze straks niet alleen zonder baan zitten, maar ook bankroet zijn. Neem bijvoorbeeld de parasitaire lobbyisten die de natie smoren als een tweede huid. Neem bijvoorbeeld Chicago, dat een Senaatzetel probeert te verkopen aan de hoogste bieder. Neem bijvoorbeeld de ex-vicepresident die een Nobelprijs en een Oscar heeft gewonnen – iemand wiens thuisnummer Hartzell in zijn persoonlijke Rolodex had zitten – die de gekste capriolen uithaalt om miljoenen binnen te halen met koolstofcompensatie, wat dat ook mag wezen. Neem bijvoorbeeld al die pensioenplannen die werden weggevaagd op een gigantische, Tsjernobylachtige meltdown door de kalfskoppen in D.C. die hun neus staken in markten waar ze geen verstand van hadden.

Neem bijvoorbeeld de nog veel grotere ponzifraude die het United States Social Security System wordt genoemd. Neem bijvoorbeeld het begrotingstekort, neem de groeiende staatsschuld, neem de ontelbare financiële reddingsoperaties voor de incompetenten en de corrupten... En dit alles wordt doorgegeven aan de nietsvermoedende pasgeboren kinderen op elke kraamafdeling door het hele land, van kust tot kust.

Het was allemaal onzin. Louter kletspraat. Nonsens van de bovenste plank.

Dus waarom zou Hartzell er niet in mogen delen?

Het zou een misdaad zijn als hij het niet deed. Hartzell bewees het volk een onmisbare publieke dienst. Hij had meer dan twintig jaar lang de olijke rijkelui uitgeschud, de kwaadaardige ijdeltuiten, de snobistische patsers en zichzelf op de borst slaande domkoppen die zo steenrijk en verwend waren dat ze elk contact met de werkelijkheid verloren waren. Kinderachtige driftbuien om niets, hysterisch divagedrag over te lauwe voorschotten, zich ingebeelde foutjes of – o nee! – vijf minuten zonder geslijm van dweperige hielenlikkers – een zuurder soort mensen bestaat er niet. Hij moest tegenwoordig zijn uiterste best doen om positief te blijven en grappig en blij, met al die verwaande papkindjes in zijn omgeving. En Hartzell zou willen dat hij erbij kon zijn, onopgemerkt, stilletjes luisterend, wanneer het nieuws bekend zou worden en het ze langzaam zou beginnen te dagen dat veel van hun investeringen niet eens meer het papier waard waren waarop ze waren gedrukt. Kon hij maar even hun uitdrukking zien wanneer het tot hen doordrong, of het collectieve geluid horen, zo luid dat het op de schaal van Richter te registreren moest zijn, als tienduizenden kringspieren samentrokken en de investeerders beseften dat hun oude dag misschien toch niet zo heerlijk zou worden als ze hadden gehoopt.

Niettemin dacht Hartzell wel dat hij een enorme sociopaat moest zijn – zijn gevoel voor goed en kwaad was al uit hem geramd toen hij klein was – maar hij had zijn achilleshiel: een blijvende liefde voor een heel speciale jonge vrouw, zijn dochter, die hem, bedacht hij zich, bijna menselijk maakte. Het was een vaderlijke liefde die waarschijnlijk zijn ondergang zou worden, een diepe bezorgdheid die hem ervan weerhield te vluchten naar een gloednieuw leven in West-Indië of een andere gastvrije plek waar hij de rest van zijn leven, onder een nieuwe naam en met een onuitputtelijke bankrekening om de pijn te verzachten, zou kunnen slijten.

Hartzells achilleshiel heette Lucy, een prachtige brunette met aristocratische gelaatstrekken, die altijd zoekende bruine ogen had, en rad van tong was. Lucy was een bijproduct van een korte flirt die hij had gehad met een onbeduidende Engelse actrice die een klein rolletje had gespeeld in een onbeduidende Broadway-productie van twintig jaar terug. Lucy's moeder, Alison, was een ongelooflijk saaie vrouw, maar het was fijn geweest tijd door te brengen met een mooie vrouw uit zijn geboorteland. Na de korte looptijd van het stuk was Alison terug naar Piccadilly getrippeld om nog meer onzin aan de ongewassen massa op te lepelen. Hartzell was dolblij toen ze vertrok uit New York City, hij reed haar zelfs persoonlijk naar JFK International Airport, maar was tien dagen later ziedend van woede toen ze vertelde dat ze zwanger van hem was.

Hartzell deed zijn uiterste best om Alison tot een abortus te bewegen, maar deze ene keer haalde zijn charme niets uit. Alison was vastbesloten: ze hield het kind. Blijkbaar, nam Hartzell aan, dacht ze dat zijn toekomstige bijdrage heel wat zekerder en hoger zou zijn dan wat ze in de Londense theaters kon verdienen. Na een nauwelijks bedekte bedreiging om Hartzell voor het gerechtshof te sleuren om alimentatie te eisen, wat volkomen onacceptabel zou zijn voor een man in zijn positie, had hij er via zijn advocaat mee ingestemd Alison een veel te royale maandelijkse gezinstoelage te geven, en de sluwe feeks bovendien een aanbetaling te doen van een kwart miljoen pond sterling. Het was een actie die de pruilende meid deed veranderen in een breed grijnzende meid en, maar belangrijker nog, een actie die zijn reputatie niet zou schaden.

Hartzell had de eerste vijf jaar van Lucy's leven, meer om zijn eigen imago op te vijzelen, een van zijn secretaresses het kleintje wekelijks een kaart uit de Big Apple laten sturen met een vrolijk zinnetje erop, heel zorgvuldig namens hem opgesteld. Eenmaal per maand kreeg dezelfde secretaresse de opdracht een cadeautje uit te zoeken en dit naar zijn dochter op de post te doen. Hartzell begreep niet waar mensen zich druk om maakten – ouder zijn was een makkie. Zodra Lucy kon praten begon hij, na een paar glazen Dom Pérignon, het verplichte wekelijkse telefoontje te plegen.

Ja, Lucy was zijn achilleshiel. Als Hartzell het exacte moment moest benoemen dat zijn zwakke plek zich voor het eerst openbaarde, zou het de eerste keer zijn dat Lucy hem door de telefoon papa noemde. Hij lag de halve nacht wakker, denkend aan dat kleine meisje, en twee weken later, toen hij zich eindelijk kon losrukken van zijn werk, stond hij voor hij het wist in Londen om Lucy in levenden lijve te zien.

Tegen de tijd dat Lucy zes was bracht ze de zomers door bij Hartzell. Prachtig, dacht hij indertijd, terwijl hij pronkte met Lucy – die meer Shirley was dan Shirley Temple zelf – bij verschillende liefdadigheidsbijeenkomsten en benefietavonden, overal de liefhebbende vader uithangend. De investeringen bleven ondertussen maar binnenstromen. Toen ze tien werd en nadat er nog eens een kwart miljoen pond sterling naar een pasgetrouwde Alison was overgemaakt, kwam Lucy permanent bij Hartzell wonen. Natuurlijk groeide Lucy op met de beste kinderjuffrouwen en privéleraren; ze haalde haar diploma aan de prestigieuze Trinity School en zat nu in het tweede jaar van haar dansopleiding bij Juilliard.

Maar sinds de plotselinge verslechtering van de financiële sector in de VS was hij ziek van ongerustheid. Niet vanwege de SEC of een staatsonderzoek wanneer hij niet meer in staat zou zijn alle ballen in de lucht te houden, maar omdat hij altijd al had geweten dat het slechts een kwestie van tijd was, en dat zijn dagen beslist geteld waren. Hij had voor die dag allang plannen gesmeed. Nee, wat Hartzell echt tot in de kleine uurtjes deed opblijven, wat hem de laatste maand tien kilo had doen verliezen, was hoe hij zijn dochter – de enige van wie hij ooit had gehouden – de waarheid moest vertellen.

Hartzell hoorde dat de sleutel in het slot werd gestoken. Hij hoorde de deur open- en dichtgaan in de hal. Hij hoorde zachte voetstappen op het hardhout.

Lucy was thuis.

15

Heden

'Wie heeft mijn dochter vermoord, agent Cady?'

Dorsey Kelch was de eerste die Cady opzocht in deze cold case van de oorspronkelijke Schaakman-moorden voor adjunct-directeur Jund. Hij had haar die ochtend gebeld en gevraagd of hij haar mocht bezoeken in haar bungalow in de Wyomissing Borough in Reading, in het hart van Berks County, Pennsylvania, om te praten over haar dochter, Marly. Mevrouw Kelch had Cady hartelijk welkom geheten in haar huis; haar teckel, Rex, moest vanaf het eerste moment niks van de agent hebben en werd snel verbannen naar de achtertuin. Na een kort protest bij de keukendeur liep de hond weg en ging onder de picknicktafel zitten. Mevrouw Kelch serveerde Cady een kopje groene thee en havermoutkoekjes met rozijnen terwijl Cady een uur lang door Marly's oude jaarboeken van de middelbare school en door fotoalbums bladerde, en de namen van alle vriendjes neerkrabbelde op zijn blocnote.

'Sorry dat ik zo dom doe, mevrouw Kelch, maar we zitten eigenlijk te vissen naar iets bruikbaars in verband met een lopend onderzoek. We controleren de feiten, zoals ik al zei door de telefoon.'

'Hoe is mijn dochter echt gestorven, agent Cady?'

'Er zijn geen harde bewijzen dat het om iets anders ging dan een verdrinkingsongeval. Het zou onethisch van me zijn als ik u met giswerk opzadelde.' Cady haatte het dat hij het op deze manier moest brengen, de eenzaamheid van deze arme vrouw verstorend met het oprakelen van het verleden, maar op dit moment was het de waarheid, of in ieder geval de verkorte versie daarvan.

'Herinnert u zich nog dat u een paar jaar geleden langskwam om te vragen naar Marly's relatie, of het ontbreken daarvan, met Bret Ingram?'

'Ja.'

'Ik belde u op het nummer dat u me gegeven had toen het nieuws bekend werd dat Dane Schaeffer een voor een zijn oude Princeton-genoten aan het vermoorden was, maar u was er niet. Ze zeiden dat u met ziekteverlof was.'

Cady balde onbewust zijn rechterhand tot een slappe vuist. 'Ik moest een paar maanden revalideren.'

Dorsey Kelch wierp Cady een vragende blik toe, die hij niet beantwoordde.

'Toen nam ik contact op met sheriff Littman in Bergen County. Hij zei bijna woordelijk wat u daarnet vertelde. Er is geen onomstotelijk bewijs... Niets definitiefs... bla bla bla.'

'Na alles wat u heeft doorgemaakt, is het laatste wat ik wil dat uw wereld ondersteboven wordt gekeerd op basis van wat speculatie. Eerlijk gezegd, mevrouw Kelch, zou dat klinken als ongefundeerde aannames en onnozel giswerk.'

'Bla bla bla,' herhaalde Dorsey Kelch. 'Dertien jaar geleden stierf mijn enige kind bij een afschuwelijk ongeluk bij een afschuwelijk feestje, maar ik heb mijn vertrouwen in God gesteld en heb het geaccepteerd. Tien jaar gingen tergend traag voorbij en opeens komt u vragen of Marly omging met die Ingram, of Marly de Zalentines kende. Ik had tot de dag dat de politie me kwam melden dat mijn dochter was gestorven nog nooit van Bret Ingram gehoord – de vreselijkste dag van mijn leven – en ik had nog nooit van de Zalentine-tweeling gehoord tot ik in de krant las hoe zij al die arme jonge vrouwen op die drijvende doodskist van ze hadden 'verdronken'. Het blijkt dat diezelfde Zalentines in Snow Goose Lake zaten op de avond dat mijn dochter per ongeluk verdronk. Maar niets is ooit afdoende bewijs. Nu, drie jaar later, staat u weer in mijn woonkamer, de namen op te pennen van iedere vent naar wie Marly ooit heeft omgekeken. Dus ik vraag het u nog een keer, agent Cady: wie heeft mijn dochter vermoord?'

'Het bewijsmateriaal wijst in de richting van Dane Schaeffer, die het plan had opgevat, om wat voor reden dan ook, om de Zalentines te vermoorden, de advocaat van de Zalentines, en zelfs een van zijn eigen beste vrienden: Patrick Farris. Helaas houdt het bewijsmateriaal daar op. U heeft het volste recht sceptisch te zijn, mevrouw Kelch. Werd Dane Schaeffer erg gekweld door wat er met Marly was gebeurd, nam hij eraan deel, of lag het heel anders? Ik weet niet wat Schaeffer door het lint deed gaan. En ik weet niet hoe uw dochter stierf.'

'Maar u gelooft niet dat het een verdrinkingsongeluk was?'

Cady besefte dat hij zich al genoeg in de nesten had gewerkt en zweeg.

Mevrouw Kelch haalde haar schouders op. 'Wilt u me dan één ding beloven, agent Cady?'

Cady knikte.

'Belooft u me te melden wat u ontdekt, ongeacht wat ik volgens u heb doorstaan? Ik wil hoe dan ook de waarheid weten.'

'Wat ik ook te weten kom over Marly – goed of niet zo goed – zal ik u melden. Dat beloof ik.'

'Goed.' Dorsey Kelch depte een oog met een zakdoekje. 'U had wat vragen. Kom maar op.'

'Ten eerste, was Dane Schaeffer aanwezig op Marly's begrafenis?'

'Hij was er met zijn vader.'

'Hadden ze nog iets te zeggen?'

'Het speet hun allebei vreselijk. Ik herinner me verder niet veel, want ik slikte valium om me erdoorheen te slepen.'

'Was Bret Ingram er ook?'

'Ja. Die jongen was zo uit het lood geslagen dat hij de hele dienst heeft zitten snikken. Daarom drong het nooit tot me door dat het allesbehalve een tragisch ongeluk was geweest, tot u tien jaar later verscheen.'

'Herinnert u zich of Ingram iets zei?'

'Die jongen snotterde onverstaanbaar. Ik had geen aandacht voor hem. Niet op die dag. Ik keerde me af en liep weg, liet hem snotterend achter.'

'Ik heb nog wat vragen over vriendjes die Marly in haar jeugd gekend heeft.'

'Ik zie dat u Ted Thorsen heeft opgeschreven, Marly's eerste vriendje op de middelbare school,' zei Dorsey Kelch. Ze glimlachte. 'Ted was een stuntel. Hij was zo zenuwachtig in Marly's bijzijn, dat hij zichtbaar beefde. Pete en ik verdwenen wel eens naar de keuken omdat we er plaatsvervangende schaamte van kregen.'

Dorsey Kelch was een jaar geleden met pensioen gegaan na gespecialiseerd eerstegraads Engels te hebben gegeven aan de bovenbouw van de Reading Central Catholic High School, waar ze vijfendertig jaar les had gegeven. Het was bovendien de plek waar ze haar man had ontmoet, Peter Kelch, die de muziekleider en orkestdirigent was geweest totdat de *amyotrofische laterale sclerose*, oftewel ALS, hem dwong met vervroegd pensioen te gaan. Peter Kelch stierf aan de resulterende ademhalingsproblemen in de zomer dat Marly slaagde voor haar eindexamen, zes jaar nadat de symptomen waren begonnen.

'Ik zie dat u Scott Dentinger heeft opgeschreven, haar begeleider en vriend van het christelijke kamp. Ze hadden een heel sterke band, waren ook penvrienden. Scott is nu zelf priester geworden. U heeft ook haar vrienden van de debatclub en de acteurs van de verschillende toneelstukken waar ze aan meedeed.'

'Wie is deze jongeman?' Cady had een fotoalbum opengeslagen op de plek waar blijkbaar een van Marly's verjaarsfeestjes in de achtertuin van de familie Kelch te zien was. Ze grijnsde breed naar de camera, ze was beslist niet ouder dan veertien. Een klein blond jongetje stond op de achtergrond bij de schommels naar haar te staren, met een lach van oor tot oor.

Dorsey Kelch veerde op. 'Dat is die kleine Jakey Westlow. Die schat. Marly paste op Jakey toen ze ongeveer tien was.'

'Wat doet Westlow tegenwoordig?'

'Ook een droevig verhaal. Jakeys moeder, Lorraine, kreeg Jakey op vrij late leeftijd en de vader maakte nooit deel uit van hun leven. Dat soort dingen gebeuren nou eenmaal.'

'Dat kan heel zwaar zijn.'

'Dat was het ook. Dus toen Lorraine nierkanker kreeg, zorgde Jakey voor haar. Zij was de enige die hij had, en na haar dood stortte Jakey in.' Dorsey Kelch depte haar oog weer met het zakdoekje. 'Hij pleegde zelfmoord.'

Cady dronk zijn kopje groene thee leeg terwijl hij langzaam door het fotoalbum bladerde, om mevrouw Kelch gelegenheid te geven zich te herstellen. 'Wat een droevig verhaal.'

'Smaakt de thee?'

'Hij is heerlijk, mevrouw.'

'Noem me toch Dorsey.'

Cady knikte weer. 'Wie is die jongeman met dat footballshirt?'

'Dat is Eric Braun. Ze hadden een knipperlichtrelatie op de middelbare school. Eric was zelfs de *Homecoming King* toen Marly de *Homecoming Queen* was.'

'Wat doet hij tegenwoordig?'

'De Brauns zijn jaren geleden naar Florida gegaan om van hun oude dag te genieten, maar Eric was aanwezig op Marly's begrafenis. Hij zat in die tijd bij de marine, geloof ik, of bij een andere tak van het leger.'

Cady krabbelde Brauns naam in zijn blocnote, samen met de andere namen die hij zou gaan napluizen. Hij bladerde door de resterende bladzijden van het fotoalbum en legde het toen voorzichtig op de koffietafel.

'Je dochter was erg mooi, Dorsey.'

'In meerdere opzichten, agent Cady,' zei mevrouw Kelch. 'In meerdere opzichten.'

'B-R-A-U-N,' zei Cady door zijn mobieltje, op de terugweg naar D.C. 'Eric Braun.'

'Zijn er nog anderen op de lijst militair?' vroeg agent Preston.

'Dat weet ik niet zeker, Liz. Het is lang geleden en mevrouw Kelch weet niet waar sommige van Marly's oude vrienden terecht zijn gekomen. Maar als Braun een marinier is, past dat bij het profiel. Braun zou de bekwaamheid, wapenkennis en een motief hebben.'

'Ik zal agent Schommer de namen laten checken.'

'Bedankt, Liz,' antwoordde Cady. 'Ik heb hier een goed gevoel over.'

16

Een halfjaar terug

'Wat is er, papa?'

Drake Hartzell keek op naar Lucy vanaf de bruine leren sofa. Hij kon zich maar al te goed indenken wat voor aanblik hij bood, zijn badjas scheefgetrokken, zijn haar een soort vogelnest, zijn gezicht vochtig en rood, een lege omgevallen fles Delamain op het Perzisch tapijt, een al even leeg cognacglaasje ernaast, twee papierversnipperaars – voor elke knie één – en zes overvolle vuilniszakken vol witte snippers op een rijtje naast de bank.

'Hai, spriet.' Hartzell veegde zijn gezicht af met een maai van zijn onderarm. 'Goed geslapen?'

'Mijn god, papa,' zei Lucy terwijl ze in de stoel tegenover Hartzell ging zitten, bezorgdheid droop van haar gezicht. 'Wat is hier aan de hand?'

Hartzell werd als was in haar handen. 'Niets om je zorgen over te maken, spriet.'

'Ben je al bij dokter Hinderaker geweest?'

'Ik mankeer niets.' Hartzell snoof; hij zag er waarschijnlijk echt belabberd uit. 'Zo fit als een hoentje.'

'Je bent hartstikke veel afgevallen, papa. De laatste tijd. En laten we wel wezen, je bent de hele maand al een echte brompot.' Lucy's ogen flitsten snel door de kamer, en hielden halt bij de versnipperaars vóór hem. 'Je houdt iets voor me achter.'

'Het zijn gewoon die markten. Die verdomde markten nekken me.'

'De economie is niet jóúw schuld, papa. Jij hebt die beer niet losgelaten. Iedereen met maar een beetje verstand weet dat. Het is precies wat jij iedereen de laatste tijd hebt verteld.' Lucy leunde achterover en gaf een bijna geslaagde imitatie van haar vader. *'Goedkoop inkopen. Bodemprijzen.'*

Hoe hij ook zijn best deed, Hartzell kon er niet om lachen.

'Papa?'

Hartzell staarde zijn dochter aan. Hij voelde dat zijn onderlip begon te trillen.

'Papa, je maakt me bang. Je moet me zeggen wat er aan de hand is.'

'Dat kan ik niet, spriet,' zei Hartzell zachtjes, die spijt had van zijn laatste glas cognac. 'Je zult van me walgen.'

Het bleef even stil. Lucy stond op, liep snel om de versnipperaars heen en ging naast haar vader op de sofa zitten.

'Onzin, papa. Jou zou ik nooit kunnen haten, echt nooit.' Lucy pakte zijn linkerhand met beide handen vast. 'Kom op, gooi het er maar uit.'

Zonder haar aan te kunnen kijken, vertelde Hartzell zijn dochter alles. Hij begon met waar hij vandaan kwam, zijn echte naam, zijn jeugd in Liverpool, hoe hij naar Amerika was gekomen. Hij gaf haar de beknopte versie van hoe de markten werkten – de versie die hij altijd herhaalde tegenover cliënten – maar biechtte haar daarna op hoe hij de markten bespeelde, hoe het geld werd weggesluisd, hoe hij sjoemelde met de cijfers, en dat al jaren deed, hoe zijn hele kaartenhuis het met de financiële ineenstorting van de markt weldra zou begeven en op zijn hoofd zou neerkomen.

Hartzell voelde haar grip verstevigen. Hij kon haar niet in de ogen kijken en bleef de grond toespreken. Hij voerde haar mee door de barre werkelijkheid van de toestand, hoe ze hem waarschijnlijk als vluchtgevaarlijk zouden bestempelen en hem zijn borg zouden ontzeggen. Dat het waarschijnlijk nog wel tien jaar zou duren voor het gerechtshof alles zou hebben uitgezocht, en hoe het klimaat, wat voor dreamteam van advocaten hij ook bij elkaar zou kunnen krijgen, zodanig was dat hij de rest van zijn leven in de gevangenis zou moeten slijten. Hij vertelde haar dat hij altijd al had geweten dat die dag zou komen, dat was overduidelijk, en dat hij, anders dan Bernard Madoff, wel degelijk een vluchtstrategie had bedacht, en hoe hij al maanden geleden in rook zou zijn opgegaan, maar dat hij niet weg kon... want het zou letterlijk zijn dood betekenen als hij haar moest achterlaten. Hij vertelde haar dat het hem vanbinnen verscheurde dat de uitzinnige media, die bloed roken, haar wilden laten boeten voor zijn misdaden of dat ze gekweld zou worden door een massa woedende investeerders wier appeltje voor de dorst opeens was verdampt. Hij zei ten slotte hoe verschrikkelijk het hem speet dat hij haar leven had verpest.

Hartzell voelde een traan langs zijn neus glijden, gevolgd door een andere. Hij bood nogmaals zijn excuses aan terwijl haar handen zich losmaakten van de zijne. Hartzell zat bewegingloos het oordeel af te wachten.

'Papa?'

'Ja.'

'Kijk me aan, papa. Je moet me in de ogen kijken.'

Hartzells hart klopte hem in de keel. Hij voelde angst, een gevangen piraat die de plank af moest lopen. Lucy de waarheid vertellen was het moeilijkste wat hij in zijn hele leven had gedaan. Hartzell keerde zijn hoofd naar de enige persoon van wie hij ooit had gehouden. Ze had in stilte gehuild terwijl ze haar vaders bekentenis aanhoorde, hem hoorde toegeven dat hij een bedrieger was, en voelde zich alsof er een kleed onder haar voeten vandaan werd getrokken. Hartzell zag de tranen stromen over Lucy's gezicht. Ze deed geen poging ze weg te vegen.

'Luister goed naar me, papa,' zei Lucy met wilskrachtige blik. 'Je gaat geen seconde achter tralies zitten. Nu niet. Nooit. Verder zul je niet één cent terugbetalen, geen rooie duit. Laat ze ons maar zoeken nadat we in rook zijn opgegaan.'

Hartzell voelde een schok langzaam door hem heen trekken, en toen een golf van opluchting, een tsunami van blijdschap. Hij wilde opstaan en het juichend uitschreeuwen naar de hemel – maar een andere gedachte daagde hem, die nog meer tranen bij hem deed vloeien.

Lucy was echt zijn kleine meid.

17

Cady tuurde naar de tijd – *3:33* – op de klok naast zijn lits-jumeaux terwijl het aanhoudende *piep-piep-piep* van het alarm tergend traag in zijn bewustzijn binnendrong. Wat krijgen we nou? Hij begon willekeurig op knoppen te drukken en schuifjes om te zetten, binnensmonds de schoonmaakster of roomserviceklojo vervloekend die het alarm vast had aangezet als middelvinger naar gasten die geen fooi hadden achtergelaten. Cady had geluk en drukte met zijn duim op iets wat het alarm deed stoppen. Hij rolde zich om en begon weer in te dommelen.

'Bedankt,' fluisterde een stem in de kamer. 'Dat was best irritant.'

Cady veerde overeind, zijn zenuwuiteinden gespannen als een pianosnaar. Instinctief reikte Cady naar zijn pistool, dat hij wanneer hij voor de FBI op reis was 's nachts in een holster op zijn nachtkastje liet liggen. De Glock 22 was nergens te bekennen. Cady begon toen naar de lamp te reiken.

'Dat zou ik ten strengste afraden,' zei de stem droogjes, als iemand die wat salade bijbestelde. Cady staarde naar de gedaante in de stoel bij het raam, schudde zijn slaperigheid van zich af en dwong zichzelf opmerkzaam te zijn. Het was een schimmige gedaante, met zo te zien een gleufhoed op zijn hoofd, het soort dat ze in oude films droegen. Misschien een regenjas of een lang jack en een donkere broek.

'Dat is lang geleden, agent Cady.'

Cady verstijfde, hij besefte dat hij ten dode opgeschreven was. Hij wist wie er in de stoel van zijn Embassy Suites-hotelkamer zat.

De Schaakman.
'Ik zit niet meer bij de FBI.'
'Ik weet zeker dat dat is verholpen,' antwoordde de stem, iets harder dan fluisterend. 'Waarom zit je anders in D.C.?'
Cady had moeite de ander boven het gebonk van zijn hart uit te horen. Het accent van de Schaakman viel op omdat hij er geen had, zoals een omroep dat graag bij hun presentatoren had. De stoel bij het raam bevond zich zo'n zestig centimeter boven de grond. Vanuit die hoek bekeken moest de man rechtop zitten, een voet voor de andere, zijn hoed ongeveer op een lijn met de televisie. Cady nam het in zich op – hij moet ruim een meter tachtig zijn, misschien net iets langer dan ik.
'We dachten dat je dood was.'
'De meldingen van mijn dood zijn zwaar overdreven.'
Hij was dus geletterd en citeerde Mark Twain.
'Waarom heb je Kenneth Gottlieb gedood?'
'Hoe gaat het met je rechterhand, agent Cady?'
'Krijg de klere.'
'Ligt dat een beetje gevoelig?'
'Wat moet je van me?'
'Kijken of jij geschikt bent. Ik kan geen genoegen nemen met zomaar een partner om de boeven te gaan pakken, of wel soms? Ik heb iemand nodig met hersens.'
'Partner? Waar heb je het in godsnaam over?'
'Wel even bijblijven, agent Cady. Iemand is een gloednieuw spel begonnen.'
'Wie zou dat nou zijn.'
'Het is niet mijn partij.'
'Ik geloof je niet.'
De Schaakman hield zijn hoofd scheef in de schemering, alsof hij wilde zeggen: *nou en?*
'Ze hadden nooit mijn visitekaartje achter moeten laten,' vervolgde de gedempte stem. 'Mijn speelwijze zal ze niks bevallen.'
'Wat wil je precies van mij?' vroeg Cady opnieuw.
De donkere gedaante kwam in beweging. De arm van de Schaakman strekte zich naar hem uit en iets al even donkers en dodelijks wees naar Cady's voorhoofd.

'Je hebt zestig seconden, agent Cady, om te tonen wat je waard bent. Anders zal ik zelf wel even kijken wat voor hersens je hebt.'

'Zestig seconden?'

'Dat dacht je. Vijfenvijftig.'

'Wat krijgen we nou?'

Stilte.

'Hersens?'

'Dertig seconden.'

'Wat betekent dit?'

'Het betekent nog vijfentwintig seconden om te leven, agent Cady.'

Cady kreeg een droge mond. Hij kon zich alleen nog maar op het pistool in de hand van de Schaakman concentreren. Hij wist dat hij op de een of andere manier die psychopaat heel snel moest overtuigen van zijn briljantheid. Cady had alleen geen idee wat hij moest zeggen.

'Tien seconden.'

Stilte.

'Drie seconden. Twee seconden. Een seconde. Jij verliest...'

'Wat je ook doet, Braun, niets zal Marly terugbrengen.'

Hoewel het pistool op Cady's gezicht gericht bleef, zag Cady een bijna onmerkbare schok gaan door het hoofd van het silhouet.

'Deze hele poppenkast, ieder dwaalspoor, allemaal crimes passionnels.'

'Hmmm,' antwoordde het silhouet. 'Ik ben een romanticus.'

'Dane Schaeffer was een meesterzet. Perfecte symmetrie.'

'Ga toch vooral door.' Weer een accentloos gefluister.

'Met Dane Schaeffers dood werd je herboren, omdat Schaeffer de Schaakman werd en het spel ten einde kwam. Schaakmat. Er werden drugs aangetroffen in Schaeffers lichaam. We namen aan dat hij zichzelf had gedrogeerd om zijn eigen verdrinking... makkelijker te maken, maar in werkelijkheid was het om hem gemakkelijker te kunnen doden. Nietwaar, Braun? Jij hebt Schaeffer onder water gehouden tot het met hem gedaan was, en liet zijn lichaam toen stroomafwaarts drijven.'

De donkere gedaante bleef roerloos zitten.

'Wat is er die avond in Snow Goose gebeurd?'

'Ik denk dat je dat wel weet.'

'Wat hebben Patrick Farris en de Zalentines met Marly Kelch gedaan?'

'Dat is misschien iets voor een andere keer.'

'Je hebt me tot moes geslagen, en toen voor de zekerheid nog mijn hand verbrijzeld, zodat ik je niet op goed geluk kon raken.' Cady stelde de vraag die al drie jaar lang iedere dag door zijn hoofd spookte: 'Waarom heb je mij niet gedood?'

'Misschien een andere keer.'

'Je hebt ons vanuit het huis van de Robillards bespied. Je wilde die avond Farris doden, na mijn vertrek, maar je zag dat ik de koning in het aquarium had opgemerkt. Je wist wat ik dacht. En je wist dat je hem niet zou kunnen bereiken wanneer hij gevangenzat.'

'Heer Hersenmans, ik denk dat dit het begin is van een mooie vriendschap.'

Met die woorden verdween de Schaakman in een oogwenk door de enige deur van de suite. Het enige wat achterbleef was Cady's Glock 22 onder een lege stoel. Cady greep de telefoon naast zijn bed en bracht de hoorn naar zijn oor. Geen verbinding. Twee seconden later opende hij de kamerdeur.

De gang was leeg.

18

'Zat hij op je kamer?'

Cady zag agent Evans voor het huis van de Kellervicks. Het was een komen en gaan van plaatselijke politieagenten, lijkschouwers, zich vergapende buren en een bijenzwerm van FBI-agenten. Cady voerde Evans mee naar een onbetreden gedeelte van de tuin.

'Hij wekte me uit een diepe slaap, na drieën, rond de tijd dat de vroegere KGB altijd dissidenten uit hun bed kwam lichten.'

'Hoe wist hij waar je verbleef?'

'*Social engineering.* Waarschijnlijk belde hij die paar hotels waarvan hij aannam dat ik er kon zitten tot hij beethad.'

'En zijn de opnames van de beveiligingscamera's gecontroleerd?'

'Hij nam de oostelijke trap omlaag en verdween door die zijuitgang. Hij wist waar de camera's zaten, dus hebben we een waardeloze opname van boven van iemand die gekleed was als Lamont Cranston in *The Shadow*.'

'Het bevestigt dat hij nog leeft.'

'Dat zeker.'

'Het sluit een copycat uit.'

'Hij ontkende dat hij Gottlieb had gedood.'

'Geloof je hem?'

'Als de Schaakman zegt dat ik moet bukken, agent Evans, spring ik zo hoog in de lucht als ik kan. Die klootzak is een en al bedrieglijkheid, maar dat kunnen we goed tegen hem gebruiken.'

'Dus je doet nog steeds mee?'

'Voorlopig wel.' Cady voelde zich meer op zijn gemak met de zware Glock 22 – geleend van de adjunct-directeur – in zijn schouderholster. Het was vroeg in de middag en hij had er al een volle dag op zitten. Na een debriefing in het J. Edgar Hoover Building vroeg in de ochtend, had Jund Cady naar het vliegtuig laten jagen voor een vlucht naar Boston, en per taxi naar dit adres in Brooklyn om agent Evans te ontmoeten. 'Wat is hier gebeurd?'

'Elaine Kellervick, achtendertig jaar oud, blank, werd doodgestoken aangetroffen in de deuropening van haar woning.' Agent Evans knikte in de richting van de deur. 'En een buurtgenoot met wie het slachtoffer iedere ochtend ging joggen, kwam langs. Toen niemand opendeed, gluurde ze door het zijraam, zag het lijk en belde het alarmnummer met haar mobiel.'

'Woonde Kellervick alleen?'

'Haar man, Stephen Kellervick, zat op een conferentie in Colorado. Meneer Kellervick is een directeur bij Chem-Tel. Hij zit op dit moment in het vliegtuig hiernaartoe. Ze zeggen dat hij heel erg geschrokken klonk en hij heeft de hele week in Denver gezeten, dus het is geen O.J.-tje. Hoewel de autopsie meer uitsluitsel zal geven, lijkt het geen zedendelict. Het slachtoffer was volledig aangekleed. De lijkschouwer houdt het tijdstip van haar dood vooralsnog op ergens tussen drie en zes uur 's middags gisteren.'

'En wij zijn hier omdat...'

'Er een glazen schaakstuk in de steekwond van het slachtoffer gestoken zat.'

Cady knikte, hij had dit antwoord verwacht. 'De Schaakman doodde Barry Sanfield met een steekwapen, een stiletto om precies te zijn. Ik durf te wedden dat de autopsie zal aangeven dat dat hier ook het geval is geweest. Waar werkte mevrouw Kellervick?'

'Ze was investeringsstratege bij Koye & Plagans Financials. Ze werkte er al twee jaar.'

'Een investeringsstratege en de benoemde voorzitter van de Securities and Exchange Commission. Een pion en een koningin. Interessante reikwijdte.' Cady keek naar de voordeur. 'Is Liz hier?'

'Ze is binnen,' antwoordde Evans. 'Wil je even kijken?'

Cady knikte opnieuw. De agenten liepen samen de oprit op en betraden de woning.

Cady zag agent Preston in de woonkamer gehurkt zitten bij een agent die hij niet herkende. Hij liet Evans, die met de criminologen geknield rond het levenloze lichaam van Elaine Kellervick zat, achter en liep op Liz Preston af, die het onderzoek ter plekke leidde. Alsof zij het aanvoelde keek Preston op en staarde hem recht aan.

'Het kan Braun niet zijn geweest,' zei Preston en draaide naar een lange blondine met wie ze had staan praten. 'Heb je agent Beth Schommer van onze afdeling in Washington al ontmoet?'

Cady schudde Schommers hand. 'Nee, we hadden elkaar nog niet ontmoet.'

'Agent Schommer is onlangs overgeplaatst uit Illinois.'

'Aha, hup Chicago Bears.'

'Die gaan niet veel potten breken met die quarterback,' zei Schommer, en kwam toen weer ter zake. 'Eric Braun is twee jaar terug uit het marinekorps ontslagen. Toen de Schaakman Congreslid Farris, Sanfield en die psychopathische tweeling doodde, vloog hij met een AH-1W SuperCobra in Irak – de provincie Al Anbar, nabij Fallujah. Braun woont nu in Hawaï. Hij verdient in Maui een bom duiten met helikoptertours, vliegt met toeristen boven watervallen en zo.'

Cady knikte maar gaf nog niet op. 'Als Braun tien jaar in het korps heeft gezeten, zal hij wel wat connecties hebben.'

'We pluizen zijn collega's na, van wie de meeste mariniers zijn en andere militairen met wie hij bevriend was, maar je weet hoe dat gaat. Het zal wel even duren voor we weten wie we wel en niet weg kunnen strepen.' Agent Schommer keek naar Preston en toen weer naar Cady. 'Het lijkt me wat vergezocht dat Braun achter de schermen aan de touwtjes trok terwijl hij op missies in Al Anbar vloog.'

'We schaduwen Braun al sinds we hem op Maui hebben getraceerd, na je telefoontje gisteren,' voegde Preston eraan toe. 'Hij was beslist niet je nachtelijke bezoeker. Nu jij hebt gemeld dat de Schaakman in D.C. zit, de nacht na dit hier,' ze gebaarde met een arm naar agent Evans, die nog steeds gebogen zat over het lijk bij de ingang, 'weten we volgens mij dat we met de echte te maken hebben.'

'Van Boston naar D.C.?'

'We hebben van een administratief medewerker op Kellervicks werk vernomen dat ze gisteren een vergadering in de namiddag had afgezegd en het kantoor om twee uur had verlaten. De administratief medewerker zei dat Kellervick er gelukkig uitzag. Dus als hij haar naar huis was gevolgd – of haar hier had opgewacht – kan dat rond halfvier zijn geweest. Genoeg tijd om naar D.C. te reizen, zelfs als die OV met de auto was gegaan. Vergeet niet, hij heeft de broertjes Zalentine allebei op dezelfde dag uitgeschakeld.'

'Ik noemde hem "Braun". Het was donker in de kamer maar ik zag zijn hoofd schokken. Dat leek me veelzeggend. Als hij Eric Braun niet is, denk ik dat hij hem wel kent. Hebben die andere namen nog wat opgeleverd?'

'Geen van de mensen op Kelch' lijst heeft in het leger gezeten,' zei Schommer. 'En eigenlijk zijn de resterende namen behoorlijk onwaarschijnlijk. Er is een accountant in Philadelphia, Marly's zomerkampvriendje is een priester in Erie, en een van haar oude toneelvriendjes bezit een cateringbedrijf in Allentown en treedt nog steeds op in gemeentelijke theaters.'

'Hij droeg een slimme vermomming. Heel geschikt tegen de camera's.'

Agent Schommer hoefde haar aantekeningen niet te controleren. 'Haar acteervriend, Kurt Holt, is ongeveer een meter vijfenzestig lang en vrij gezet. Bepaald geen Kevin Costner. Holt is bovendien homo, wat niet past in het profiel, maar we zullen er nog eens naar kijken.'

'Beth is bijna klaar met het controleren van de alibi's,' zei agent Preston. 'Eerlijk gezegd, Drew, ziet het er niet best uit. Hetzelfde geldt voor Marly's mannelijke vrienden op Princeton.'

'Nou, mijn instincten laten me dus lelijk in de steek, Liz,' zei Cady.

'Doe niet zo stom!'

Cady stond voor het bureau van de adjunct-directeur met de armen over elkaar. 'Als hij me had willen doden, zou ik allang een kaartje om mijn teen hebben.'

'Maar nu we zeker weten dat de Schaakman nog leeft – jezus, nu je zowat zijn billenmaatje bent – kunnen we dat gebruiken om hem te ontmaskeren.'

'Mij als aas gebruiken is zonde van ieders tijd. Hij heeft het niet op mij voorzien. En hij zou een stomme sukkel zijn als hij probeerde me nog eens op mijn hotelkamer op te zoeken.' Zonder ertoe te zijn uitgenodigd ging Cady zitten in de bezoekersstoel voor Junds bureau – een van de voordelen van adviseur zijn. 'En we weten allebei dat hij geen stomme sukkel is.'

'Dan ga ik je in ieder geval toch een partner geven,' antwoordde Jund. 'Ken je agent Dave Merrill?'

'Dat is niet nodig waar ik heen ga, sir.'

'Waar ga je heen?'

'U wilde toch dat ik hem in het verleden zou vinden om hem in het heden te kunnen pakken?'

'Ja.'

'Dan ga ik dus naar Noord-Minnesota.'

19

Een halfjaar geleden

'Zal ik mama ooit terugzien?' vroeg Lucy zacht.

'We moeten Engeland vermijden, maar we kunnen onderweg wel wat regelen.' Hartzell keek zijn dochter aan. 'We kunnen nooit meer terug naar de VS, spriet.'

Hij voegde rode uien, gehalveerde cherrytomaatjes, afgeroomde melk en provolone toe aan de koekenpan terwijl hij het eiwit klutste. Hoewel het bijna drie uur 's nachts was, en Hartzell nooit een echte keukenprins was geweest, waren ze allebei uitgehongerd – diefstal maakte blijkbaar hongerig – en het gaf hem iets te doen terwijl ze hun toekomstplannen smeedden. Geen van beiden kon slapen na die nacht vol moeilijke bekentenissen.

'We hebben twee opties. Optie A is dat we naar een land vluchten dat geen uitleveringsverdrag met de Verenigde Staten heeft getekend.' Hartzell verdeelde de geklutste eieren over twee porseleinen borden en haalde toen de balletjes meloen die hun altijd opgewekte huishoudster Janice voor ze had klaargemaakt uit de koelkast. 'Maar ik betwijfel of we ons in Noord-Korea of Rwanda echt bevrijd zullen voelen. En ook al kopen we alles en iedereen om, we zouden toch altijd op onze hoede moeten blijven.'

'Zeg me alsjeblieft dat optie B het goede nieuws is.'

'Een schone lei.' Hartzell smeerde sinaasappelmarmelade op zijn toast. Hij had hun gesprek hier het afgelopen halfuur op aan proberen te sturen.

'Een schone lei?'

'Als we spoorloos verdwijnen, dat wil zeggen, een nieuwe identiteit aannemen, laten we zeggen ergens in Frankrijk of Spanje, Italië of West-Indië, of zelfs de Kaaimaneilanden... Tja, het is een grote wereld, spriet, vol hoeken en gaten waarin je kunt verdwijnen.'

'Hoe ver heb je dit al uitgedacht, papa?'

'Misschien staat er een villa met een wijngaard in Toscane, helemaal klaar voor gebruik, waarvan de eigenaar er haast nooit is.'

'Italië is te gek.'

'En misschien is er een hele reeks vijfsterrenhuurwoningen in Venetië, Parijs en Madrid die aan diezelfde ouwe sok toebehoren; ze voldoen allemaal strikt aan de belastingwetten van hun thuisland.'

'En de nieuwe identiteiten?'

'Dat moet op zo'n manier worden gedaan dat er geen links zijn naar Drake of Lucy Hartzell,' legde hij uit, maar hij verzweeg dat hij haar al maanden geleden in de voorbereidingen op optie B had meegenomen. Hij had een paar foto's van Lucy uit haar modellenportfolio uit haar middelbareschooltijd gehaald – foto's die maar een beetje leken op hoe Lucy er nu uitzag – en ze naar een 'documentatieperfectionist' gestuurd met wie hij zo'n twaalf jaar terug in contact was gekomen via een Chinese dissident die hij bij een allang vergeten geldinzameling voor Tibet had ontmoet. De documentatieperfectionist, een Filippijns genie op het gebied van vervalsing, kende Hartzell alleen via geldoverboekingen en een valse postbus.

'Maar als je gezicht opeens overal op het nieuws te zien is?'

'Dan kunnen we maar beter al ver weg zijn voor ze ons gaan zoeken, spriet. Bovendien heeft "Andy" kort haar en een snor, allebei walgelijk zwart geverfd. Ik denk dat die arme vent in zijn midlifecrisis zit.'

'Wie is Andy?'

'Andrew Pierson, die Toscaanse heer die die wijngaard en die huurwoningen bezit.'

'Oké Andrew, wanneer vertrekken we?'

'Ik ben bang dat het uiterlijk eind van de maand moet zijn. Drake en Lucy Hartzell zullen een vlucht nemen naar Heathrow, wat accountingspreadsheets en wat sleutels uit een kluis bij Barclays halen, en dan zullen vader en dochter Pierson met de Eurostar naar Parijs gaan en van daaruit naar Toscane.'

'Jammer dat het zo snel moet.'

'Echt verdomd jammer dat we het niet nog een paar maanden kunnen uitstellen. Ik kan gewoon niet langer alle ballen in de lucht houden.'

'Waarom niet, papa?'

'Zoals iedere andere sukkel was Drake Hartzell er niet op voorbereid dat de markten zó snel zouden instorten, hij was als verlamd door die aderlatende aandelenprijzen en de wens van politici om vergissingen uit het verleden te herhalen. Met andere woorden, papslief werd op heterdaad betrapt. Maar de afgelopen tientallen jaren heeft Drake Hartzell een aantal concrete ondernemingen bemachtigd, veel onroerend goed van aanzienlijke waarde, een Bentley-dealer en nog wat andere lucratieve bezittingen hier en daar. Zodra Hartzell verdwenen is, zullen de luiken dichtgaan en zal de overheid al Hartzells overgebleven eigendommen in beslag nemen. Verdomd jammer het landgoed van St. Leonard kwijt te moeten raken – ik was altijd gek op die plek – en dat huisje in Marokko ook. Verdomd jammer.'

Hartzell keek naar zijn dochter. 'Maar we kunnen nu maar beter niet het onderste uit de kan willen, hè, spriet?'

Lucy nam een slok van haar thee en zette het kopje terug op het schoteltje. 'Wat is er precies nodig om alle ballen lang genoeg in de lucht te houden en Hartzells overgebleven bezittingen te liquideren?'

'Heb jij toevallig vijftig miljoen contant op je dressoir liggen, spriet?'

Lucy glimlachte en schudde het hoofd.

'Wat ik nodig heb is een hele horde nieuwe investeerders.'

'Wat dacht je van Paul Crenna?'

Hartzell keek haar even niet-begrijpend aan. Hij kende Lucy's mannelijke aanbidders alleen bij de bijnaam die zij ze had gegeven. 'Is dat Metro of Hermes?'

'Paul Crenna is Metro, papa, iedere haar op zijn hoofd zit precies op zijn plek. Die kan zó in de *GQ*. Hij zit langer voor de spiegel dan ik.'

'Laat Paul zijn zakgeld maar houden.'

'Ik meen het, papa.' Lucy klonk geïrriteerd vanwege het blijk van geringschatting. 'Jij hebt tijd nodig om je magie te volbrengen en ik wil graag mama nog één keer voor ons vertrek bezoeken.'

'Vijftig miljoen is geen kattenpis, spriet. Dat wil je een vriend niet aandoen.'

'Paul is niet bepaald een vriend. Hij is een opschepper en een zeurkous.'

Hartzell was verbaasd over de richting die het gesprek was ingeslagen. 'In dat geval moet je me wat meer vertellen over jongeheer Crenna.'

'Ik heb Paul dit najaar ontmoet op een van Caitlins feestjes. Hij is een vriend van haar van de universiteit. Hij is schatrijk – heeft elke keer weer een andere cabrio wanneer hij me ophaalt. En je mag je gevleid voelen, papa – je reputatie snelt je vooruit, zelfs in Chicago. Paul zei een keer dat zijn vader van jou had gehoord, je misschien zelfs had ontmoet op een van je liefdadigheidsevenementen.'

Hartzell overdacht de evenementen die hij door de jaren heen in de Windy City had gehouden. Een enorme stoet van gezichten en oneindig veel handengeschud. 'Crenna doet geen belletje rinkelen.'

'Als we uit zijn, kletst Paul maar door over hoe graag hij jou met zijn vaders investeerdersgroep in contact zou brengen.'

'Wat studeert Metro op de NYU?'

'Bedrijfskunde. Ik denk dat hij wordt klaargestoomd om het familie-imperium te gaan leiden.'

'Wat doet de vader van jongeheer Crenna?'

'Zijn vader leaset gebouwen in steden in het hele Midden-Westen. Iets saais wat met magazijnonderhoud te maken heeft en wat lijnvaartaandelen op Lake Michigan.'

Hartzell rekende uit zijn hoofd. Als hij hiermee wat tijd kon winnen, nieuwe investeringsfondsen kon omleiden om zich de vroegere investeerders van het lijf te houden, kon Hartzell het merendeel van zijn bezittingen te gelde maken en dan wachtte hem en Lucy aan het einde van de regenboog een bijna onuitputtelijke pot met goud.

'Hoe snel kun je een ontmoeting regelen?'

20

Leigh Irwin, de politiecommissaris van Grand Rapids, roerde lusteloos in zijn salade van het huis alsof het soep was, loerend naar Cady's cheeseburger met uienringen. 'Het is niet eerlijk. Mijn vrouw en ik eten precies hetzelfde, maar zij krijgt de uitslag van haar cholesteroltest met een duim omhoog van de dokter en tegoedbonnen voor de Pizza Hut. Mijn uitslag gaat vergezeld van een dringend advies een voedingscursus te gaan volgen of een plekje op de begraafplaats te kopen.'

Cady was met een chartervlucht uit Minneapolis vertrokken, had toen op Airport Road een Avis-huurauto genomen – een rode Saturn Astra – en zich gehaast naar het politiebureau van Grand Rapids op Pokegama Avenue. Hij had commissaris Irwin die ochtend vanuit Minneapolis gebeld en de politiechef omgekocht met een lunch als hij zo vriendelijk wilde zijn het politierapport op te snorren over Bret Ingram, evenals het autopsierapport. Irwin reed Cady in een sportwagen naar het Forest Lake Restaurant op Fourth Street, een rustieke houthakkerstent met berenhuiden aan de muur.

'Ook wat uienringen?' bood Cady aan.

'Of ik die wil? Ik zou al je uienringen en je cheeseburger wel willen opslokken, en ook aan de gebraden kip van die meneer willen knabbelen,' zei de commissaris, knikkend in de richting van een andere tafel. 'Maar ik kan het verdomme maar beter houden bij het Bugs Bunny-buffet.'

'Heb je al eens statines geprobeerd?'

'Dat is ongetwijfeld de volgende stap. Het is erfelijk; het bloed van de Irwins bestaat hoofdzakelijk uit bakvet.

Maar ik geef een dieet en lichaamsbeweging als eerste een kans.'

Leigh Irwin had overal ronde vormen, zijn gezicht, wangen, borstkas en buik; de politiecommissaris was een *defensive linesman* geweest maar had zichzelf verwaarloosd, hij leek makkelijk twintig kilo te kunnen missen. Kogelrond of niet, commissaris Irwin bood een imposante aanblik.

'Ben je hier om dezelfde reden als die agent uit St. Paul een paar jaar terug?'

'Mogelijk,' zei Cady. 'Het gaat om een voorlopig onderzoek. Wat vrienden van Bret Ingram – eigenlijk zijn schoolmakkers – zijn een paar jaar geleden vermoord en we proberen nog steeds uit te zoeken of er een verband was tussen Ingrams dood en die andere moorden.'

'Die agent van jullie in St. Paul – ik liet hem aan deze tafel hier een ribeye betalen toen het leven nog de moeite waard was – die had het al over die moorden in D.C. Maar er waren geen bewijzen dat de moordenaars, de Zalentines of die Dane Schaeffer, ooit naar Minnesota waren gereisd.'

'Dat weet ik.'

'Bret Ingram was dan misschien de eigenaar van dat chique resort op Bass Lake,' zei de politiecommissaris, 'maar hij maakte ook aanspraak op de titel van stadsdronkaard. Ingram was tweemaal voor drinken onder invloed opgepakt voor hij erachter kwam dat het misschien zinvoller was om zijn vrouw of een plaatselijk taxibedrijf zijn benevelde reet terug naar zijn huis aan het meer te laten rijden. Toen Terri eindelijk het licht zag en ervandoor ging, was er niemand meer om op hem te passen, dus zette Ingram het elke avond op een zuipen en op zekere dag maakte hij van zichzelf een kerstgebraad, toen hij met benzine had zitten prutsen.'

'Terri was toch zijn vrouw? Terri Ingram?'

'Jep.' Commissaris Irwin keek alsof hij net in een citroen had gebeten. 'Draag een toque als je van plan bent met haar te gaan praten.'

'Hoezo?'

'Terri Ingram ziet er leuk uit maar het is geen katje om zonder handschoenen aan te pakken. Ze heeft het zichzelf ingeprent dat een denkbeeldige maffioso uit Itasca County of zo haar man heeft vermoord.'

'Echt?'

'Eerlijk, als ik Terri Ingram ergens zie lopen, maak ik dat ik wegkom, omdat ik haar tirades zat ben. Zelfs die agent uit St. Paul stemde in met het bewijsmateriaal. Eerst dacht ik dat Bret Ingram een methamfetaminelab had in die ouwe schuur van hem toen die uit elkaar knalde; dat soort shit is hier dagelijkse kost.'

'Wat spookte hij uit in die schuur op dat tijdstip?'

'Een tiental draagbare motorbootbrandstoftanks met benzine vullen. Hij verhuurde buitenboordmotorbootjes aan de gasten van zijn resort die hun eigen boot niet meenamen. Hij rekende woekerprijzen voor de brandstof. Ingram had de schuur volkomen afgesloten, hij wilde waarschijnlijk niet dat de huurders zagen hoe bezopen hij was. Terri was in feite de baas van Sundown Point en ik weet dat ze niet wilde dat Bret zich na vijven nog met de gasten bemoeide, aangezien dat schadelijk voor hun zaak kon zijn, als je begrijpt wat ik bedoel.'

Cady knikte.

'Hoe het ook zij, het was een hete avond en de brandweerlieden meenden dat met alle benzinedampen daar, de oude ventilator die hij liet draaien misschien een vonk had veroorzaakt, maar nog waarschijnlijker was dat hij een sigaret had opgestoken... en daarmee, beste vriend, was de kous af. De halve schuur was afgefikt tegen de tijd dat de brandweer ter plekke was. Die arme Ingram wist nog uit de schuur te komen en zichzelf te blussen in het meer, maar de arme drommel had ernstige brandwonden op zo'n tachtig procent van zijn lichaam, voornamelijk derdegraads. Ze brachten hem naar het Grand Itasca-ziekenhuis, waar hij nog maar een uur in leven bleef, wat ook maar het beste was als je iets weet van zulke ernstige brandwonden. Het staat hier allemaal in,' zei Irwin, wijzend naar het dossier op tafel.

Cady doopte een overgebleven uienring in ketchup en dacht na over Bret Ingrams voorgeschiedenis van drankmisbruik. 'Heeft de patholoog die avond nog zijn bloedsuiker gemeten?'

'De tests gaven aan dat de hoeveelheid alcohol in Ingrams bloed op 0.20 milliliter zat. Voor hem niets ongebruikelijks, gewoon een avond als alle andere.'

'Heb je een bureau of tafel waar ik een paar uur gebruik van mag maken?'

'Alles om u te helpen.'

'Geweldig,' zei Cady. Hij begon zijn portemonnee te pakken en stopte toen. 'Wil je nog iets toe?'

'In mijn dromen.'

'Waar dacht je verdomme wel niet dat jij mee bezig was?!'

Cady moest zijn mobieltje weghouden van zijn oor. Hij had opgenomen op de parkeerplaats van het Forest Lake Restaurant terwijl commissaris Irwin een praatje maakte aan een tafel vol zakenmannen in pak die pannenkoeken aten zo groot als frisbees.

'Mee bezig?'

'Ik heb net gesproken met Steve Kellervicks pitbull. Ik moest door het stof, agent Cady, en je weet dat ik er een schurfthekel aan heb om door het stof te gaan. Als hij zijn dreigement waarmaakt en ons een proces aan de broek hangt, zal ik het je lelijk betaald zetten.'

'Steve Kellervick? Ik heb geen idee waar u het over heeft.'

'Jij stond erop dat Kellervick alles zou ophoesten, want, en ik citeer: "We weten dat je je vrouw hebt neergestoken. Er is al een politiewagen onderweg. Veel plezier met je nieuwe kamergenoten in de lik."'

'Ik heb van mijn leven niet met Steve Kellervick gesproken,' zei Cady, hoofdschuddend. 'Ik zit verdomme in Noord-Minnesota.'

'Volgens zijn advocaat heb je hem opgebeld.'

'Als ik iemand beschuldig doe ik dat face to face.'

'O, shit!'

'Hij is het.'

Cady hoorde stemmen op de achtergrond maar kon niet horen wat er werd gezegd.

'Ik zet je op de speaker,' zei de adjunct-directeur. 'Liz is hier ook.'

'Hai Drew,' zei agent Preston. 'Ik wist wel dat jij nooit zoiets doms zou doen.'

'Bedankt voor dit indrukwekkende blijk van vertrouwen.' Cady zag commissaris Irwin het restaurant uit komen en op hem af lopen. 'Was dat het enige wat de Schaakman tegen Kellervick zei? "We weten dat je je vrouw hebt neergestoken"?'

'Nee,' antwoordde de adjunct-directeur. 'Kellervick nam op en hoorde een man die zichzelf voorstelde als "agent Drew Cady". Naar verluidt hoorde de beller Kellervick tien minuten lang uit over wat zijn vrouw had gedaan bij Koye & Plagans, aan wie ze rapporteerde, wie haar baas was, wie haar collega's waren, aan welke projecten ze werkte. Toen begon de nep-Cady Kellervick van moord te beschuldigen.'

'Zo te horen was hij aan het vissen. Hij wilde Kellervick uit het lood slaan om zijn reactie te peilen.'

'We zullen de telefoongegevens trachten te traceren,' zei Preston.

'Goed idee,' antwoordde Cady. 'Maar ik durf te wedden dat hij een prepaid wegwerptoestel heeft gebruikt.'

'In ieder geval staan wij nu minder onder druk. Ik zal Kellervicks advocaat terugbellen. Jezus, Drew, ik weet niet waarom, maar hij zit met je te sollen. Maak je werk in Minnesota af en kom zo snel mogelijk terug.'

'Fijn om te weten dat er van me gehouden wordt.'

21

'Natuurlijk is Bret vermoord,' zei Terri Ingram. 'Dat vertel ik Fife al jaren.'

Cady had mevrouw Ingram later die middag gebeld vanuit het politiebureau in Grand Rapids; commissaris Irwin had woord gehouden en had voor Cady een bezemkast geregeld om in te werken. Hij stelde zichzelf voor en vroeg of hij die avond langs kon komen in het resort in Cohasset om haar wat vragen te stellen over haar overleden echtgenoot. Ze antwoordde bevestigend. Cohasset was een klein stipje op Cady's wegenkaart van Minnesota, zo'n vijf minuten rijden ten westen van Grand Rapids. Mensen uit Grand Rapids zouden het misschien een voorstad noemen, maar heel wat bewoners van Cohasset zouden zich daardoor beledigd voelen. Mevrouw Ingram had door de telefoon zeer vriendelijk geklonken, maar naarmate Cady's persoonlijke vraagtechniek zich ontrolde, liet ze haar frustraties in niet mis te verstane bewoordingen blijken.

'Fife?' vroeg Cady.

'Politiecommissaris Leigh Irwin. Ik noem hem "Barney Fife" zoals het personage uit *The Andy Griffith Show*, al mist hij Barneys geruststellende zelfverzekerdheid. Commissaris Irwins IQ ligt nog lager dan diepzeevissenpoep, en je mag hem gerust vertellen dat ik dat heb gezegd.'

Cady probeerde mevrouw Ingram niet aan te gapen. De politiecommissaris had gelijk gehad: Terri Ingram zag er heel goed uit. Ze was kort van stuk, misschien net een meter vijfenzestig. Haar vlasblonde haar was geschikt tot een informeel schoolmeisjesknotje en ze had een roomblanke huid die een Noorse afkomst verried.

'Het politierapport meldde dat meneer Ingram de buitenboordmotors met benzine aan het vullen was geweest om ze voor de nieuwe gasten gereed te maken.'

'Bret heeft in zijn hele leven nog nooit een boottank met brandstof gevuld. Tommy Reckseidler van de andere kant van het meer komt elke zaterdagochtend al dat technische gedoe regelen. De gasten checken pas 's middags in en meestal brengen ze hun eigen boten mee. Tommy hoeft in de regel maar drie of vier boten klaar te maken.'

'Maar u was hier niet op de avond van de brand?'

'Ik woonde indertijd in de stad. We waren uit elkaar, maar ik voerde nog steeds hier in Sundown Point de dagelijkse taken uit.'

'De bloedtest bij uw man gaf een alcoholpeil aan van 2,0.'

Terri Ingram haalde haar schouders op. 'Dat is niets nieuws. Bret was een alcoholist. En niet zo'n klein beetje ook. Hij dronk iedere avond. Daarom was ik in de stad gaan wonen.'

'Is het mogelijk dat hij dronken zat te prutsen in de schuur?'

'Geen sprake van dat Bret rond middernacht in een gesloten schuur zat te klooien met benzinetanks. Bret begon rond het middaguur te drinken, bij de lunch, goedkoop bier en wodka. Voor negen uur was hij altijd al uitgeteld.'

Cady krabde zich op het hoofd, keek Terri Ingram in haar blauwe ogen en hield voet bij stuk. 'Mensen met een aanleg voor verslaving hebben vaak afhankelijkheidsproblemen die via andere wegen de kop opsteken. U weet wel wat snuiven is; chemische dampen inhaleren om zo een kick te krijgen. Het zijn voornamelijk pubers die huishoudelijke producten uit een plastic zak inhaleren, maar gezien die benzinedampen, zou meneer Ingram misschien...'

Terri barstte in lachen uit. 'Nee, agent Cady, Bret had zijn favoriete drug al jaren voordat ik hem ontmoette ontdekt. En het had meer te maken met drank dan met damp.'

'Hij rookte toch?'

'Ja.' Mevrouw Ingram zag er opeens moe uit, alsof ze ditzelfde gesprek al veel te vaak had gevoerd.

'Bret was een alcoholist, geen dorpsgek. Hij zou rond negen uur al zijn uitgeteld, uiterlijk tien uur. Zelfs in zijn meest benevelde staat zou hij nog niet met benzine en Marlboro's gaan spelen. Bret is niet zo stom geweest om zichzelf in de fik te steken. En hij heeft ook geen zelfmoord gepleegd, als dat het volgende punt op uw lijst is.'

Cady zag een traan langs Terri Ingrams neus biggelen. Hij draaide zich in zijn plastic dekstoel om en keek naar twee meisjes die steeds hoger met de schommels zwierden terwijl een jongere broer ervoor koos met een stok tegen de zijkant van een klein schoolgebouwtje te slaan. Toen draaide Cady zich weer naar voren en tuurde over het met zonlicht bespikkelde water.

Sundown Point had een kustlijn van wel honderd meter. Een rij van acht witte hutjes met rode dakpannen stond zo'n zeven meter van het water vandaan, met een soort pallets ervoor. Er stond nog een rij van acht hutjes zo'n dertig meter erachter, met een slingerend zandpad tussen de twee rijen, en nog eens dertig meter verder landinwaarts stond een derde rij van acht hutten. Het huis van de Ingrams, dat pal aan het meer lag, stond afzijdig van de rij hutten, ervan afgescheiden door een speeltuin en een schuur vol binnenbanden en reddingsvesten. Aan de overkant van de weg lag een sportveld met jokari, een hoefijzerspel en een sjoelbak, maar tussen dat veld en de weg stond de opslagschuur van Sundown Point. De schuur was zo goed als nieuw, gebouwd in de jaren na de brand die Bret Ingram het leven had gekost.

Cady keerde zich weer naar Terri Ingram toe. 'Kent u iemand die een motief had om uw man wat aan te doen?'

'Natuurlijk,' antwoordde Terri. 'Ik. Bret en ik zaten midden in een echtscheiding. Hierdoor kreeg ik Sundown Point en een kwart miljoen levensverzekering. De hele rataplan, allemaal voor mij.'

Ze keken elkaar een paar seconden aan.

'U heeft het recht te zwijgen. Alles wat u zegt kan en zal in een rechtszaal tegen u worden gebruikt. Als u zich geen advocaat kunt...'

Terri Ingram toonde voorzichtig een glimlach, die uitbrak tot een volle grijns. 'Dus de FBI-agent heeft toch gevoel voor humor.'

'Niet echt.'

'Bent u die agent uit de Twin Cities? Die me een paar jaar terug belde?'

'Nee.'

'Mooi. Ik had het gevoel dat hij al door Fife te woord was gestaan tegen de tijd dat hij mij belde.'

'En hoe zit het met de levensverzekering van uw man? Is daar nog onderzoek naar verricht?'

'Ik schreeuwde het van de daken bij ING, ik wilde dat ze het zouden uitzoeken. Een paar dagen later verscheen er opeens een onderzoeker, meer een Frank Cannon dan een Jim Rockford. Ik denk dat het ING na mijn telefoontje hoopte een manier te ontdekken om mij Brets dood in de schoenen te schuiven. Na een paar dagen van "Fife-vragen" vertrok hij weer. Ik heb het verzekeringsgeld gebruikt om de meeste hutten te moderniseren.' Terri Ingram haalde haar schouders op. 'Als je iemand wilt doden, agent Cady, zou ik zeker aanbevelen om dat in Itasca County te doen. Met die imbeciel Irwin aan het roer is het hier een Bermudadriehoek op moordgebied.'

Ze was echt een kattenkop, dacht Cady. Een kattenkop in een spijkerjack.

'Het ING heeft niet geprobeerd het als een zelfmoord te bestempelen?'

'Behalve wanneer je een boeddhistische monnik bent, is zelfmoord door zelfverbranding niet bepaald een gebruikelijke keus. Brets brandwonden waren heel ernstig, het grootste deel van zijn huidlagen was onherstelbaar beschadigd. Als hij het had overleefd zou hij nu nog steeds voor zijn brandwonden worden behandeld; en dan alleen als de huidtransplantatie en plastische chirurgie aansloegen.'

Terri rilde en keek weg. 'Zoals Bret daar die avond lag op die operatietafel in het ziekenhuis... dat was het vreselijkste wat ik ooit heb gezien. Die arme kerel. Zijn huid helemaal weggesmolten. Hij zag er niet... menselijk uit.'

'Verschrikkelijk.'

'Dat zou ik niemand toewensen.' Haar stem haperde.

De zon was al bijna onder en Cady gaf Terri nog wat tijd om tot rust te komen. Hij draaide zich om en keek uit over Bass Lake. Het was kalm rond schemertijd. Een paar vissersboten, een kano en een kajak meerden aan om voor die nacht te worden vastgelegd. Cady spotte een snelle beweging op in de lucht.

'Is dat een arend?'

'Ja.' Terri wees over het meer heen. 'Ze heeft een nest in dat bosje olmen. Ziet u die flauwe V-vorm in die boom?'

'Ja.'

'Daar zit het. Jammer dat het nu donker wordt, anders kon ik de verrekijker pakken en kon u haar haar twee jonkies zien voeren.'

'Interessant,' zei Cady. 'Zitten er veel baarzen in Bass Lake?'

'Wat baarzen, wat rotsbaarzen, en snoekbaarzen. Snoeken zo lang als mijn arm. Vist u, agent Cady?'

'Noem me toch Drew.'

'Vis je, Drew?'

'Dat is alweer jaren geleden. Mijn grootouders woonden bij Fayetteville in Ohio. In de zomer dropten mijn ouders me bij hen. Opa Paul en ik hebben ons best gedaan Lake Lorelei leeg te vissen.'

'Mooi,' zei Terri. 'Ik wantrouw een man die niet vist.'

'Ging meneer Ingram ook vaak uit vissen?'

'Nooit.' Terri leunde achterover in haar stoel. 'Bret haatte water.'

'Waarom koopt een vent uit het oosten die water haat een vakantieoord aan een meer in Noord-Minnesota?'

'Het leven is een groot mysterie, Drew.'

'Weet je wie hem hielp bij het financieren?'

'Eerst dacht ik dat Bret bulkte van het geld, dat hij een rijke familie had, tot ik zijn familie ontmoette. Nu is het vakantieoord van mij. Geen pandrecht. Bret had dan misschien in de vroege jaren nog wat financiële sponsoren, maar hij was de enige eigenaar tegen de tijd dat ik in het spel kwam.'

'Wanneer kwam je in het spel?'

'Ik ontmoette Bret zo'n zes jaar terug in een – god, wat verrassend! – café in Grand Rapids. Ik was een jaar daarvoor afgestudeerd en gaf overdag tekenles op een lagere school en ging 's avonds stappen. Allemaal erg gênant, nu ik eraan terugdenk. Ik liep Bret op een *ladies' night* in Rapids Tavern tegen het lijf. Drie maanden later gaven we elkaar het ja-woord.'

'Jullie lieten er geen gras over groeien, hè?'

'Toen ik nog jong en onbezonnen was,' Terri Ingram keek uit over Bass Lake en sprak meer tegen het verleden dan tegen Cady, 'was ik jong en onbezonnen. Het eerste jaar van ons huwelijk was ik de grote gedoger; ik blowde zelfs met Bret. Het tweede jaar liet ik hem afkicken. Keer op keer. Ik heb hem zelfs gedwongen naar de Alcoholics Anonymous te gaan, en uiteindelijk ook om in huwelijkstherapie te gaan. Ik hield op met lesgeven. Niet omdat Bret een lullig bedrijfje een fortuin betaalde om Sundown Point te runnen, om de alledaagse taken te verrichten die hijzelf had moeten doen, maar omdat ik dacht dat ik hem door de hele dag bij hem te blijven, nuchter zou kunnen houden. Wat was ik onnozel. Het derde jaar bereidde ik me voor op de scheiding. Het moest zo zijn, denk ik.'

'Maar je zag wel iets in Bret, in ieder geval in het begin, meer dan dat drinken?'

'Het enige wat uit ons jaar van therapie naar voren kwam, was dat ik ontdekte dat ik een ernstige, dwangmatige reddingsdrang heb. Bret was in wezen een goeie vent, echt. Hij had het hart op de juiste plaats, maar hij kwam maar niet van die verslaving af, van het vuurwater, en na alle shit waar we ons doorheen hadden geploegd, drong het tot me door dat hij niet echt zijn best deed. Toen verliet ik hem eindelijk. Het moeilijkste wat ik ooit heb gedaan.'

'Was er in zijn familie een verleden van alcoholisme?'

'Geheelonthouders, al tot in de tijd van zijn overgrootouders.'

'Heeft Bret wel eens met je gesproken over een incident op een feest in het oosten toen hij nog studeerde, toen een jonge vrouw met wie hij was in een meer verdronk?'

Terri Ingram keek alsof ze door een bij was gestoken, haar ogen waren groot en haar mond hing open. 'Hij heeft het nog nooit over zoiets gehad, agent Cady. Wat was er gebeurd?'

Cady gaf haar de beknopte versie van de gebeurtenissen op Dane Schaeffers feestje die avond lang geleden. Cady hield het bij de objectieve feiten, hij hield zijn eigen gedachten voor zich, en liet Terri's synapsen zelf de verbindingen leggen en leemtes opvullen.

'Dat heeft Bret nooit aan me verteld. Zelfs niet tijdens onze therapiesessies, toen de therapeut ons liet brainstormen over mogelijke triggers waardoor Bret was gaan drinken. Misschien was dat de duivel die hij maar niet kon uitbannen.'

Ze zaten allebei in gedachten verzonken te zwijgen. Eindelijk voltooide de zon zijn afdaling boven de verre horizon. De kinderen hadden de speeltuin voor die avond verlaten. De motten ketsten van de verandalamp.

Terri Ingram stond op en zette haar handen in haar zij. 'Waarom bent u hier? U bent al de tweede FBI-agent die me vragen stelt over de dood van mijn man. Moeten jullie geen terroristen opsporen, in plaats van te gaan neuzen in het dodelijke ongeluk van een of andere zuiplap in Minnesota? Denk je niet dat het hoog tijd is dat je me de waarheid vertelt, agent Drew Cady, en opbiecht wat je nou echt bij me komt doen?'

Cady had zelf ook wel iets sterks kunnen gebruiken op dat moment, een moment waarvan hij had geweten dat het vroeg of laat zou komen. 'Net als u geloof ik geen seconde dat Brets dood een ongeluk was. Ga toch zitten, mevrouw Ingram. Ik heb wat dingen te melden die u misschien zullen interesseren.'

Cady vertelde haar over de brute moorden die gevolgd waren op de dood van haar man en het resulterende onderzoek. Cady sprak er niet graag over en liet daarom zijn rol in het huis van Farris in Wooley Park onvermeld, en na een aantal mitsen en maren en ander voorbehoud, vertrouwde hij haar een paar van zijn minder wilde aannames toe.

'Wauw,' zei Terri toen Cady uitgesproken was.

'Ja,' beaamde Cady. 'Wauw.'

'Dus jij denkt dat Bret vermoord is door Dane Schaeffer uit wraak voor wat er de avond dat Marly Kelch verdronk gebeurde?'

Cady zweeg even om zijn woorden te wegen en zuinig te gebruiken met betrekking tot het huidige onderzoek. 'Er waren genoeg losse eindjes om een kat mee gek te maken, maar het zat allemaal verpakt in een keurig pakketje dat erom schreeuwde om afgesloten te worden. Ik had het moeten zijn die u drie jaar terug over die toestand sprak, maar tegen die tijd was ik buiten werking gesteld en van de zaak gehaald. De recente ontwikkelingen hebben ervoor gezorgd dat we ons openlijk afvragen of Dane Schaeffer wel de Schaakmanmoordenaar was, of juist een van de vele slachtoffers.'

'Bret sprak nooit over zijn tijd op Princeton en hij was al dood toen het nieuws over de twee Zalentines naar buiten kwam.' Er verscheen een nadenkende blik op Terri's gezicht. 'Bret dronk om zijn aandeel in het verzwijgen van de dood van dat meisje te vergeten? Mijn god. Alles waar ik zo hard voor gewerkt heb de afgelopen vijf jaar – deze hele tent – is gebouwd op schuldgevoel en bloedgeld.'

'Ik ben niet gekomen om je wereld te laten instorten, Terri,' zei Cady, haar voor het eerst bij haar voornaam noemend. 'Niets van dit alles is jouw schuld. De zaak was al jaren voordat je Bret Ingram zelfs maar had ontmoet in gang gezet.'

'Als wat je me verteld hebt waar is, zou ik Sundown Point aan Marly Kelch' familie moeten schenken.'

'Ik betwijfel of haar moeder het zou aannemen. Hoor eens, Terri, hier stuurt ons onderzoek niet op aan. Jij hebt aan niets van dit alles schuld.'

'Maar het is wel wat ik zou moeten doen.'

'Het lijkt mij dat je man alle openstaande schulden met zijn dood heeft afgekocht.'

'Ik waardeer je eerlijkheid, Drew. Die is... verfrissend. Je hebt me heel wat gegeven om over na te denken.'

Cady knikte.

'Ik wil dat de man die verantwoordelijk is voor Brets dood zijn straf krijgt.'

Cady knikte opnieuw. 'Ben je bereid een van onze forensische onderzoekers door de eigendomspapieren, akten en overdrachten van Sundown Point te laten neuzen om uit te zoeken wie de financiële sponsors van je man zijn geweest?'

'Allicht.'

'Als een dekmantelbedrijf of dochtermaatschappij van een holdinggroep die de zaak heeft betaald, banden blijkt te hebben met de Zalentines, zou onze onderzoeker daar binnen de kortste tijd achter moeten komen.'

'Alle belangrijke papieren zitten in een kluis. Jim Sweeny is mijn belastingadviseur. Jim deed al lang voor Brets dood onze boekhouding.'

'Ik zal het in gang zetten, onze man over laten komen om met jullie allebei kennis te maken.'

'Moet je voor dit soort zaken vaak reizen, Drew?'

'Vroeger wel.' Cady wilde de zaak niet onduidelijker maken door uit te weiden over zijn huidige status op het Bureau. 'Ik reisde voor zaken stad en land af.'

'Vindt je vrouw dat geen probleem?'

'Ik heb geen vrouw.'

'Je draagt een ring.'

'Jij ook.'

'Touché. Sundown Point is een familieplek. Ik wil niet versierd worden door mannen op doorreis. En ik wil ook niet dat de vrouwen een verkeerd beeld van me krijgen. Het spijt me als ik te persoonlijk werd. Ik wil nergens mijn neus in steken.'

'Je hoeft je niet te verontschuldigen. Ik zat juist jou aan de tand te voelen.' Cady zweeg even. 'We zijn een jaar geleden gescheiden. Ik denk dat het voor een groot deel kwam doordat ik mijn snor had gedrukt.'

'Je wilde niet dat ze je zou verlaten,' zei Terri zacht.

Cady haalde zijn schouders op. 'We... dreven uit elkaar. Toen gebeurde er iets heel ergs en was ik er niet voor haar. We probeerden allebei de boel te redden maar toen gebeurde er nog iets ergs... en hielden we op met de boel redden.'

'Het spijt me.'

'Ze is hertrouwd. Ik denk dat ze gelukkig is.'

Terri liep de met horren beschutte veranda in, deed een ijskast open en kwam weer naar buiten met twee flesjes water. Ze gaf er een aan Cady.

'Dank je.'

Cady opende de fles en dronk hem in één keer half leeg, waarna hij hem op de balustrade neerzette.

'Je had dorst.'

'Ja.'

Ze keken elkaar over de plankenvloer heen aan, waarna Cady op zijn horloge keek. 'Het wordt laat.'

'Waar zit je?'

'Kun je me een hotel aanbevelen?'

'Heb je nog nergens geboekt?'

'Het was een drukke dag.'

'Huisje acht is vrij.'

'Ik geloof dat ik hier genoeg schade heb aangericht.'

'Ik sta erop. Je bent de eerste agent die me niet voor gek verslijt.'

'Weet je zeker dat het geen probleem is?'

'Ik kan de belastingbetalers best wat geld besparen.'

'Dank je.'

'Wacht tot je huisje acht ziet voor je me bedankt. Het is een van de weinige die ik nog niet opgeknapt heb. Ik hoop dat je van muggen houdt.'

'Het is vast prima.'

'Laat de douche drie minuten stromen als je warm water wilt.'

Het duurde vijf minuten voor het water uit de douche lauw werd. Tegen de tijd dat Cady zichzelf had afgedroogd en zijn tanden had gepoetst, had hij het gevoel dat hij wel een week kon slapen. Hij moest naar de voorzijde van het huisje lopen om aan een touwtje te trekken dat het licht boven hem uitdeed. Toen het helemaal donker was geworden keek Cady nog een keer naar buiten en zag Terri – een eenzame gestalte in het maanlicht – op de werf uitkijkend over Bass Lake, waarschijnlijk peinzend over de nieuwe informatie die hij haar net had gegeven. Cady hoopte dat hij daar goed aan had gedaan, maar ze had een hoop te verduren gekregen en hij was haar een soort verklaring verschuldigd, al was het maar Cady's bedekte versie van de waarheid; de kleine beetjes die hij kon vertellen zonder het huidige onderzoek te schaden.

Terri Ingram draaide zich abrupt om en staarde naar huisje acht. Cady dook bijna weg, maar hij wist dat ze hem in het donker onmogelijk kon zien. Toen liep Bret Ingrams weduwe de trap op van haar veranda en het huis aan het meer in.

22

Albert Bannings hoofd kwam omhoog in een gevecht tegen de slaap. Hij opende zijn ogen tot spleetjes en het voelde alsof zijn oogballen over een strijkijzer waren gerold. Hij legde zijn hoofd weer op het koude cement en kneep zijn ogen dicht.

'Het doet eerst een beetje pijn,' klonk een stem van de andere kant van de kamer.

Dit moet een nachtmerrie zijn, zei Banning tegen zichzelf. Alsof zijn problemen al niet erg genoeg waren, drongen ze nu ook tot zijn droom door.

'Dit is geen droom.' De stem, zachtjes aan de rand van Bannings bewustzijn, als een trein die in de verte langsrijdt, leek zijn gedachten te kunnen lezen.

Banning trok zijn ogen open. Het doordringende licht van boven sneed als scheermesjes over zijn pupillen. Hij knipperde een paar keer, zich verzettend tegen de felle gloed. Troebel, als wanneer je door warm, olierijk water staart, sijpelde het licht zijn hersens binnen. Felle fluorescerende lampen hingen langs het midden van een langgerekte grauwe kamer die betere tijden had gekend. Hij leek op de vloer te liggen van een spelonkachtige oude garage of een verlaten pakhuis dat naar een beschimmelde kelder rook. Banning zakte dodelijk vermoeid neer op het onverbiddelijke beton, niet in staat zich te bewegen. Het voelde alsof zijn handen op een of andere manier aan de grond waren vastgelijmd.

'Je zult je zometeen wel beter voelen.' Er werd opnieuw gefluisterd aan de andere kant van de ruimte.

Banning tuurde in de richting van de stem, maar kon alleen een witte veeg onderscheiden aan de andere kant, een rijzige gestalte in de deuropening, van achteren beschenen door nog meer doordringend fel licht. Banning hield zijn hoofd scheef om beter te kunnen zien door de caleidoscoop van licht en pijn. Hij deed zijn best het te filteren en zich op de onbekende stem te concentreren.

Opa?

Maar Bannings opa was al lang geleden gestorven, een halve eeuw terug zelfs, toen Banning nog een jongetje van vijf was. De enige herinnering die Banning zelfs maar had aan zijn grootvader was de begrafenis van die ouwe dwaas – opa die daar lag in een zwarte naaldhouten kist, als van was, een beetje opgezet en bleek. Het had op hem een onuitwisbare indruk achtergelaten op die zo jonge leeftijd. Op een of andere manier was dat beeld, na vijftig jaar begraven te hebben gelegen, opeens in Bannings herinnering gesprongen terwijl hij probeerde de gestalte aan de andere kant van de ruimte te ontwaren.

'Waar?' Bannings strot voelde aan als schuurpapier. Hij schraapte zijn keel en probeerde het nog eens. 'Waar ben ik?'

'In een plaats zonder geheimen, Albert Banning,' antwoordde de stem traag, moeizaam. 'Een plaats zonder geheimen.'

Hij kent mijn naam, dacht Banning, terwijl hij door zijn beneveling heen de laatste gebeurtenissen probeerde te reconstrueren. Hij herinnerde zich natuurlijk nog dat hij van kantoor was vertrokken. Hij herinnerde zich dat hij vrijdagavond op weg naar zijn huis in Newton was gegaan, dat hij zijn oprit op was gereden, opgelucht vanwege het respijt dat het weekend hem bood voor die hel op aarde van de afgelopen week. Banning herinnerde zich een geluid te hebben gehoord. Herinnerde zich het portier van zijn 750i Sedan dat opengetrokken werd, herinnerde zich een ijzige bries op zijn gezicht, een stalen greep, een gesmoorde kreet... Toen de duisternis, en toen was hij opeens hier.

Een hevige vermoeidheid deed zijn gedachten traag voortmalen. Hij was waarschijnlijk de drug die die ouwe klootzak hem had gegeven – chloroform? ether? – aan het wegbranden.

'Jij bent de volgende op de rol, Albert Banning. Op een plek zonder geheimen ben jij de volgende op de rol.' Met die woorden verdween de gestalte, een verblindend wit verlichte deurpost achterlatend.

Bannings lippen waren droog; een onlesbare dorst werd even naar het tweede plan geschoven toen Banning besefte dat hij naakt op de koude vloer lag. Banning vocht tegen de geluidloze paniek en kwam uiteindelijk uit bij een keihard *O SHIT!*

Hij probeerde op te staan, zichzelf minder kwetsbaar te maken, maar iets hield hem tegen en hij werd terug op het beton gesmeten. Hij keek omlaag naar zijn enkel en zag wat hem tegenhield. Zijn enkel zat met een handboei vast aan een soort radiatorbuis, die uit de grond stak en tien meter de hoogte in schoot, helemaal tot aan het hoge plafond boven hem. Banning wrikte uit alle macht aan de boei. Hij zat muurvast. Toen rukte hij aan de leiding. Onwrikbaar vast.

Albert Banning, hoofd Investeringen bij Koye & Plagans Financials, had zichzelf beschouwd als een echte Rots van Gibraltar ten overstaan van de financiële beroering van de afgelopen jaren, maar deze toestand maakte hem gek en een nu allesomvattende angst smoorde zijn rationele gedachten. Banning keek rond in zijn nieuwe gevangenis. Het enige binnen zijn handbereik was een fles Fixx, een cafeïnerijk drankje waar hij nog nooit van had gehoord. Het herinnerde hem aan zijn enorme dorst. Banning reikte naar voren en greep de blauwe plastic fles. Hij stokte even en onderzocht de plastic flesdop. Die was nog verzegeld, er leek niet aan te zijn gemorreld. Banning draaide aan de dop, verbrak het zegel en klokte bijna de hele fles leeg, waarna hij naar adem snakte. Het was misselijkmakend zoet en Banning moest bijna kotsen, maar het verhielp zijn uitdroging op deze plek zonder geheimen. Hij nam een tweede lange teug, veegde met zijn wijsvinger langs zijn lippen, likte eraan en dronk toen de rest van de fles leeg. Toen hij zijn dorstprobleem had aangepakt kon Banning verder met het bestuderen van de ruimte.

Hij zag zijn wollen Joseph A. Banks-kostuum met drie knopen en zijn blauwe zijden stropdas, zijn witte overhemd van Avanti, zijn boxershort van madraszijde, designersokken en Gucci-loafers op een stapel zo'n twintig stappen van hem vandaan. Naast die stapel kleren lag zijn kalfsleren Venezia-aktetas opengeklapt. Zijn laptop stond geopend naar hem toe gekeerd op de grond naast zijn aktetas. Het sterrenstelsel op zijn screensaver staarde naar hem terug, hem bespottend, met zijn RSA SecurID boven op het toetsenbord. Jezus christus. Banning trok een grimas en beet op zijn onderlip. Ik zou thuis moeten liggen slapen – en niet verwikkeld zijn in een van die gruwelijke *Saw*-films die hij met zijn stiefzoon vorige zomer had zitten kijken voor die terugkeerde naar de UCLA.

Op datzelfde moment begon Banning geluiden te horen uit de ruimte ernaast. Gedempte geluiden. Banning boog zich naar voren en sloot zijn ogen. De dode-opastem stelde een vraag. Een andere stem antwoordde, het was een kort vrouwelijk snikje ter ontkenning. De dode-opastem stelde de vraag nog eens, maar dit keer verstond Banning een woord. Dat woord was 'Kellervick'. De achternaam van Elaine Kellervick, zijn meest gedegen investeringsstratege, die eerder die week was vermoord, het slachtoffer van een willekeurige inbraak die K&P helemaal uit het lood had geslagen. Goeie god. Bannings hart ging nog harder tekeer. De man die Elaine had gedood, had het op hem voorzien. En hij was... *de volgende op de rol op een plek zonder geheimen.* Paniek deed hem weer rukken aan zijn boei, proberen zich los te wrikken, alles om maar vrij te komen uit die staalharde strik.

Nog een vraag met die dode-opastem, die op trage toon opnieuw vroeg naar Elaine Kellervick.

Ditmaal klonk er geen gesnik. Toen een kort zinnetje van de dode opa. 'Of nek?'

Banning was er zeker van dat hij het laatste goed had gehoord, een of andere onbegrijpelijke vraag, het sloeg nergens op. Wat was 'Of nek?' nou voor een vraag? Voor hij de verborgen betekenis ervan kon overdenken, volgden er smeekbeden om te stoppen, steeds harder krijsen om genade. Een geladen stilte die wel een eeuwigheid leek te duren, en toen weer een gillende vrouwenstem uit de ruimte ernaast. Het haar in Bannings nek stond rechtovereind. Een stilte en toen een andere kreet. Banning drukte onwillekeurig zijn rug tegen de radiatorleiding en probeerde vervolgens tevergeefs zichzelf in de smalle opening tussen de leiding en de muur te persen terwijl de kreet veranderde in een nog bloedstollender gil van pijn en angst. Tussen het angstig gebonk door herkende Banning een geluid, bekend van de mannen die vorige zomer een door de storm omgewaaide boom uit zijn achtertuin waren komen verwijderen: een kettingzaag.

Banning drukte hard tegen de handboei, zette zich uit alle macht af, probeerde hem van zijn voet af te krijgen, het kon hem niet schelen hoeveel lagen huid het hem zou kosten – maar het was vergeefs. De kreet reutelde nog even door en stopte toen abrupt. Banning zag een grote donkere vlek in het doordringende licht van de geopende deur. De kettingzaag bleef nog een paar tellen doorgaan met zijn afgrijselijke geluid.

Banning wist niet meer hoe hij moest ademen. Hij sloeg geen acht op de gestage stroom urine die langs zijn been omlaag liep. De kettingzaag stopte even abrupt als hij was begonnen. Banning kromp ineen op de vloer, als een leeggelopen ballon. *Jij bent de volgende op de rol,* weergalmde het door zijn hoofd.

Het dode-opawezen verduisterde opnieuw de deurpost, terugstarend naar Banning, met een enorme kettingzaag hangend aan zijn linkerhand, bloed druipend op het bestofte beton. De dode opa liep drie meter de ruimte in, in de richting van Banning, knielde toen neer als in gebed, met de kettingzaag omhoog, de handpalm op het handvat, als een krankzinnige priester uit de Spaanse inquisitie. Het wezen droeg zwarte werklaarzen, de grijze werkbroek van een monteur, nu bespat met zwarte, vochtige spikkeltjes. Het gezicht van het schepsel... Banning wist dat het een rubber masker moest zijn zoals kinderen met Halloween droegen, maar hij zou het niet durven zweren. Banning wist nu waarom hij had gedacht aan zijn lang geleden gestorven grootvader. Het gezicht van het schepsel was dat van een oude man, onpeilbaar oud en lijkbleek, verward wit haar op zijn slapen, zijn huid als van was en opgezet... en hij glimlachte beslist niet.

'Wat wilt u van mij?'

De gestalte bleef roerloos zitten in een duistere pose van aanbidding. 'Ik ben hier om alle zonden weg te wassen, Albert Banning.'

'Zonden?'

'De kudde is uitgedund, Albert Banning.' Het dode-opawezen sprak zacht maar met het vuur van een Mozes op de berg Sinaï. 'En op deze plek zonder geheimen, Albert Banning, ben ik gekomen voor de afrekening.'

'Alstublieft.' Bannings stem haperde.

'Gevierendeeld of onthoofd, Albert Banning?'

'Ik wil niet dood.'

'Mevrouw Tilden koos voor de nek, Albert Banning.'

O god. Bannings ogen werden groot, zijn brein een kloppend blok ijs. Het was dus Mira Tilden die deze maniak zojuist had onthoofd. Mira was een van de baliereceptionistes, die jongere, ongetrouwde die altijd zo vriendelijk naar hem geglimlacht had.

Nadat Banning de eerste schok vanwege Elaines dood te boven was gekomen, en hoe ze was gestorven, was hij bijna in paniek geraakt, toen hij bedacht dat al Kellervicks projecten en losse eindjes op zijn bord terecht zouden komen, maar nadat hij had bedacht hoe hij op slinkse wijze een en ander kon delegeren aan zijn verschillende ondergeschikten, had Banning nog maar één gevoel gehad, dat hij nooit aan iemand anders bekend zou maken: een overweldigend gevoel van opluchting.

De laatste tijd had dat mens van Kellervick Banning het leven zuur gemaakt over allerlei onbeduidende zaken op het werk, en ze had zich altijd zo superieur gedragen, en hij had vaak gezien dat dat mens tijdens een vergadering kwaadaardig naar hem zat te staren. Het was ondraaglijk geworden sinds zijn interview voor *Fidelity Investor*. Die verdomde Elaine Kellervick kon niet eens blij voor hem zijn, dat hij binnen K&P Financials wat broodnodige positieve aandacht trok. Ze had ontzettend kortaf gereageerd over een paar van zijn uitspraken in de nieuwsbrief; ze vond dat hij haar niet genoeg credits gaf, praatte hem een schuldgevoel aan, terwijl hij alleen maar een paar vragen van die redacteur van de *FI* had beantwoord. Oké, hij had Kellervick om haar input gevraagd, maar die kwesties die zij te berde bracht waren kwesties waar hij ook al over had nagedacht. Banning dacht dat hij haar woorden genoeg had omgegooid, maar de redacteur had een erg strakke deadline gehad en had Banning aangespoord om snel te antwoorden.

Hij wist niet waarom die Kellervick, haar echtgenoot – Stewart was het toch? – getrouwd wilde blijven met zo'n frigide teef. Banning mocht Stewie Kellervick graag. Ze spraken elkaar vaak als er op het kantoor iets georganiseerd was waarbij ook familieleden werden uitgenodigd. Hij en Stewie konden altijd lekker slap ouwehoeren op dat soort gelegenheden. Die goeie ouwe Stew klopte Banning dan vaak op de rug en zwaaide naar zijn vrouw aan de andere kant van de ruimte terwijl zij kwaad naar hen terugkeek.

Banning wist dat het walgelijk fout was om sommige gedachten over dat Kellervick-mens zelfs maar even te koesteren, en hij had vol verontwaardiging gereageerd toen hij met de politie en andere onderzoekers sprak, en hij leefde echt heel erg mee met zijn goeie maat Stew, maar eerlijk gezegd voelde Banning een overweldigende opluchting dat die frigide teef dood was.

En nu, 'op een plek zonder geheimen', dacht deze maniak dat hij bij de dood van Kellervick betrokken was geweest... En nu moest Banning hem van het tegendeel overtuigen.

'Ik hield van Elaine. En Stew en ik waren boezemvrienden.'

'Wie is die Stew?' gromde het schepsel naar hem.

O jezus, dacht Banning terwijl zijn blaas zich nog eenmaal leegde vanwege de verschrikkelijke toestand: hij had de naam van die vent van Kellervick verhaspeld. Het was helemaal niet Stew. Het was Steve of Scott of een andere naam die met een S begon.

'Haar man.' Banning schudde het hoofd en huilde. 'Iedereen hield van Elaine. Ze was verreweg mijn beste analiste, ongelooflijk nauwgezet. Ik kon haar ieder project toevertrouwen; haar marktevaluaties waren heel ter zake kundig.'

De stortvloed van Bannings onsamenhangende gebrabbel duurde voort, want zolang hij sprak tegen het schepsel dat in het midden van deze kerker geknield zat, bleef hij leven.

'Wij weten geen van allen wat er is gebeurd, meneer. Het was een inbraak die verkeerd afliep, verschrikkelijk verkeerd. Deze stad... jezus, het wordt hier almaar erger... Elaine betrapte waarschijnlijk een paar jongeren uit Dorchester die haar tv aan het stelen waren of zo.'

Het schepsel stond langzaam op, boven hem uittorenend als Magere Hein, en herhaalde zijn vraag. 'Gevierendeeld of onthoofd, Albert Banning?'

'Ik had niets te maken met Elaines dood. Ik heb met de politie gesproken. Ik heb met de FBI gesproken. Ik heb ze alles verteld wat ik wist, oftewel niets. De laatste keer dat ik Elaine zag, heb ik haar een fijne avond gewenst. Dat zweer ik. Ik zei: "Fijne avond, Elaine." Dat is precies wat ik heb gezegd. Je moet me geloven.' Banning huilde. Zijn witte snor was doordrenkt van snot en tranen. 'Waarom zou ik Elaine dood wensen? Dat slaat nergens op. Ik moest haar projecten overnemen, al haar dossiers.'

'Dossiers?' Het dode-opaschepsel schoot naar voren. In drie stappen was hij bij Bannings stapel kleren en werkspullen. Met een flinke zet van zijn werklaars schoof het schepsel de laptop met Bannings RSA SecurID erop over het beton naar hem toe. 'Laat zien, Albert Banning.'

'Maar dat is allemaal bedrijfsinformatie – spreadsheets, strategieën, e-mailmappen,' stamelde Banning. 'Vertrouwelijk.'

Er vielen nog altijd rode druppels van de kettingzaag terwijl de dode-opagestalte reikte naar de startkabel. Een korte ruk en de zaag trad razend in werking.

'Nee! God, nee!' Albert Bannings vingers vlogen aan het werk. Hij bad dat deze grauwe kerker genoeg bereik had tot een draadloos netwerk zodat hij kon inloggen via VPN, het virtuele privénetwerk. Banning tikte zijn inlognaam en wachtwoord in als een virtuoze pianist die hamerde op de toetsen. Hij greep zijn RSA SecurID dat van het toetsenbord af was gegleden en voerde haastig de getallen in voor ze werden vervangen. Hij snikte met iets dat leek op blijdschap toen de laptop verbinding maakte en zijn persoonlijke en vertrouwelijke bureaublad verscheen. Albert Banning keek langzaam op.

Het dode-opaschepsel kwam op hem af, de razende kettingzaag hoog in de lucht.

23

'Hoe gaat het in jezusnaam met je hand, Cady? Alan Sears' lage bariton klonk door de telefoon precies zoals de rechercheur uit Cambridge zelf: luid, duidelijk en dwingend.

'Voor vijftig procent genezen. Niets aan het handje,' zei Cady en hij herinnerde zich toen iets. 'Trouwens, rechercheur, ik heb nooit de kans gehad je te bedanken voor de kaart en het cadeautje. Gelukkig hadden ze me platgespoten, waardoor ik niet van kleur verschoot toen de verpleegster het pakje openmaakte.'

Rechercheur Sears lachte even en keek toen ernstig. 'Heeft die verpleegster iets tegen de *Penthouse*?'

'Ik kon in die tijd geen spier bewegen dus die arme vrouw lachte me medelijdend toe en smeet hem op de bezoekerstafel, waar iedereen hem kon zien.'

Sears grinnikte opnieuw.

'Ik heb de koppen in de krant gelezen en moest aan jou denken, Cady. Ik dacht dat jij vervroegd zou uittreden na die... Nou ja, je weet wel.'

'Ik ben tijdelijk even terug voor een opdracht.'

'Het was dus helemaal niet die Dane Schaeffer, hè?'

'Blijkbaar niet.'

'Dat was het enige wat me niet lekker zat. Lui die alles tot in de puntjes plannen zoals die Schaakman zijn geen suïcidale types. Normaliter gooien die zichzelf na afloop niet in een afgrond. Begrijp je wat ik bedoel?'

'Dat is bijna letterlijk wat rechercheur Pearl zei.'

'Pearl, die van Moordzaken in D.C.?'

'Ja. Hij werkte aan die Sanfield-zaak. Hij is nu in Boca Raton met pensioen. Ik kreeg hem nog net te pakken voor hij weer aan de cocktails ging.'

'Ik mag hem nu al. En, Cady, wat zei jouw intuïtie?'

'Ik heb indertijd geaarzeld. Aan de ene kant kon de Schaakman zijn uitgeblust en zichzelf als een Andrew Cunanan, als je je die nog herinnert, hebben gedood in plaats van gepakt te worden en de gevolgen te moeten dragen. Bovendien, er was een zekere gelijkenis. Schaeffer hield van die zuipfeestjes, Schaeffer nodigde Marly uit – hij hield van Marly – en volgens zijn strikte principes was hij ook zo schuldig als de pest, dus heeft hij zichzelf uiteindelijk om zeep gebracht. Hij was zijn eigen rechter, jury en beul.'

'Ik ben niet zo romantisch,' zei Sears. 'Vraag maar aan mijn vrouw. Maar er is een oude indianentraditie dat je wanneer je vijand je een mes op de keel houdt, terug moet duwen en hem de voldoening van je angst moet ontnemen. Het gaat om controle hebben. Daardoor kan Schaeffer ons de buit geven terwijl we hem zelf niet gevangen hebben.'

'Na het Farris-debacle stond Schaeffer boven aan onze lijst. En opeens viel alles op zijn plaats. Maar Allan, ik heb me altijd gefixeerd op de andere mogelijkheid, en slapeloze nachten gehad over het nachtmerriescenario waarin die klootzak vrijuit gaat. Wat helaas de waarheid bleek te zijn.'

'En is er ook een copycat in het spel?'

'Godzijdank is het niet mijn taak om dat uit te zoeken. Ik houd me bezig met de cold case van de oorspronkelijke zaak, Allan, en ik zou graag je gedachten horen over wat er echt in die tijd is voorgevallen.'

'Die verdomde Zalentines hebben van Cambridge een soort gothic heiligdom gemaakt. Adrien en Alain zitten nu vast in de zevende kring van de hel te gniffelen. Mafketels in zwart leer en met witte make-up maken pelgrimstochten naar de Dorchester Towers om te gluren naar de oude balkons van de Zalentines of zo. Zoiets. Zelfs Dahmer heeft nooit zo'n fanclub gehad.'

'Ik zag een van de internetsites die de tweeling verheerlijken. Echt ziek.'

Cady vertelde de rechercheur uit Cambridge in het kort wat hij de afgelopen week had gedaan, zijn nachtelijke bezoeken, wat hij wist van het eerste slachtoffer – Bret Ingram in Minnesota – zijn foutieve vermoeden over Braun, en hoe de Schaakman in feite probeerde zijn eigen copycat op te sporen.

'Waarom geeft hij zich nu bloot?' vroeg Sears. 'Na al die tijd?'

'Hij had een heel persoonlijke wraakactie uitgevoerd. Ik denk niet dat hij blij is dat een buitenstaander zijn magnum opus verstoort, zijn eerbetoon aan Marly Kelch. Moet je je voorstellen dat Da Vinci je betrapt op het tekenen van een snor op de *Mona Lisa*.'

'Als je een manier zou kunnen bedenken om dat opgeblazen ego van hem tegen zichzelf te keren, Cady, en dat gebruiken om hem binnen te halen,' opperde Sears. 'Maar ik denk dat je op het goede spoor zit. De Schaakman komt van die Kelch vandaan, een soort engel der wrake die vreselijk tekeergaat in haar naam. Blijf aan die boom schudden en wie weet valt er iets uit. Realiseer je wel dat je achter een sleen aan zit... En dat is verdomd jammer.'

'Een sleen?'

'Ik weet dat die geavanceerde profilers van tegenwoordig kunnen zeggen wat voor soort wc-papier de dader verkiest – enkellaags of dubbellaags – maar ik volg de eenvoudiger, bondiger methode van de man die meer dan tweehonderd jaar geleden ironisch genoeg het profilen uitvond.'

'Wie?'

'Napoleon Bonaparte.'

'Wat?'

'Echt waar. Napoleon verdeelde zijn soldaten in vier basistypen en ik heb de filosofie van de kleine keizer gejat en op daders toegepast. "Sleen" is slim en energiek, "slui" is slim en lui, "steen" is stom en energiek en "stui" is stom en lui. De meeste van die lui op wie ik jaag, behoren tot die laatste categorie: de stomme luilakken. Vorige week nog arresteerde de politie van Cambridge een jonge vent die probeerde een Mazda Miata te stelen. Alleen had die Miata een versnellingsbak, en die stomkop wist niet hoe hij moest schakelen. Hij was een half blok lang in de eerste versnelling op de vlucht toen de patrouilleauto arriveerde.'

'Er zitten behoorlijk domme lui daar in Cambridge, rechercheur.'

'Vertel mij wat. Die stomme luilakken zorgen wel voor veel pret. Maar de stomme energieken, nou, die bederven ieders pret, maar dat komt omdat het voornamelijk politici zijn. De stomme energieken zijn de mensen die Napoleon op een rij wilde zetten en neerschieten. Ik kan het hem moeilijk kwalijk nemen.' Sears haalde diep adem en vervolgde: 'Maar jij, mijn vriend, jij zit achter een slimme energieke aan, een sleen dus. Dat zijn de ergsten.'

'Heb ik even mazzel.'

'En jouw sleen gebruikt ook nog eens alle drie de gedeeltes van zijn brein. Zijn motief is emotie. Wat logica betreft... tjsa, hij heeft jou in een schaakwedstrijd finaal ingemaakt. En hij heeft ook duidelijk zijn reptieleninstinct gebruikt, voor wraak en overleving.'

'Je weet goed hoe je mij moet opvrolijken, Allan.'

'Pas op je tellen, Cady,' zei de rechercheur voor hij ophing. 'Die vent neemt geen donuts mee naar een vuurgevecht.'

'Er lag een schaakstuk in de asbak.'

Cady had SUNDOWN POINT RESORT op zijn mobieltje zien staan en was blij verrast dat Terri Ingram hem belde. Hij was nog verraster door wat ze hem net had verteld.

'Een schaakstuk in de asbak?'

'Probeer nog even bij de les te blijven, speurneus,' zei de eigenares van het vakantieoord waarna ze gehaast vervolgde: 'Nadat ik bij hem weg was gegaan, liet Bret het huis verschrikkelijk verslonzen. Ieder bord in huis was aangekoekt en in de gootsteen opgestapeld, de tapijten waren vuil, de kleren waren vies en overal stonden lege wodkaflessen. Je kon gedichten schrijven in het stof. En glibberige beestjes tierden welig in zijn badkamer. Ik heb die week van de begrafenis letterlijk doorgebracht met het steriliseren van die plek, dagen van veertien uur lang schrobben hielden me op de been. Wanneer ik even stopte begon ik onbeheersbaar te janken.'

'Dat is normaal, Terri. Je was in de rouw.'

'Ik was er nog lang na zijn dood slecht aan toe, maar ik wilde niet de voorgeschreven medicijnen slikken, valium of iets anders wat de pijn moest verdoven. Als onderdeel van het onophoudelijke schoonmaken smeet ik al Brets asbakken de deur uit, maar van die in het kantoor – aan de kant van de veranda waar ik met jou zat te praten, waar de gasten hun rekening komen betalen – herinnerde ik me dat er een soort schaakstuk in zat, midden tussen Brets gerookte sigaretten.'

'Heb je het nog?'

'Ik heb er vanochtend naar gezocht. Zie je, drie jaar terug, op weg naar de grote afvalcontainer buiten bij de verkoolde overblijfselen van de schuur, stopte ik bij het schoolgebouwtje en gooide het schaakstuk in de spelletjeskist. Herinner je je het schoolgebouw?'

'Ja,' antwoordde Cady. Het schoolgebouwtje, gemaakt van triplex, was zo groot als een tuinhuisje en stond naast de speeltuin. Kleine kinderen konden er 's middags schooltje spelen.

'Er staat een houten kist zo groot als een hutkoffer vol plastic speelgoed en poppetjes en spelletjes voor kleine kinderen om mee te spelen. Nou, na ons gesprek heb ik nog lang na zitten denken en dit kwam vanmorgen vroeg weer bij me boven, dus ben ik gelijk gaan kijken. Er lag één enkel schaakstuk op de bodem van de kist, hoewel er geen bijpassend schaakspel of bord bij zat, en voor zover ik weet is dat er ook nooit geweest. Ik riep zelfs "Bingo!", wat me vreemde blikken van de vroege vissers opleverde.'

'Welk schaakstuk was het, Terri?' vroeg Cady, hij voelde zijn enthousiasme vanbinnen opwellen.

'Ik heb nooit geschaakt, maar het is een van die kleinere stukken, weet je wel, die voorop staan – de pionnen,' zei Terri Ingram. 'Het is een glazen pion.'

'Puik werk, Terri. Puik werk. Luister, raak het niet aan en houd de kinderen alsjeblieft weg van de spelletjeskist. Ik stuur een agent binnen...'

'Ik sta al op het vliegveld in Minneapolis, Drew. Ik neem de volgende vlucht naar D.C.'

'Hoezo, wat ben je van plan Terri?' vroeg Cady. 'Dat schaakstuk maakt nu deel uit van het misdaadonderzoek.'

'Geen zorgen, speurneus. Ik heb het met een pincet opgepakt en in een afsluitbaar zakje gestopt... Hé, ik kijk ook naar CSI. Bovendien, het lag al drie jaar lang in een vieze spelletjesdoos, dus ik betwijfel zeer of je er nog veel wijzer van zult worden. Ik heb het bij me. En ik heb ook fotokopieën van Brets oorspronkelijke aankoopovereenkomst van het Sundown Point Resort en allemaal interessante papieren. Het blijkt dat hij een suikeroom had in het oosten van het land, iets wat de SGL-Groep heet.'

'De SGL-Groep?'

'Het is mijn beroep niet, maar ik gok dat SGL staat voor Snow Goose Lake,' antwoordde Terri. 'Trouwens, Drew, ik ben van plan Dorsey Kelch op te zoeken wanneer ik daar ben.'

Cady was teleurgesteld over de richting die het gesprek opeens insloeg. 'Dat zou ik je ten zeerste afraden, Terri.'

'Of ik je hulp nou wel of niet krijg, agent Cady,' antwoordde Terri Ingram vastberaden, 'ik ben van plan om Dorsey Kelch op te zoeken.'

24

'Nadat hij de Kellervick-dossiers op een USB-stick had opgeslagen,' zei agent Preston terwijl ze naar Cady keek, 'bood hij de doodsbange meneer Banning uitgebreid zijn excuses aan voor enig ongemak en stelde hij zich, nogmaals, voor als agent Drew Cady. Toen vertelde hij het Hoofd Investeringen van K&P dat dit een "verbeterde verhoormethode" was, die het Bureau onlangs had ingevoerd.'

Cady schudde het hoofd.

'Toen drogeerde hij Banning opnieuw en dumpte hem op de oprit van zijn huis in Newton. Banning werd rond drie uur 's nachts wakker, nog steeds beneveld, en kreeg bijna zijn vierde hartaanval in evenzovele uren, tot het hem daagde dat hij in een kofferbak zat en niet in een doodskist. Hoe dan ook had de OV, een heer als altijd, de kofferbak voor het Hoofd Investeringen niet op slot gedaan.'

'Want, wat stelt een beetje ontvoeren, aanvallen met een dodelijk wapen en zich voordoen als een FBI-agent eigenlijk voor, nu de lijken zich opstapelen als brandhout?' Adjunct-directeur Jund sprak langzaam, bijna fluisterend, zodat alle FBI-agenten aan de vergadertafel voorover leunden om hem te kunnen verstaan. 'Die gek zit ons nu uit te dagen.'

Het werd stil in het vertrek. Cady beet op zijn onderlip en zei niets. Preston was de SAC – de *special agent in charge* – en hij moest doen wat zij zei. Bovendien was hij dankbaar dat hij niet in Prestons schoenen stond, waar het behoorlijk heet onder de voeten kon worden, tijdens deze vergadering waar alle nieuwe ontwikkelingen hen voor een raadsel deden staan.

'Ik heb vóór de vergadering met Drew gesproken en hij en ik zijn het over drie dingen eens,' zei Preston, de stilte verbrekend. 'Ten eerste, de Schaakman leeft nog. Dane Schaeffer en Bret Ingram worden nu als slachtoffers van moord beschouwd. We weten nu zelfs dat een glazen schaakstuk oorspronkelijk bij Ingram is achtergelaten in Cohasset, Minnesota. We weten zeker dat Ingram en waarschijnlijk ook Congreslid Farris een valse verklaring gaven met betrekking tot de Zalentines en hun betrokkenheid bij de dood van Marly Kelch dertien jaar terug in Snow Goose Lake.'

'*Suggestio falsi,*' zei de adjunct-directeur tegen de groep in het algemeen. '*Suppressio veri.*'

'Een valse verklaring om de echte waarheid te verbergen,' vertaalde agent Preston hardop.

'Een kulverhaal om de waarheid te verdoezelen,' vertaalde Cady verder, 'om de gebeurtenissen van die nacht in Snow Goose Lake in de doofpot te stoppen.'

'En daarvoor was Bret Ingram de eerste in een reeks Schaakman-moorden. Het spel werd geopend met een pion, Ingram, die zelfs al voor de koningin, K. Barrett Sanfield, uit het spel werd gelicht, wat wij aanvankelijk voor de eerste zet hielden. Ten tweede,' vervolgde agent Preston haar betoog, 'geloven Drew en ik dat de Schaakman-copycat waarschijnlijk verantwoordelijk is voor de moorden op Gottlieb en Kellervick.'

'Wat is het verband tussen Gottlieb en Kellervick?' vroeg de adjunct-directeur.

'Het enige verband dat we hebben kunnen ontdekken is dat Kellervick vijf jaar terug een conferentie bijwoonde waar Gottlieb de belangrijkste spreker was,' antwoordde agent Beth Schommer, die het oplas van haar opschrijfboekje. 'Maar Kellervicks collega's die met haar die conferentie bijwoonden, zeggen allemaal dat ze Gottlieb lieten schieten en ervoor in de plaats een vloeibare lunch gingen gebruiken.'

'Hoe passen de schaakstukken in deze versie? Sanfield en Gottlieb zijn allebei een koningin waard, Ingram en Kellervick zijn de pionnen?'

'Of het nou een copycat is of niet,' zei agent Tom Hiraldi, de schaakdeskundige die ook weer bij deze zaak was betrokken, 'het is hoe dan ook een nieuw spel. Congreslid Farris – de koning – was drie jaar terug dodelijk schaakmat gezet. Met Gottlieb is er een nieuwe wedstrijd begonnen.'

'Wat is je derde punt, Liz?'

'Drew en ik zijn van mening dat de oorspronkelijke Schaakman uit zijn hol is gekropen om zijn eigen copycat te pakken te krijgen.'

'Dus we hebben de oorspronkelijke Schaakman die zijn eigen copycat achternazit, van Washington, D.C. naar Boston, en zich voordoet als agent Drew Cady om een dikke vinger naar het Bureau op te steken. Dit komt op hetzelfde neer als in het speelkwartier een pak rammel krijgen ten overstaan van de meiden.' Jund sloot zijn ogen, alsof hij het daarmee allemaal kon laten verdwijnen. 'Hoge omes volgen dit onderzoek – eigenlijk is "peuken schijten" een nauwkeuriger omschrijving. Ik kan jullie verzekeren dat de president dit onderzoek scherp in de gaten houdt. Mij persoonlijk wordt het vuur na aan de schenen gelegd over dit onderzoek. Dagelijks. Ik loop op gloeiende kolen. En het begint steeds meer te lijken op iets wat uit de reet van een koe is komen vallen.'

Een daverende stilte. Je kon niet eens meer een speld horen vallen.

Uiteindelijk deed Jund zijn ogen weer open. 'Wat probeert hij te bereiken met toegang krijgen tot Elaine Kellervicks werkbestanden?'

'Hij zit ongetwijfeld nog steeds te vissen,' haakte agent Fennell Evans in. 'We stellen een lijst samen van klanten waar Kellervick de laatste drie jaar contact mee had. Hoewel Kellervick meer een analiste achter de schermen was. Ze had niet veel rechtstreeks klantencontact. We proberen Kellervicks werkbestanden te bestuderen. Albert Banning is daar niet zo blij mee, maar ik heb hem verzekerd dat onze onderzoekers de werkzaamheden ter plekke zullen uitvoeren en dat hij zelfs in dezelfde kamer met ze mag zitten als hij dat wil. Ik heb Banning ook verzekerd dat alle klantengegevens van Koye & Plagans uiterst vertrouwelijk zullen worden behandeld.'

'Tenzij er iets opduikt,' zei Jund.

'Tenzij er iets opduikt,' antwoordde Evans.

'Nu we het daar toch over hebben, onze forensisch onderzoekers pluizen Ingrams oorspronkelijke aankoopovereenkomst voor Sundown Point Resort uit,' bracht Cady te berde. 'Het resort werd voor Ingram gekocht met de hulp van een nepstichting – de SGL-Groep – waarvan we vrij zeker zijn dat die uiteindelijk zal terugvoeren naar de Zalentines. We hebben Eric Braun van de lijst geschrapt, een ex-marinier en oude schoolvriend van Marly Kelch. Ik spreek Dorsey Kelch morgen weer.' Cady zei niet dat hij een bezoeker meenam naar het huis van mevrouw Kelch. Het ging tegen al zijn principes in, maar Terri Ingram had erop gestaan Dorsey Kelch te bezoeken toen Cady haar had opgehaald op het Ronald Reagan National Airport en naar het J. Edgar Hoover Building had gereden, waar ze haar verklaring op dit moment aan het afleggen was en kennismaakte met de onderzoekers.

'Wat dachten jullie ervan de zoektocht uit te breiden naar iedereen die aanwezig was op Schaeffers feestje?' vroeg agent Preston.

'Sheriff Littman in Bergen County heeft me de lijst met feestgangers van het oude politierapport gefaxt. Hij heeft zelf ook wat speurwerk verricht maar er is niks boven water gekomen. De meesten zijn inmiddels getrouwde yuppen met kinderen en alibi's.'

'Kan niemand me verlossen van deze oproerige zak?' zei de adjunct-directeur tot de aanwezigen, maar hij keek agent Cady kwaad aan.

Het werd voor de derde maal stil in de kamer.

'Goed dan,' zei de adjunct-directeur, omlaag kijkend naar zijn aantekeningen. 'Als de Schaakman ons niet al genoeg de stuipen op het lijf jaagt, hoe zit dat dan met die copycat? Wat is het motief van de copycat voor de moord op Gottlieb en Kellervick?'

'Afgaand op het werk dat ze deden, moet het te maken hebben met de financiële sector, een of andere economische beweegreden, iets wat te maken heeft met de markten. Echt, sir,' Cady sneed het onderwerp aan waar hij even met Preston over had gesproken, 'misschien moeten we rekening houden met de mogelijkheid dat de Schaakman-copycat meer dan één OV is.'

'Een samenzwering?' De adjunct-directeur fronste. 'Maar waarom deed hij al die moeite voor het imiteren van de werkwijze van de Schaakman?'

'Logisch,' zei Cady. 'Om ons op een dwaalspoor te brengen.'

25

'In het ergste geval scheldt Dorsey Kelch me uit en zeg jij: "Zie je wel?", en dan trakteer ik jou op een lekkere lunch op de terugweg naar Washington.'

'Ze is veel te beschaafd om dat te doen, maar als er ook maar een beetje een ongemakkelijke situatie ontstaat nadat je je zegje hebt gedaan, ga je maar koffie drinken bij de Starbucks. Geef mij een uur om een lijst op te stellen van de mannelijke personages die een rol hebben gespeeld in Marly's leven.'

'En als die vent nou een soort Don Quichot was, die haar kuis op afstand beminde?'

'Het wordt lastig als het een onbekende is die twintig jaar terug de banden van de stationwagen een keer heeft verwisseld. Maar we moeten het dichterbij zoeken. Ik voel het.' Cady aarzelde. 'Er ontbreekt alleen nog steeds iets, een schakel die ik gemist heb.'

Het was een rustig ritje naar Reading, in Pennsylvania, geweest, waarschijnlijk omdat Terri haar gedachten aan het ordenen was en oefende wat ze tegen Dorsey Kelch moest zeggen. Ze hadden de vorige avond in de Embassy Suites-bar allebei flink doorbakken cheeseburgers en slappe frietjes gegeten, waarna ze zich allebei terugtrokken; Ingram naar haar suite en Cady naar een kamer op naam van Eddie Hoover, een schuilnaam die Jund, die eeuwige grappenmaker, verzonnen had om het aantal ongewenste bezoekers te minimaliseren.

Cady voelde zich onbeholpen, opgelaten. Ze hadden besproken hoe ze Dorsey Kelch het beste konden geruststellen zodat Terri haar zegje kon doen, om de last van het om vergeving vragen van zich af te kunnen laten vallen, en er daarna meteen vandoor te gaan als het gesprek misliep. Cady was ertegen geweest om onaangekondigd op de stoep te staan en mevrouw Kelch te overvallen, maar Terri had erop aangedrongen, ze geloofde dat als ze eerst zouden bellen, ze nul op het rekest zouden krijgen. Tegen de tijd dat hij de ongemarkeerde burgerwagen, een Buick LaCrosse die aan hem was uitgeleend, op Kelch' oprit had geparkeerd, had Cady besloten het als Joe Friday uit *Dragnet* te spelen: *Alleen de feiten, mevrouwtje. In de loop van het lopende onderzoek wordt Bret Ingrams dood nu als moord geclassificeerd en Ingrams weduwe, die echt kapot was van het nieuws dat haar man waarschijnlijk bij de gebeurtenissen bij Snow Goose Lake een rol had gespeeld, zou u graag even spreken, met uw toestemming.*

'Het spijt me dat ik u voor de tweede keer deze week moet storen.'

Dorsey Kelch hield de hordeur vast en keek naar Cady's auto. 'Wil uw partner ook niet even binnenkomen?'

'Ik zou graag even met u willen praten, mevrouw Kelch.'

Een uur later probeerde Cady nog steeds uit te dokteren hoe hij de controle was kwijtgeraakt terwijl hij naar zijn wagen terugliep met de riem van Rex, die kwaadaardige hond van moeder Kelch, in zijn rechterhand en een leeg plastic zakje in zijn linker.

Mevrouw Kelch had gegrimast toen hij haar vertelde dat Bret Ingrams weduwe met haar wilde spreken. Ze had schoorvoetend ingestemd, en Cady ging Terri Ingram voor de oprit op, en hij stelde ze aan elkaar voor. Terri zag er geweldig uit in haar gebreide vestje met korte mouwen en witlinnen broek, maar Cady kon zien dat ze gespannen was, de galgenmaal-en-nog-een-laatste-sigaret-gespannenheid.

Ook vroeg hij, zoals afgesproken, mevrouw Kelch of hij gebruik mocht maken van het toilet na al die koffie te hebben gedronken tijdens die lange rit. Op de wc keek Cady door het raampje naar de achtertuin waar Marly Kelch al die jaren terug met haar vrienden had gespeeld. Hij zag dat de teckel nog altijd onder de picknicktafel lag, net als de vorige keer dat hij er was geweest. Helaas merkte het schoothondje hem ook op, kwam overeind en begon te keffen. Cady trok zich langzaam terug tot de teckel zijn kabaal staakte. Blijkbaar koesterde Rex nog steeds onaangename gevoelens ten opzichte van Cady. Dat gevoel was wederzijds.

Cady hoorde stemmen uit de woonkamer komen, maar hij kon niet horen wat er werd gezegd. Terri praatte het meest, en af en toe werd ze onderbroken door Dorseys korte antwoorden. Cady hoorde Terri's stem haperen, dus opende hij de badkamerdeur, maakte geluiden alsof hij zijn handen waste en vervoegde zich toen bij de twee in de andere kamer.

'Alles oké?' vroeg Cady, klaar om Terri terug naar de sedan te begeleiden.

Dorsey Kelch knikte hem even toe. Hij wendde zich tot Terri en terwijl hij mevrouw Kelch het gezicht benam, mompelde Terri: 'Hu-hum', en wees van hem naar de deur, niet al te subtiel om meer tijd vragend. Hij begreep de hint.

'Neem me niet kwalijk, ik moet even bellen.' Hij liep naar de Buick buiten.

In de auto controleerde Cady zijn voicemail. Alleen een bericht van agent Evans met de vraag of hij de lijst feestgangers mocht onderzoeken, en hij stelde voor om de familie en vrienden van Dane Schaeffer ook aan een onderzoek te onderwerpen. Cady vroeg zich af of Jund een rol had gespeeld in Evans' aanbod om hem te helpen.

Toen zocht Cady in zijn aktetas en vond agent Drommerhausens oude profiel van de Schaakman en bladerde naar het gedeelte dat met de hulp van schaakdeskundige agent Hiraldi was opgesteld. Hij had deze passage in het verleden herhaaldelijk overgelezen en ging er nog eens doorheen.

De OV speelt op het allerhoogste niveau, is zijn tegenstander een aantal stappen voor. Hij gebruikt een overrompelingsstrategie, schakelt heel brutaal zijn tegenstander uit. De doorsnee schaakspeler speelt het spel voorzichtig, uit angst, omdat hij niet weet wat er zou gebeuren als hij op woeste wijze zijn stukken over het schaakbord schoof, maar de ervaring leert hem dat de gevolgen heel ernstig kunnen zijn. Grote spelers beseffen maar al te goed dat pure agressie meestal bestraft wordt. Niettemin beseffen zij ook dat wanneer hun tegenstander niet ervaren genoeg is om zijn stukken strategisch te plaatsen, een totale verrassingsaanval valt aan te bevelen; de kwetsbare plekken die de gemiddelde speler niet ziet, worden dan ook genadeloos uitgebuit.

Cady keek naar zijn lege bekertje pompstationkoffie en besefte dat hij nu echt naar de wc moest. Toen hij terugliep naar Kelch' huis, versperde Dorsey Kelch de deuropening, overhandigde hem Rex aan een halsband en een zakje voor eventuele uitwerpselen van de hond en vroeg of Cady Rex voor zijn ochtendwandelingetje kon uitlaten. Dorseys ogen waren roodomrand. Hij zag Terri aan de andere kant van de kamer, de tranen stroomden over haar wangen. Cady pakte de hondenriem aan, de blaffende teckel en het zakje, en verdween.

'Is Rex niet geweest?' vroeg mevrouw Kelch toen Cady terug was en ze het lege zakje aannam en de riem losmaakte. 'Je kunt er bij hem, zo laat in de ochtend, meestal de klok op gelijkzetten.'

Cady deed zijn mond open maar zei niets.

'O mijn god, Dorsey,' riep Terri uit. 'Kijk naar zijn gezicht. Rex is wel geweest, maar meneer de speurneus heeft het niet opgeraapt.'

'O hemel,' zei mevrouw Kelch. 'Ik hoop maar dat het een paar blokken verder was. Hier in de buurt kennen ze Rex allemaal.'

'Ik moet weer even van uw wc gebruikmaken.' Cady haastte zich door de gang, weg van die twee giechelaars, en vroeg zich af wanneer hij precies de controle was kwijtgeraakt.

'... en als Marly hier weer was voor de vakantie ging ze weer als serveerster in de Sea Shack werken,' legde mevrouw

Kelch uit. 'Mike Dean, de eigenaar, en diens familie kennen we uit de kerk en Mike liet Marly vaak avonddiensten draaien wanneer ze weer terug was. De Sea Shack zit altijd stampvol.'

Cady bekeek de namenlijst vluchtig. 'We hebben Dean staan op de kerknamenlijst.'

Dorsey glimlachte. 'Mike is al bijna tachtig.'

'Heeft hij zonen?'

'Nee.'

'U zei dat Marly privétennislessen gaf, maar meestal aan vrouwen, toch?'

'Ze hielp haar oude coach van de middelbare school, Curt Wently, met een paar meisjes uit het team die veelbelovend waren maar wat extra begeleiding nodig hadden. Vooral vijftien- en zestienjarigen die hoopten in het schoolteam te komen. Af en toe liet Curt haar spelen tegen een van zijn nieuwe tennissterren, om te zien hoe goed ze waren.'

Cady zette een vinkje naast coach Wently's naam en boog zich toen weer over een tijdslijn die hij had gemaakt. 'U zei dat Marly soms in de dierenwinkel werkte wanneer ze in de stad was?'

'Ze hielp daar met het schoonmaken van de kooien en aquaria sinds haar veertiende. Ze was gek op dieren. Marly werkte er parttime tot ze zeventien was, toen besefte ze dat ze als serveerster meer kon verdienen om haar studiekosten te betalen. Maar tot het eind bleef ze bij de dierenwinkel binnenwippen. Als er een manager ziek was, belden ze soms op om te vragen of ze op de winkel kon passen. Als ze vrij was, nam ze de dienst over.'

'Je dochter was erg mooi.' Terri had stilletjes door de familiefotoalbums gebladerd terwijl Cady zijn tijdslijn samenstelde en namen met mevrouw Kelch besprak, en toen ze het laatste album dichtklapte stond ze op om de portretten op de gang te bekijken. 'Waar is deze foto genomen?'

'Haar vader heeft hem geschoten op onze tocht naar Yellowstone. Peter was gek op dat portret, hij had hem zelfs laten vergroten.'

'Zo'n bijzonder iemand, Dorsey,' fluisterde Terri, de lijst voorzichtig aanrakend. 'De wereld is zonder haar veel minder mooi.'

'Dat is bijna woordelijk wat Jakey zei op een van zijn laatste bezoeken.'

'Jakey?' vroeg Terri.

'Jake Westlow. Marly paste als kind wel eens op hem.' Cady zocht door zijn aantekeningen. 'Westlow benam zichzelf het leven na de dood van zijn moeder.'

'Zo triest.' Dorsey zei het meer tegen zichzelf dan tegen haar bezoekers. 'Het lijkt nog maar als de dag van gisteren dat Jakey dat zei. Hij kwam ongeveer een week voor Lorraine haar strijd tegen de kanker verloor langs. Zij zat tegen die tijd in een hospice. We bladerden door een tijdschrift met foto's en iets herinnerde ons aan Marly; Jakey zei toen: "De wereld is lang niet zo mooi zonder haar." Het is nu tien jaar later en nog altijd doet het me de tranen in de ogen springen.'

Het bleef even stil in de kamer.

'Je zag waarschijnlijk een model in een modeblad dat leek op Marly,' zei Terri.

'Nee.' Dorsey wees naar een stapel tijdschriften op haar koffietafel. 'Ik ben geabonneerd op de *Newsweek* en, nu ik er nog eens over nadenk, er stond in dat nummer een artikel over vader en zoon Farris, de oude senator en zijn zoon het Congreslid.'

'Die twee stonden samen op de voorkant.' Cady had het stuk jaren geleden gelezen. Meerdere keren. Er zat waarschijnlijk een kopie van het artikel over de Farris-dynastie in een oude dossiermap in zijn werkcel in het J. Edgar Hoover Building.

'U hebt gelijk.' Dorsey knikte. 'We bladerden de *Newsweek* door en ik zei tegen Jakey dat Marly Patrick Farris had gekend toen ze studeerden aan Princeton, voordat hij in zijn vaders voetstappen trad. Jakey wist dat op dat moment nog niet en vroeg of hij het tijdschrift mocht lenen.'

'Wat was de laatste keer dat u Jakey Westlow zag?' vroeg Cady.

'Ik was een paar weken later samen met hem op zijn moeders begrafenis. Het was heel sober. Lorraine had niet veel vrienden. Jakey kwam ook nog een laatste keer gedag zeggen, zo'n week later. Hij had met een makelaar afspraken gemaakt om het huis te verkopen en was klaar met het afhandelen van zijn moeders... leven... en ging terug naar zijn huis in San Diego, waar hij toentertijd woonde. Hij was er helemaal kapot van.' Dorsey schudde het hoofd. 'Had ik maar geweten wat er stond te gebeuren.'

'Was u aanwezig op zijn begrafenis?'

'Het lot wilde, agent Cady, dat ik er te laat achter kwam. Het gebeurde in Californië. Ik hoorde er een maand later over via een buurtgenoot. Ik zocht Jakeys overlijdensbericht online op. Het was een kort bericht; het soort voor jonge mensen waarbij je gaat denken dat het misschien om een zelfmoord ging. Ik was ontroostbaar. Hij had geen familie meer die erbij aanwezig kon zijn.'

Terri rekende even. 'Jake kon niet veel jonger dan Marly zijn geweest. Hooguit vijf jaar.'

'Jakey was drie jaar jonger. Marly was ongeveer tien en hij zeven toen ze elkaar voor het eerst ontmoetten, weet je wel, spelende buurtgenootjes. Maar Marly was voorlijk en Lorraine klampte haar aan wanneer ze een afspraakje had en iemand op de kleine Jake moest passen.' Er verscheen weer een glimlach op haar gezicht. 'Marly was drie jaar ouder, maar zoals Jake vaak voor de grap zei, hij had haar bijgehaald.'

'Haar bijgehaald?' vroeg Terri niet-begrijpend.

'Er werden hem een bepaald soort toetsen afgenomen, hij doorliep een of ander speciaal programma, en uiteindelijk slaagde hij op de middelbare school in dezelfde klas als Marly. Jakey was een echt wonderkind. Op zijn verzoek deden Pete en ik ons best om hem in Reading Central Catholic te krijgen. We hebben een paar stevige discussies gehad met Lorraine over het katholieke aspect, maar ze wist dat haar zoon een buitengewoon kind was en ze was bang dat hij in een openbaar schoolsysteem zou worden gesmoord. Hij was uitzonderlijk goed in rekenen en Engels, een echt wonderkind in de natuurwetenschappen. Reading Central had nog nooit zoiets meegemaakt. En daarna ook niet meer. Hij slaagde met vlag en wimpel voor elke toets die hem werd afgenomen, geen centje pijn.'

'Erg indrukwekkend.'

'Maar ik had echt wel een beetje met hem te doen op de middelbare school, en niet alleen vanwege zijn gezinssituatie, geen vader thuis, maar meer wat betreft zijn sociale aanpassingsvermogen. Hij paste zich niet aan aan de andere kinderen. Begrijp je, hij maakte zo'n snelle ontwikkeling door. Te snel, achteraf, als je bedenkt hoe het uiteindelijk allemaal afliep. Jakey was een vijftien jaar oude laatstejaars, een heel goeie sporter – een worstelaar – maar wel een uiterst gevoelige vijftienjarige, omringd door drie jaar oudere jonge mannen. Hij viel uit de toon. Jakey zat in de eindexamenklas, maar was er nog niet klaar voor, als je begrijpt wat ik bedoel. Ik denk dat Marly die moeilijke overgang wat makkelijker voor hem maakte.'

'Hij hield van haar, toch?' vroeg Terri.

'Ik denk dat Marly Jakeys eerste vriendschap was. Misschien wel zijn enige. Dit was Jakes tweede thuis. We kookten doorgaans extra voor het geval hij kwam opdagen. Een mooi stel, die twee mafketels, dan lagen ze voor de tv allerlei soorten spelletjes te spelen – dammen, zeeslag, monopolie, knikkeren. Ze hielden in die tijd ook allebei van tennis, ze speelden iedere avond op de tennisbaan van de school. Marly had er echt aanleg voor en werd er heel goed in. Jakey bezocht al haar wedstrijden, de thuiswedstrijden in ieder geval, om haar toe te juichen. Ja, Terri, om op je vraag terug te komen: Jakey hield hartstochtelijk veel van Marly. Van begin tot eind.'

26

'Maar Jake Westlow is overleden,' herhaalde Terri. 'Zou je dat geen dood spoor noemen?'

Ze zaten in Trattoria Nicola, het Italiaanse restaurant van het hotel. De rit terug naar Washington, D.C., waren ze heel opgewekt geweest, veel opgewekter dan tijdens de sombere tocht naar Reading. Terri had Cady's deel van het gesprek gehoord terwijl hij de nieuwe namen oplas en zijn bevindingen rapporteerde aan agent Preston.

'Denk eens aan het patroon dat we tot nu toe hebben gezien, Terri. De dood van je man moest op een ongeluk lijken. Dane Schaeffers dood moest op zelfmoord lijken. Als Westlow de Schaakman was, wetend wat hij ging ondernemen – tot en met het doden van een Congreslid in functie – zou het fingeren van zijn eigen dood ons op een dwaalspoor zetten en hem maximale armslag geven.'

'Maar zelfmoord is bij Jake niet ondenkbaar. Sommige mensen zijn gewoon te slim. Een vallende ster brandt het eerst op. Marly sterft een tragische dood. Jakes moeder sterft langzaam en pijnlijk. Opeens is hij helemaal alleen op de wereld.' Terri nipte langzaam van haar Pinot Nero. 'Waarschijnlijk is hij het nooit meer te boven gekomen dat de liefde van zijn leven zo jong overleed.'

'Dat is het waarschijnlijkste scenario. Een blik op het autopsieverslag zal alles duidelijk maken. Als dat onomstotelijk bewezen kan worden, gaan we verder kijken wat Marly's tenniscoach en die drie andere namen in hun vrije tijd hebben uitgespookt.' Cady schoof een van zijn overgebleven stukjes champignonravioli met zijn vork over zijn bord.

'Ik ben trots op je, Terri. Er was heel wat lef voor nodig om Dorsey Kelch onder ogen te komen. Ik denk niet dat ik dat had kunnen opbrengen.'

'Echt wel, speurneus. Jij had het gewoon op je eigen manier gedaan.'

'Heb je haar het vakantieoord aangeboden?'

'Net voor jij met Rex terugkwam. Dorsey lachte en zei dat ze geen idee had wat ze met vakantiehuisjes aan een meer in Minnesota aan zou moeten.'

'Heb je gekregen waar je naar op zoek was?'

'Ik dacht dat ik me beter zou voelen.' Terri haalde haar schouders op. 'We zijn eigenlijk allemaal open wonden, die op zoek zijn naar een pleister.'

'Zie je mij als open wond?'

'Jou helemaal.' Terri glimlachte. 'Trouwens, ik zie dat je geen ring meer draagt.'

'Iemand die ik kortgeleden heb ontmoet zette me aan het denken over welke geest me plaagde... of wat voor misplaatst statement ik probeerde te maken. Ik zie dat jij de jouwe ook niet meer draagt.'

'Een of andere visser zal de jackpot winnen bij het schoonmaken van een forelbaars. Ik heb die ring zo ver als ik maar kon het meer in geslingerd.'

'Waar was dat goed voor?'

'Je hebt vorige week mijn hele wereld op zijn kop gezet, speurneus. Ik ga na die klap echt geen huisjes meer verven. Ik kan aan niets anders meer denken. Wat Bret heeft gedaan is onvergeeflijk. Het was walgelijk en immoreel; al die jonge vrouwen die de Zalentines hadden vermoord zouden nu nog leven als hij die griezels geen alibi had verstrekt. Niemand verdient het om zoals Bret te sterven, maar het is moeilijk nog te rouwen nu ik zijn geheim ken. De tijd heelt alle wonden, denk ik, en Brets verleden heeft hem eindelijk ingehaald. Hoe dan ook, ik heb alle banden verbroken.'

'Het spijt me, Terri.'

'Jij zit achter de waarheid aan, Drew. En alles valt nu langzaam op zijn plaats. Waar ik kom te vallen zie ik wel.

Je hoeft je nergens voor te verontschuldigen... nou, behalve voor dat met die hond.'

Cady schudde zijn hoofd. 'Ik haat Rex.'

Terri barstte in lachen uit en schoof haar bord, waar nu geen Parmezaanse kip meer op lag, weg. Het was fijn om te horen, vond Cady. Wat kan één dag veel verschil uitmaken.

'En wat doe jij zoal wanneer je niet achter boeven aan zit en weduwen van hun stuk brengt?'

'Wel eens van numismatiek gehoord?'

'Wat is dat?'

'Dat is de studie van munten en penningen. Ik verzamel zeldzame munten.'

'De speurneus is dus lang, knap en een nerd?'

'Ik weet het, veel mensen drijven er de spot mee.'

'Ik spot daar niet mee, Drew. Ik spot met jou.'

'Goeie,' zei Cady. 'Vind je het leuk om de geschiedenis te bestuderen?'

'Ik kijk wel eens naar History Channel. Als het op staat, denk ik elke keer dat ik het elke dag zou moeten kijken.'

'Ik ben een echte geschiedenisgek. Het merendeel van mijn verzameling bestaat uit zeldzame Amerikaanse munten. Nu ga ik echt iets nerderigs zeggen: ik ben lid van de American Numismatic Society.'

'Ze worden bij de Holiday Inn elk jaar ongetwijfeld akelig zenuwachtig wanneer dat stelletje voor het jaarlijkse banket bijeenkomt.'

'We fuiven anders wel door tot bijna negen uur 's avonds.'

'Welke munten heb je zoal in je verzameling?'

'Het is vooral kleingeld. Ik heb eerder dit jaar een zilveren driecentstuk uit 1851 op de kop getikt, ontworpen door een belangrijke graveur die James Barton Longacre heette, geslagen in het muntgebouw in Philadelphia.' Cady pakte zijn pen uit het borstzakje van zijn sportjack en schetste de munt achter op zijn onderzetter, en schoof het toen naar Terri toe. 'Een grote C met het Romeinse cijfer III erin.'

'Een munt van drie cent lijkt me een vreemde waarde.'

'Hier komt de geschiedenis in het spel. De Californische goudkoorts begon in 1848 in Sutter's Mill. Herinner je je de *forty-niners*?'

'Natuurlijk.'

'Nou, ten gevolge van de goudkoorts steeg de prijs van zilver en begonnen mensen zilveren munten te hamsteren en om te smelten, omdat ze als metaal meer waard waren dan als betaalmiddel. Munten die minder waard waren dan hun nominale waarde werden in die tijd meestal geweigerd. In diezelfde tijd had de Amerikaanse post zijn tarief tot drie cent verlaagd. Het Congres bedacht het plan om een driecentmunt te slaan met net genoeg edelmetaal erin, zilver, om te voorkomen dat het minder waard zou zijn dan de waarde van de munt, maar niet genoeg om het om te smelten. Die munten waren klein en dun, maar ze dienden hun doel bij het kopen van postzegels.'

'Interessant. Hoe groot is je verzameling?'

'Enkele tientallen munten. Ze hebben geen van alle veel gekost, ik ben een amateurverzamelaar die op de kleintjes moet letten.'

Terri staarde Cady aan. Hij kon zien dat ze iets op haar lever had. Ze leek te aarzelen, maar even later hakte Terri toch de knoop door.

'Over geschiedenis gesproken, Drew, nadat jij Grand Rapids had verlaten ben ik online gegaan en heb ik alle krantenartikelen over de moorden op de Zalentine-tweeling, K. Barrett Sanfield, Dane Schaeffer en Patrick Farris gelezen die Google maar kon vinden. De recentere artikelen na Dane Schaeffers dood meldden dat een niet bij naam genoemde FBI-agent rond de tijd van zijn... moord... bij het Congreslid aanwezig was, en dat die agent vreselijk was toegetakeld door de moordenaar.' Terri's ogen gleden even over de littekens die over Cady's rechterhand liepen. 'Het spijt me, Drew.'

Cady knikte. Hij voelde dat hij begon te blozen dus greep hij de fles Pinot Nero, vulde Terri's glas bij en leegde het laatste restje in zijn eigen glas.

'Iets toe?'

'Wat?'

'Daar komt de serveerster.'

'O.'

In een hoekje aan de andere kant van de ruimte gaf een man met zwart haar en John Lennon-brilletje de serveerster een teken dat hij nog een ginger ale wilde. Zijn bruschetta stond wat aan de rand van de tafel, onaangeraakt. Het leek erop dat de afspraak van de man niet op was komen dagen. Hij keek op zijn horloge en tuurde toen langzaam rond door de eetzaal, zijn ogen bleven even rusten op Cady's tafel, waarna ze zich weer richtten op het dagelijkse kruiswoordraadsel in *The Washington Post* op zijn tafel.

Ze zaten allebei propvol en deelden een Torta di Chocolate, waarbij Cady het leeuwendeel van de cake en het ijs verslond. Ze namen allebei een cappuccino als tegenwicht voor de Pinot. Later bracht Cady Terri terug naar haar kamer en wachtte hij terwijl zij het sleutelkaartje onder uit haar tas opdiepte. Terri haalde de kaart tevoorschijn en keek naar Cady.

Ze staarden elkaar een paar tellen aan.

'Welterusten.' Cady maakte aanstalten om te gaan.

'Speurneus?'

Cady draaide zich om.

'Alles goed, speurneus?'

Cady keek haar vragend aan en knikte.

'Ik wil niet opdringerig zijn, Drew. Het is een heftige week geweest, en op een bepaalde manier voel ik dat ik je echt goed heb leren kennen. Je lijkt zo verdomde teruggetrokken.' Terri zette een stap naar hem toe. 'Weet je zeker dat alles goed is?'

Cady aarzelde. 'Ik hoef niet gered te worden, Terri. Ik ben niet gebroken. En ook geen open wond.'

'Misschien niet, Drew.' Terri zette nog een laatste stap tot ze vlak voor Cady stond en keek naar hem op. 'Misschien niet.'

Cady keek omlaag in Terri's ogen en wilde zich opeens diep in dat marmerblauw laten wegzinken. Hij gleed met zijn hand onder het smalste gedeelte van haar rug en trok haar weelderige vormen tegen zich aan. Hij boog omlaag voor de kus. Hoewel ze elkaar bleven omarmen slaagde Terri erin met de sleutelkaart de deur te openen en ze tuimelden samen achterwaarts haar kamer binnen.

27

Een halfjaar geleden

'Papa,' zei Lucy, 'herinner je je Paul Crenna nog?'

Hartzell smeet *The Wall Street Journal* op de koffietafel, gooide zijn bril boven op de krant en stond op van de bank.

'Natuurlijk. NYU, toch, Paul?' Hartzell schudde de hand van de jongere man met een kordate greep.

'Laatstejaars, meneer,' antwoordde Crenna. 'Tijd om serieus te worden.'

'Welke afstudeerrichting?'

'Bedrijfskunde, met als minor Economie.'

'Ik denk dat doctor Sladek je flink laat zweten. Ty Sladek is een goeie vriend van me, Paul. Een betere kerel zul je nooit ontmoeten.'

'Wie is doctor Sladek?' vroeg Lucy.

'Tyson Sladek is een hoge bestuursfunctionaris aan de New York University,' antwoordde haar vriendje.

'Ty's opvattingen over onderwijs kunnen behoorlijk veeleisend zijn. Hij ziet de geest als een spier die continu getraind moet worden, een strikt regime van aerobics, korte sprint, *crunch-ups* en powerlifting om hem volledig te ontwikkelen en goed in vorm te houden. De universiteit is een virtueel trainingskamp voor het intellect.'

Lucy onderdrukte een gaap en liep naar de keuken. 'Ik zal wat wijn voor jullie halen, jongens... een virtuele garantie voor nog meer stimulerende gesprekken.'

'Janice heeft een portie van die met krab gevulde paddenstoelen achtergelaten waar jij zo gek op bent, Lucy, als je die misschien wilt opwarmen.'

'Jammie, hoewel ik denk dat we allebei wel weten wie het meest van die krabpaddenstoelen houdt, hè papa?'

Hartzell grijnsde breed, legde een hand op Crenna's schouder en begeleidde de student bedrijfskunde naar het enorme panoramaraam, weg van de keuken, zodat ze over de avondlijke stad konden uitkijken.

'Onbetaalbaar uitzicht, meneer.'

'Noem me maar Drake, Paul. Bovendien, ik ben jou dank verschuldigd.'

'Waarvoor?'

'Als jij vanavond niet was gegaan, zou Lucy mij mee hebben gesleept, en ik kan geen ballet meer verdragen. Jij hebt je opgeofferd.'

Crenna lachte en sprak wat zachter. 'Ik zat het hele *Zwanenmeer* aan mijn *Fantasy Footbal*-team te denken.'

Hartzell grinnikte. Het was best een goeie knul. Lucy had gelijk gehad over zijn uiterlijk: ieder donker haartje zat precies op zijn plaats, zelfs de nonchalante losse krul op het voorhoofd van de jongeman was zorgvuldig gestyled. Hoewel de jongen er welgesteld en hip uitzag, was Hartzell het niet eens met het oordeel van zijn dochter; hij voelde dat die jongen meer pit had dan de doorsnee metroseksueel die doelloos door de stad zwierf.

'Wat is er zo grappig?' Lucy kwam achter hen staan met in haar handen twee kristallen glazen vol robijnrode wijn.

'Paul geeft me advies over wie ik moet kiezen bij Fantasy Football.'

Lucy keek alsof iemand hardop in de kerk had geboerd.

'Wat heb je daar voor ons, spriet?'

'Viña Alicia Cuarzo; een Petit Verdot-melange uit Argentinië.'

'Goeie keus.' Hartzell nam zijn glas aan en snoof het aroma op. 'Een vleugje bosbessen.'

'Ik zal de paddenstoelen in de oven stoppen, papa.'

Lucy keerde terug naar de keuken en Hartzell dirigeerde de laatstejaars terug naar de woonkamer.

'Dat scheelde niet veel.' Hartzell gebaarde met zijn drinkglas dat zijn gast toch vooral moest plaatsnemen op de bank. 'Lucy zei dat je met me wilde praten, Paul.'

'Ja, meneer.'

Hartzell zat op de rand van de bank, ver van de jongeman. 'Je lijkt me een prima vent, Paul, als ik zo vrij mag zijn. Ik moet toegeven dat ik even schrok toen Lucy zei dat je me onder vier ogen wilde spreken. Het is heel stijlvol – misschien wat ouderwets – maar ik moet toch zeggen dat jullie twee nog wat langer met elkaar moeten omgaan, elkaar beter leren kennen. Ik weet zeker dat je ouders het ermee eens zullen zijn dat er geen enkele reden is voor haast.'

Paul Crenna staarde even naar Hartzell en een grijns brak door op zijn gezicht. 'Er is geloof ik een misverstand, meneer. Ik vind Lucy echt te gek. Ooit krijgen u en ik misschien dat gesprek, maar vandaag... wilde ik een zakelijk voorstel bespreken.'

'Je kwam niet de hand van mijn dochter vragen?'

Crenna schudde het hoofd.

'O, jee.' Hartzell leunde achterover en nam een grote teug Cuarzo. 'Dan moet ik mijn excuses aanbieden, al denk ik dat Lucy me een poets heeft willen bakken. Neem me niet kwalijk, Paul. Als je enige dochter je vertelt dat haar vriendje je onder vier ogen wil spreken, begint je oude kersenpit meteen te knarsen.'

'U hoeft zich niet te verontschuldigen. Het was dom van me om u op deze manier te benaderen.' Crenna krabde over zijn wang. 'Toen mijn zus vorig najaar trouwde, ging mijn vader een nieuwe smoking kopen. Mijn moeder stelde hem voor dat hij zich meteen een dwangbuis kon laten aanmeten.'

Hartzell lachte. 'Ik zit duidelijk met je vader op één lijn. Lucy is alles voor me, Paul. Ik zou altijd de belangrijkste man in haar leven willen blijven.'

'Eerlijk gezegd weet ik nooit goed waar ik met Lucy aan toe ben.'

'Onzin. Ik krijg alleen het neusje van de zalm te zien.' Hartzell dronk zijn wijnglas leeg en zette het op de walnoothouten onderzetter. 'Goed, nu ik mezelf zo voor gek heb gezet, wat kan ik voor je betekenen?'

'Mijn vader heeft u een paar jaar terug op een liefdadigheidsbijeenkomst in Chicago ontmoet.'

'Was dat dat restauratieproject voor het Art Institute of voor Breast Cancer Awareness in Belden Stratford?'

'U deelde met hem de tafel in Stratford. Mijn tante Nora heeft kanker overwonnen. Ze wil zich nu graag inzetten voor anderen en laat het mijn ouders altijd weten wanneer zich een gelegenheid voordoet.'

'Jouw tante Nora is een geweldig mens, Paul. Als ik het me goed herinner hebben we die avond veel geld ingezameld.' Hartzell bekeek Crenna even. 'Je vader heeft net zulk donker haar, misschien wat grijzer bij de slapen; draagt hij een bril met stalen montuur?'

'Dat is hem.'

'Dan herinner ik me hem.' Lucy had de oudere Crenna aan Hartzell beschreven op grond van een of ander familiefotoalbum dat ze in Pauls appartement had doorgebladerd. 'Het zat er stampvol die avond en je vader grapte dat we net een stel sardientjes in blik waren.'

'Pap is inderdaad een grappenmaker.'

'Doe je vader de groeten, Paul, de volgende keer dat je hem spreekt.'

'Dat zal ik doen, meneer. Daar wilde ik het zelfs met u over hebben. Mijn vaders beleggingsclub zoekt naar nieuwe investeringskansen.'

'Laat hem maar weten dat hij het me gerust kan melden als hij een goeie deal vindt. Het zijn vreemde tijden geweest, jongen, zoals ik nog niet eerder heb gezien – en ik ben zo oud als Methusalem. Het financiële beleid van deze regering heeft vooral het lijden gerekt. De wetgevers aan beide kanten van het politieke spectrum zouden moeten worden berecht voor economisch landverraad. Iedereen moet wat kalmeren, geduld betrachten, de zeer zware storm uitzitten terwijl het vertrouwen in de financiële sector terugkeert.'

'Dat is precies waar mijn vaders beleggingsclub in geïnteresseerd is, meneer Hartzell. Veilige plekken om de storm uit te zitten.'

'Een momentje, Paul. En je moet me echt Drake gaan noemen. Ik sta erop.'

Hartzell pakte zijn bril, verdween even de gang in en kwam toen terug met een visitekaartje, dat hij aan Crenna overhandigde.

'Laat je vader Ben Vetter eens opbellen. Het telefoonnummer achterop zal hem direct doorverbinden. Wonderen bestaan niet, Paul, maar Ben zal de beleggingsclub van je vader een regelmatig, evenwichtig rendement op investeringen geven en een geweldige positionering voor wanneer de stier weer terug komt draven, zoals hij dat onherroepelijk zal doen. Ik kan niemand meer aanbevelen dan Ben Vetter.'

'Bedankt, Drake.' Crenna leek een beetje teleurgesteld, maar stopte het kaartje in zijn portemonnee. 'Ik hoopte u rechtstreeks met mijn vaders club in contact te brengen.'

'Dat is een heel mooi compliment, Paul. Heel aardig van je. Lucy zal wel van ganser harte ontkennen dat ik mezelf niet graag op de borst sla, maar,' Hartzell ging zitten en leunde voorover, 'beslist niet door een of ander door God gegeven talent of genialiteit, behoor ik tot een topniche in de wereld van het grote geld. Een niche waarin de minimale inleg die nodig is om investeringen te initiëren eerlijk gezegd neerkomt op je reinste roof. Het is schandelijk elitair, Paul. Hun financieringsdrempel is een bedrag dat ik niet graag noem in een aangenaam gesprek zoals dit. Ik kan jou en je vader verzekeren dat het beleggingskantoor dat ik aanbeveel uitermate betrouwbaar is. Daar sta ik voor in.'

'Ik wilde u niet in verlegenheid brengen, meneer. Mijn vader en ik hebben het grootste respect voor uw reputatie en aanzien in de financiële sector. Daarom dacht ik dat jullie bij elkaar brengen zou zorgen voor een win-winsituatie. Mijn vaders club bestaat uit een aantal entiteiten die hun interesses hebben gebundeld.' De student bedrijfskunde met economie als bijvak dronk van zijn glas wijn. 'Vertelt u me toch alstublieft wat dat drempelbedrag is, meneer, en als het voor ons te hoog is zal ik het glas op u heffen, ik zal zelfs mijn cv indienen, en dan zal ik dit visitekaartje van die Vetter naar mijn vader brengen ter overweging.'

Hartzell hield zijn hoofd scheef en noemde Paul Crenna een absurd hoog bedrag.

'Even had u me mooi tuk, meneer,' zei Crenna. 'Maar dat bedrag zie ik echt niet als een beletsel.'

Hartzell staarde even naar zijn slachtoffer.

'Wat dacht je van nog wat Petit Verdot, Paul?'

28

'Ze hebben zijn lijk nooit gevonden,' zei Cady in de vergaderzaal, vooral tegen adjunct-directeur Jund. 'Jake Westlow ís de Schaakman.'

'Begin bij het begin, agent Cady, en ontvouw ons je theorie. Stap voor stap.' Jund leunde nors achterover in zijn stoel aan het hoofd van de tafel.

Cady wist wat er ging komen. Jund zou de advocaat van de duivel gaan spelen en zo veel mogelijk gaten in Cady's theorie schieten om te zien of die standhield, alvorens verdere stappen te ondernemen. Hij respecteerde de strategie van de adjunct-directeur, wist dat zijn theorie moest worden beproefd en wist ook dat deze vergadering een heel vervelende zit kon worden.

'Jake Westlow kende Marly Kelch al vanaf zijn zevende jaar. Dorsey Kelch denkt dat Westlow heel veel van haar dochter hield.'

'Ons is herhaaldelijk verteld dat iedereen van die meid Kelch hield. Ze was als... Hoe heette die ook weer in die Ben Stiller-film? Die waarin hij een kwakkie aan zijn oor krijgt.'

'There's Something About Mary,' hielp agent Evans.

'Ja, die. Blijkbaar had Marly Kelch precies zo'n girl next door-imago waar iedere jonge vent op verliefd wordt en het soort voor wie hele legers ten strijde trekken. Maar dat betekent op zich nog niets. In mijn jonge jaren werd ik verliefd op elk mooi meisje dat naar me glimlachte. Dat word ik nog steeds. Misschien ben ik wel de moordenaar.'

'Jake was een begaafd kind,' zei Cady, die zich niet uit het veld liet slaan, 'met een briljante geest, en ten slotte heeft hij drie klassen overgeslagen om in Marly's klas eindexamen te kunnen doen.'

'Nou en? Mijn zus heeft ook een klas overgeslagen en dat krijg ik nog steeds te horen. Misschien is zij wel de moordenaar.'

'Marly Kelch had een bijna onuitputtelijke energie. Ze werkte bijna voltijds toen ze op de middelbare school zat, was een geweldige atleet, tennisster, Homecoming Queen, ze speelde heel goed klarinet, speelde de hoofdrol in de meeste toneelstukken, en als Westlow niet bij haar in de klas had gezeten, zou Marly de beste zijn geweest. Ze gaf zelfs de afscheidstoespraak na haar eindexamen, omdat Westlow te verlegen was en terugkrabbelde. Maar er was nog iets, iets wat het tweetal op de Reading Central Catholic High School had bekokstoofd, en wat de meeste krantenkoppen onvermeld lieten. Het bleek dat Marly de jonge Westlow had leren schaken toen ze voor het eerst op hem paste. Ze richtten samen de Reading Chess Club op.'

'De plot wordt steeds ingewikkelder, maar de meeste spelers leren het al op jonge leeftijd. Mijn neef speelt ook schaak en die is nog maar acht. Misschien is hij wel de moordenaar.'

Cady wist dat het sarcasme van de adjunct-directeur de enorme stress moest verhullen waar hij de afgelopen tien dagen onder te lijden had. De adjunct-directeur wilde dat de zaak vanaf het allereerste begin aan hem zou worden voorgelegd, en Cady zou dat voor hem doen – uit-en-terna.

'De Westlows waren straatarm. In Jake Westlows eenoudergezin beheerde de moeder een tweedehands- en naaiwinkel om rond te komen. Er was geen geld, niet genoeg voor een studie. En hoewel hij steeds maar weer slaagde voor zijn CLEP-examens, waardoor hij kon blijven studeren, belandde de jonge Westlow toch met twee hoofdvakken aan het Massachusetts Institute of Technology: zowel chemische als mechanische bouwkunde. Nou vraag ik je, hoe kon hij dat betalen?'

'Een beurs.'

Cady knikte. 'Dat joch vloog door het MIT met behulp van een ROTC-beurs van de marine.'

'Dus hij werd na het MIT een marineofficier?'

'Hij zat in het CEC, als Navy Civil Engineer Corps Officer. Hij was een luitenant-ter-zee tweede klasse toen hij stierf. Westlow beheerde civiele bouwprojecten in Irak toen het daar nog een brandhaard was. Landbases, luchthavens, havenbases, dat soort dingen.'

Agent Preston had het verslag van Westlows diensttijd voor zich liggen. 'Het past bij zijn profiel, sir. In militaire dienst zou Westlow veel kennis en vaardigheden hebben opgedaan.'

'Zijn motief is wraak voor de moord op degene die hij als zijn zielsverwante zag,' dacht Jund hardop. 'Wat de middelen betreft, hij bezit de vaardigheden en de hersens die nodig zijn om dit soort meervoudige moorden te kunnen plannen en uitvoeren. Maar de gelegenheid klopt niet. Waarom tien jaar wachten na de dood van het meisje Kelch?'

'Hij wist het niet.'

'Wat?'

Cady overhandigde een stapel kopieën aan agent Schommer, die er een pakte en de rest doorgaf. Op het vel papier stond een tijdslijn die hij voor de vergadering van die ochtend had genoteerd. Cady wachtte tot iedereen in de kamer er een voor zich had liggen.

'Westlow is kapot vanwege Marly's dood. Hij begrijpt niet hoe een geweldige atleet als Marly kan verdrinken, zelfs als ze wat te veel ophad. Laten we het erop houden dat hij altijd is blijven twijfelen. Hij gaat altijd langs bij Dorsey Kelch als hij in de stad is of, in dit geval, als hij op calamiteitenverlof is vanwege de naderende dood van zijn moeder. Hij bezoekt mevrouw Kelch. Ze bladeren door de *Newsweek* met vader en zoon Farris op het omslag en mevrouw Kelch laat zich ontvallen dat Marly Patrick Farris van Princeton kende. Dit zet Westlow aan het denken en doet hem diep in zijn hart vermoeden dat er iets niet in de haak is met Marly's dood.'

'Wat is die volgende markering op je tijdslijn, "begrafenis"?' vroeg Jund.

'Dat is de datum van Lorraine Westlows begrafenis. Ze stierf tien dagen na Jake Westlows bezoekje aan Dorsey Kelch. Maar let wel, twee nachten na Westlows bezoekje aan Dorsey Kelch komt Bret Ingram om bij de brand van zijn huis aan het meer. Ik ben ervan overtuigd dat Westlow een "goed gesprek" met Ingram had, en Ingram dreigde te doden als hij niet vertelde wat er echt gebeurd was in Snow Goose Lake. Ingram bekende alles wat hij wist aan Westlow, dat de Zalentine-tweeling hem uit zijn dronken roes wekte om de politie te misleiden, dat de aankoop van Sundown Point en andere dingen door de machtige advocaat Barrett Sanfield werden 'behandeld'. Het was voor Bret Ingram misschien zelfs een grote opluchting dat hij zijn hart kon luchten, maar in feite tekende hij hiermee zijn eigen doodvonnis. Westlow zou hem beslist niet laten leven nadat hij had gehoord dat Bret een rol had gespeeld in het verdonkeremanen van Marly's dood, dus improviseert hij wat en de stadsdronkaard komt schijnbaar om in een brand.'

'Wat is die volgende datum, waarbij "Dorsey Kelch" staat?'

'Dat is een paar dagen na de begrafenis van zijn moeder, twee weken na hun eerdere ontmoeting en het bladeren door de *Newsweek* dat alles in gang had gezet, toen Jake Westlow langskwam voor een laatste afscheid bij mevrouw Kelch. Dorsey zei dat hij nog steeds aangeslagen was door zijn moeders dood, maar ik vermoed dat Westlow plannen had gesmeed, wist dat hem woelige tijden wachtten, en dat hij langskwam omdat hij wist dat hij Marly's moeder nooit meer terug zou zien.'

'En die datum daarna, waarbij "Westlows zelfmoord" staat, is een maand later.'

'Agent Preston heeft dat onderzocht,' antwoordde Cady. 'Liz, kun jij ons in detail vertellen over Jake Westlows schijnbare zelfmoord?'

'Rond die tijd was luitenant-ter-zee tweede klasse Westlow op de marinebasis in San Diego gestationeerd. Westlow was al vier dagen zonder verlof of toestemming afwezig van zijn marinebasis op 32nd Street. Dit was uiterst ongebruikelijk voor een officier als Westlow.' Agent Preston bladerde door de stapel papieren voor zich, kopieën die bij het begin van de vergadering waren uitgedeeld. 'Toen dook hij in San Francisco op en huurde hij een acht meter lange zeilboot bij de jachthavenbeheerder in de Emeryville Marina van de San Francisco Bay, een heel idyllisch plekje, behoorlijk chic. Westlow rekende twaalfhonderd dollar af plus de borg met zijn American Express-kaart voor vijf dagen met de J/24 Presto, een boot die vaak voor zeillessen of dagtochten in de baai wordt gebruikt. We komen zo meteen terug op Westlows intrigerende gebruik van creditcards.' Preston keek de tafel rond en vervolgde: 'Maar laat ik volstaan te zeggen dat de J/24-zeilboot veel te eenvoudig was voor de expertise van de luitenant-ter-zee. Dus op dertig augustus, vroeg in de avond, werd Jake Westlow voor het laatst gezien toen hij een klein jacht de Emery-jachthaven uit loodste – "een schitterend figuur in zijn witte uniform", volgens een getuige. De kustwacht ontving een SOS-bericht van de J/24 om precies halfelf 's avonds. Westlow seinde een SOS-bericht op kanaal zestien.'

'In wat voor nood verkeerde hij?'

'Het uitgetypte verslag van Westlows SOS-bericht zit bij bewijsstuk C gevoegd.' Agent Preston wachtte even tot iedereen het gevonden had. 'Westlow volgde de standaardprocedure. Hij seinde de kustwacht een paar maal met de boodschap: "Dit is vaartuig *Amber Waves*, *Amber Waves*, *Amber Waves*", wat de naam was van de gehuurde J/24 waarmee hij zeilde. Een minuut later herhaalde Westlow de aanroepprocedure. Op dat moment, zoals jullie kunnen zien in de transcriptie, antwoordde de kustwacht. Die verwees hem onmiddellijk door naar een andere frequentie. Op die nieuwe frequentie, kanaal 72, gaf Westlow zijn echte naam op en de exacte locatie van de *Amber Waves* in lengte- en breedtegraden. Toen er gevraagd werd naar zijn noodsituatie, antwoordde Westlow "M.O.B." Dat betekent "man overboord". Toen antwoordde Westlow kalm, bijna onhoorbaar: "Het spijt me." Hoewel de marconist van de kustwacht hem herhaaldelijk vroeg zijn noodsignaal toe te lichten, zette

Jake Westlow de zender uit. Er werd nooit meer iets van hem vernomen – in ieder geval niet door de kustwacht.'

'Wat trof de kustwacht precies aan op de *Amber Waves*?' vroeg Jund.

'De officier die ik heb ondervraagd had die avond dienst op de reddingsboot. Hij zei dat het "net de Bermudadriehoek leek". De wateren waren kalm. Er waren geen andere boten in de nabijheid. De kustwacht had Westlows schoenen op het dek gevonden, zijn uniform netjes gevouwen erbovenop. Verder was de *Amber Waves* volkomen verlaten. De koers die Westlow had uitgezet ging over de baai en dan zuidwaarts naar de Grote Oceaan. De J/24 lag zo'n acht zeemijlen van de kustlijn af, ten noorden van Monterey. Westlow had het anker uitgeworpen en de boot was maar een klein beetje verplaatst in de twintig minuten die de HH-60 Jayhawk helikopter nodig had om de J/24 op te sporen. Westlow had het lampje in de kajuit voor ze laten branden. De reddingsboot verscheen zo'n tien minuten later.' Agent Preston sloeg een bladzijde om. 'Bewijsstuk D is een kopie van Westlows korte briefje aan de reddingswerkers, naast de zender aangetroffen, waarin feitelijk stond dat het hem speet en dat hij zijn best had gedaan zo min mogelijk troep te maken die zij zouden moeten opruimen. Onze forensische handschriftkundige heeft geverifieerd dat het het handschrift van de luitenant-ter-zee was. Er stond ook nog een lege fles valium op de plankenvloer, evenals een halfvolle fles Ambien die ernaast heen en weer rolde. Ze troffen wat kots aan langs de stuurboordkant van het vaartuig.' Preston haalde adem en vervolgde: 'De kustwacht nam aan dat de verborgen betekenis in Westlows noodsignaal aangaf dat hijzelf de man overboord was, dus zelfmoord; dat de zee Westlows stoffelijk overschot had verzwolgen. Haaienvoer. Van zijn lichaam zou niet veel overblijven, als het al ooit zou aanspoelen.'

'Als hij het in scène zou hebben gezet, hoe zou Westlow dan in godsnaam aan land hebben moeten komen? Had hij een bondgenoot?'

'We gaan zeker uitzoeken of Westlow een compagnon had, maar een opblaasbootje, zo een waar je een motor op kunt zetten, zou goed van pas zijn gekomen. Westlow kan misschien een routepunt op een gps-apparaat ingesteld hebben en daarheen zijn gegaan. Eitje. Hij was dan allang weg tegen de tijd dat de Jayhawk verscheen.'

Cady waardeerde het dat agent Preston niet de open deuren intrapte voor adjunct-directeur Jund, en dat ze hem zelf liet deduceren dat diezelfde opblaasboot misschien ook gebruikt was bij de moord op Adrien Zalentine in de Chesapeake Bay.

'Hoe had hij al die spullen aan boord moeten smokkelen?'

'Westlows vermeende zelfmoord was op de avond van zijn vierde huurdag, dus hij had vier dagen om alles aan boord te krijgen en in de kajuit weg te stouwen. Misschien gebruikte hij een grote kist voor de opblaasboot of verdeelde hij hem over verschillende kleinere kisten en sleepte hij ze vrolijk fluitend aan boord.'

Cady dacht aan de bootmotoren die Terri aan gasten in het Sundown Point Resort verhuurde. 'Niemand in de jachthaven kijkt ervan op als iemand een vijf- of zespaardenkrachtmotor naar zijn boot sjouwt, zelfs al zit die niet in een kist. Vergeet niet dat alles erop wees dat Westlow zelfmoord had gepleegd, dus het onderzoek zou hier nooit op zijn gestuit.'

'Dit is allemaal heel interessant giswerk,' zei Jund, met zijn hand omhoog. 'Hebben jullie ook iets concreets voor me?'

'Laten we het hebben over zijn financiële spoor,' zei Preston. 'Beth, ga je gang.'

Agent Schommer had haar huiswerk goed gedaan en greep de gelegenheid aan om uit te blinken. 'Jake Westlow hevelde vier creditcards over voor zijn zogeheten zelfmoord. Twee Visa Gold, een American Express en een Discoverkaart. Een van de Gold-kaarten en de Discover had hij nog maar kort tevoren ontvangen, nadat hij ze meteen na zijn moeders begrafenis had aangevraagd.'

'Nou en?' antwoordde Jund. 'Als ik ontdek dat ik een dodelijk soort kanker heb, ga ik ook een reis door Europa maken, op kosten van American Express.'

'Westlow reisde niet naar Europa of waar dan ook heen. Zijn appartement zat niet vol 90-inch hdtv-toestellen, vergulde golfclubs, sieraden, niets van dat alles. De luitenant-ter-zee nam wat flinke bedragen aan contanten op alle vier de creditcards op. Al die bedragen zijn nog altijd niet verantwoord.'

'Hier kan ik wat mee. Hoeveel geld ontbreekt er?'

'Het gaat om honderdtienduizend dollar aan creditcardkrediet. Nog eens tweeënveertigduizend bleef over na de verkoop van zijn moeders huis. Voeg daar vijfentwintigduizend aan toe voor de verkoop van zijn bijna nieuwe Chevy Traverse – zodat hij in zijn moeders twintig jaar oude Ford Tempo kon rijden. Dat is samen honderdzevenenzeventigduizend dollar.'

'Ik kan me de luitenant-ter-zee niet echt voorstellen terwijl hij met een oud karretje over zijn marinebasis tuft,' zei Jund. 'Maar dat is een aardig zakcentje om een nieuw leven mee te beginnen.'

'En dat is dan alleen nog het geld waar we van weten,' zei Schommer. 'Westlow liet nog eens twee mille achter op een spaarrekening en zo'n achthonderd op een lopende rekening. Ik denk dat hij dat voor de schone schijn deed. In een in elkaar geflanste wilsbeschikking en testament dat in zijn hotelkamer werd gevonden, wilde hij dat het geld en zijn inboedel aan zijn favoriete goede doel zou worden geschonken: de Make-A-Wish Foundation.'

'Misleiding voor het geval dat er een oppervlakkig onderzoek naar zijn dood zou volgen.'

Op dat moment wist Cady dat ze Jund voor zich hadden gewonnen, en dat de adjunct-directeur was overtuigd. De bui van de adjunct-directeur was wat beter geworden, zijn humor keerde terug; hij zag resultaten. En het team van FBI-agenten had het lekkerste voor het laatst bewaard.

'Ze hebben ook een enveloppe op de boot gevonden,' ging agent Preston verder. 'Die bevat een sleutel van een of ander ranzig hotel in Alvord Lake, in de buurt van het Golden Gate Park, waar de junkies rondhangen. Westlow had de kamer voor een week vooruitbetaald en de dienstdoende baliemedewerker opgedragen hem niet te storen – er mocht niet worden schoongemaakt – niet dat daar veel aan gedaan werd in die gribus. Een bordje NIET STOREN had de hele week aan zijn kamerdeur gehangen. Onderzoekers vonden zowel een zelfmoordbriefje als een handgeschreven testament op het onopgemaakte bed. Er lag een lege fles Ambien bij de wc, een foto van hem en zijn moeder uit betere tijden boven op de tv, en verder niet veel.'

'Dat briefje is bewijsstuk E, toch?' vroeg Jund.

'Correct,' antwoordde Preston en ze gaf de aanwezigen even om naar die bladzijde te bladeren. 'Jullie moeten het me maar vergeven dat ik Shakespeare verhaspel, maar in Westlows briefje staat het volgende: "Ja, hier Spreid ik mij 't bed der eeuw'ge rust en schud Ik 't juk, door booze sterren me opgelegd, Van 't afgesloofde lijf. – Uw laatsten blik, Gij oogen!"'

'*Romeo en Julia.* Vijfde akte, scène drie,' informeerde agent Fennell Evans de aanwezigen.

'Staat dat in je aantekeningen?' vroeg Jund, Evans aanstarend. 'Het akte- en scènenummer?'

Agent Evans schudde het hoofd.

'Heb jij Shakespeares stukken uit het hoofd geleerd?'

'Alleen de populaire stukken en sonnetten, sir.'

Jund bleef agent Evans aanstaren. 'Mijn vrouw komt altijd aanzetten met kaartjes voor het theater, Shakespeare, Tsjechov, Ibsen, je weet wel. Zou jij misschien wat van die voorstellingen willen bijwonen wanneer ik niet kan of wíl?'

'Dolgraag.'

'Ik heb jou altijd gezien als die griezelige bloedspattenvent die als kind afbladderende verf at. Blijkt dat jij een heel gevoelige, poëtische bloedspattenvent bent.' Jund knipoogde en ging weer verder. 'Romeo pleegt zelfmoord. Westlow pleegt zelfmoord. Betekent dat iets?'

'Als hij zichzelf met Romeo vereenzelvigde, denk ik toch niet dat die regels slaan op zijn moeder,' antwoordde Evans.

'Het is een interessante draai,' merkte Cady op, 'maar vergeet niet dat Juliets eerste dood in scène werd gezet. Ze was niet echt dood. De Schaakman heeft patent op gefingeerde sterfgevallen – die van Ingram en Schaeffer – dus is het niet zo vergezocht dat hij zijn eigen dood zou hebben gefingeerd om ons op het verkeerde been te zetten.'

'Het heeft gewerkt.'

'Hij heeft het in laagjes opgebouwd. Zijn eerste stap was om Schaeffer alles in de schoenen te schuiven. Als dat zou mislukken, zou een *levende* Jake Westlow de eerste zijn op ons korte lijstje verdachten.' Cady keek naar de agenten aan de tafel en wist dat het tijd was voor het klapstuk. 'Vertel ze over Rochester, Liz.'

'De dag nadat hij Dorsey Kelch had bezocht en het *Newsweek*-artikel over vader en zoon Farris had gezien, neemt Westlow een vroege vlucht naar Rochester – ik bedoel Rochester in Minnesota. Ongeveer een uur na aankomst heeft Jake een afspraak van een halfuur met een van de beste oncologen van de Mayo-kliniek om Lorraine Westlows medische rapport te bekijken voor een second opinion, om te kijken of er iets over het hoofd was gezien. Dokter Heidi Steicken, de kankerspecialiste, zei dat Westlow zeker wilde zijn dat zijn moeders verzorgers zeker van hun zaak waren. Dokter Steicken zei dat ze het een erg laat stadium voor een second opinion vond, maar ze wist dat familieleden vaak wanhopig zoeken naar oplossingen, vaak tot het bittere eind. Steicken bekeek mevrouw Westlows dossier en informeerde Jake Westlow dat zij haar precies hetzelfde voor nierkanker zou hebben behandeld als Lorraine haar patiënt was geweest. Westlow bedankte haar overdadig en vertrok.'

'En?' vroeg de adjunct-commissaris.

'En, hij vloog de volgende middag pas terug,' zei agent Preston. 'Hij huurde een auto bij Hertz in Rochester. En ook al boekte hij een kamer vlakbij in het Doubletree voor die nacht, heeft hij zo'n duizend kilometer op de teller gezet die dag. Cohasset, in Minnesota, is net geen vijf uur rijden van Rochester vandaan. De nacht waarin we Jake Westlow in Minnesota hebben geplaatst is de nacht dat Bret Ingram bij die schuurbrand omkwam.'

'Laat me raden, de kilometerteller van die auto staaft die theorie.'

'Er is nog meer,' vervolgde Cady. 'Na zijn terugkeer in Reading krijgt Westlow een doktersvoorschrift voor Ambien van zijn moeders arts vanwege slaapproblemen. Dan bezoekt hij een rouwbegeleider en krijgt wat valium om de laatste dag van zijn moeder door te komen, evenals de week van de begrafenis. Hij maakt nog een afspraak met diezelfde rouwbegeleider, maar komt die niet na. Zodra hij terug is in San Diego maakt Westlow een afspraak met een psychiater die gespecialiseerd is in stervensbegeleiding, maar komt opnieuw niet opdagen.'

'Link bekeken. Die sluwe klootzak heeft een papierspoor voor zelfmoord in elkaar gedraaid.'

Agent Preston leidde de onderzoekers naar de laatste bladzijden in haar pakket. 'Bewijsstuk F is een kopie van Westlows foto op zijn militaire identiteitskaart – zijn CAC – die nu natuurlijk al bijna vier jaar oud is.'

Het werd stil in de kamer.

Cady had al veel tijd besteed aan het bekijken van bewijsstuk F, starend naar het gezicht van de man die hem in dat steegje achter Farris' rijtjeshuis in Woodley Park invalide had gemaakt. Niet bepaald het beeld dat Cady had verwacht bij de man die verantwoordelijk was voor minstens zes doden en misschien nog wel meer. Westlows blauwe ogen staarden naar Cady terug, zijn haar was vlasblond, boven de oren geschoren in een militair kapsel, met een brede grijns die Cady herinnerde aan een oude foto die Dorsey Kelch hem had getoond van een feestje lang geleden en een klein jongetje bij de schommel dat glimlachte naar Marly.

'Nog één ding,' zei Cady terwijl hij het pakket dichtsloeg. 'Herinneren jullie je nog het tijdsverloop bij de Sanfield-slachtpartij? Hoe lang de moordenaar met Sanfield in het kantoor zat?'

'Iets van vijftien minuten.'

'Je hebt geen kwartier nodig om iemand dood te steken. Zoals ik al zei, vermoed ik dat Westlow eerder al alles te weten kwam wat Ingram van Snow Goose Lake wist, en dat die de Zalentine-tweeling en Barrett Sanfield verlinkte, maar ik denk dat Westlow in dat kwartier de rést van het verhaal van Sanfield hoorde. Ik heb nooit begrepen waarom Sanfield alles op het spel zou zetten voor een paar malloten als de Zalentines, hoeveel ze hem ook betaalden, maar Barrett Sanfield zou door het vuur gaan voor zowel Arlen Farris als diens zoon Patrick. Ik ben er zeker van dat Sanfield Westlow de onverkorte versie heeft gegeven van de gebeurtenissen bij Snow Goose terwijl hij smeekte om zijn leven.'

Het bleef even stil aan tafel.

'Wel allemachtig. Je hebt het geflikt, agent Cady. Motief. Middelen. Gelegenheid. De Schaakman heeft deze ontzettend ingewikkelde illusie geconstrueerd, maar verdomd als het niet waar is, jij hebt hem ontmaskerd.' Jund begon te grijnzen en sloeg op tafel. 'Ik had me er al bij neergelegd dat ik de komende maand klanten bij The Home Depot zou moeten gaan verwelkomen. In Washington D.C., mogen mannen met elkaar trouwen, Drew – wat dacht je ervan?'

'Ik denk dat we een naam en een gezicht hebben, sir. Het moeilijkste zal zijn hem te pakken krijgen.'

'We zullen zijn naam en gezicht in alle media tonen. Dit verandert alles. Morgenavond zal iedereen het smoelwerk van die vent kennen. Als Westlow probeert in Guam een ansichtkaart op de post te doen, zal hij aan de muur van het postkantoor een glansfoto van zichzelf aantreffen. We zullen aan de pers wat sappige details uit laten lekken om de druk op deze klojo op te voeren. Ik wil dat alle vrienden van Jake Westlow en zijn collega-officiers worden verhoord. Sleep ze hierheen en laat ze weten dat het nu menens is. Drew, jij moet de klopjacht leiden.'

'Het spijt me, sir.' Cady stak zijn handen verontschuldigend op. 'Mijn werk zit erop... U heeft nu de losse eindjes waar u aan kunt trekken, weet u nog?'

'Je weet best dat dat allemaal kletspraat was om jou binnen te halen,' protesteerde Jund. 'Je smeert 'm nu toch niet echt, terwijl we net op stoom komen?'

'Zo ver en zo snel als ik kan, sir. Ik heb andere plannen gemaakt.'

'Dat meen je niet.'

'U zult het niet geloven,' zei Cady, 'maar ik ga vissen.'

29

Dennis Swann was bezig zelfmoord te plegen. En het bleek meer tijd te kosten dan hij aanvankelijk had gedacht. Het was zeker zijn werkethiek die hem er zelfs tot het allerlaatste moment van weerhield de trekker over te halen. Hij zat voor zijn laptop en probeerde de code opnieuw, glimlachte, versleutelde de gezamenlijke bestanden, maakte er zipbestanden van, tikte een aantal alinea's voor zijn IT-contactpersoon bij het St. Mary's-ziekenhuis in Richmond, Virginia, en drukte op Verzenden. Toen forwardde Swann het e-mailbericht naar de projectmanager en haar team van Oracle-programmeurs, en naar de twee artsen wier visie onmisbaar was geweest voor het project. Hij wilde niets aan het toeval overlaten, aangezien al het toekomstige testen op bugs voortaan zonder Dennis Swann zou moeten geschieden.

Swanns af te leveren product was zaterdagmiddag laat in productie gegaan. Zijn aandeel, de EDI-code, deed het geweldig in de testomgeving; de vier databases sloten zelfs naadloos op elkaar aan. Maar Swann wilde zijn medewerkers niet op dit crisismoment aan hun lot overlaten. De productieomgeving moest aantonen of het werkte, en hij had al de halve ochtend doorgebracht met het najagen van een handjevol kleine bugs die de eindgebruiker had gerapporteerd.

Nu kon hij weer verder met zelfmoord plegen.

Swann had al een vergoeding gekregen, en een flinke ook, voor zijn adviserende werk. Deze laatste finishing touches waren geheel gratis, meer een kwestie van persoonlijke integriteit van zijn kant. Dat zei hij tenminste tegen zichzelf. Zijn IT-contactpersoon en de productmanager wilden dat Swann zich op de volgende fase zou gaan richten. Ze wilden hem zelfs in vaste dienst nemen in plaats van als adviseur. Swann liet ze weten dat hij er serieus over had nagedacht maar dat hij eerst twee weken de familie van zijn zus uit Austin, Texas, naar Seattle in Washington moest helpen verhuizen. Het St. Mary vroeg Swann contact met ze op te nemen wanneer hij weer terug was. Dat ging natuurlijk niet gebeuren. Ten eerste had Swann helemaal geen zus, hij kwam ook niet uit Austin, Texas, en hij zou nooit meer met iemand van het St. Mary contact opnemen.

Sterven zou voor Dennis Swann niet zo moeilijk zijn. Een tweede keer gaat alles veel makkelijker, zeggen ze, en Dennis Jackson Swann was meer dan dertig jaar terug al eens gestorven, aan kinderverlamming. Een grafsteen op een vergeten begraafplaats in de buurt van Austin bevestigde dat feit.

Swann zette zijn bril met ronde glaasjes af en boog het montuur langzaam dubbel bij de neusbrug terwijl hij de checklist in zijn hoofd afging. Zijn appartement was zo goed als leeg. Hij had de paar meubelstukken die hij bezat verkocht, evenals het televisietoestel, en toen bijna alles aan de kringloopwinkel gegeven. Zijn werktaken waren, vanzelfsprekend, zojuist afgerond. Swann had het grootste deel van de vorige dag met bankrekeningen gegoocheld. Hij keek naar de verwrongen bril in zijn handen en gooide die toen in de prullenmand die hij had meegenomen. De duivel zit in de details, maar Swann wist bijna zeker dat hij aan alles had gedacht.

Dennis Swann klapte zijn laptop dicht en gooide hem in zijn draagkoffer. Hij stouwde de plastic zak met wegwerpartikelen in de reistas, greep de tas en de laptopkoffer en stond even stil voor zijn deur. Terwijl hij Dennis Swann liet sterven, stapte luitenant-ter-zee Jake Westlow door de weinig gebruikte zijingang van zijn eenvoudige appartement naar buiten de nacht in.

De luitenant-ter-zee hoopte dat inspecteur Drew Cady niet al te kwaad op hem zou zijn over wat hij had achtergelaten in de vriezer.

III

Eindspel

30

Vijf weken geleden

'Papa!' Lucy schreeuwde harder toen de kale spierbundel haar bruine haar greep en haar op haar knieën dwong.

Hartzell zette een stap in Lucy's richting, met het idee de bruut te doden die op een of andere manier langs de bewakers op de eerste verdieping was geglipt, in hun appartement had ingebroken en nu zijn dochter hardhandig vastgreep. Hij zette twee grote stappen, zijn hart bonkend van woede, toen een arm uit het niets zich om zijn borstkas sloot en een vlijmscherp scheermes in zijn adamsappel sneed. Hij had niet doorgehad dat er nog iemand in de kamer was, en nu hield een of andere verdomde geest hem in een dodelijke greep. Hartzells opwinding zeeg ineen als een lek geprikte band.

'Papa?' vroeg Lucy zacht, doodsbang naar hem opkijkend. Een granieten vuist met aderen als stroomkabels kwam uit haar bos krullen tevoorschijn. Het licht van de oude vloerlamp scheen van de kale kop van de woesteling en een strak grijs T-shirt accentueerde de spieren die boven op weer andere spieren waren geboetseerd. Het kwam op Hartzell over alsof die schurk die Lucy aanviel zich in het vroege stadium bevond van omgekeerde evolutie – regressie tot een aapmens. Hartzell hoorde voetstappen en tuurde door de woonkamer, zich nog steeds bewust van het mes op zijn keel. Een eenzame gestalte jongleerde met een geconfisqueerde groene appel, stapte uit de keuken en wandelde langzaam langs het panoramaraam, zijn trekken verhuld in de avondschemering. Hij nam een hap, staarde even over de Hudson uit, keerde zich om en keek naar de gevangen Hartzells.

'Ik heb 't 'm gelapt, ma!' De gedaante stond als silhouet tegen de stadslichten afgetekend. 'Ik sta aan de top van de hele wereld!'

'Cagney in *White Heat*,' antwoordde de kale aapmens.

'Een klassieker uit de hoogtijdagen van de film,' zei de gestalte op een nu ontspannen, bijna serene toon. 'Ik wist dat je het zou herkennen, Nick.'

'Pak maar wat jullie willen,' zei Hartzell tegen het mes op zijn keel, hij probeerde kalm te klinken, alsof hij de situatie meester was. Hij dacht koortsachtig na, vooral over wind zaaien en storm oogsten. 'Er is geen reden voor geweld.'

Het silhouet nam nog een hap van de appel, kauwde en slikte hem door. 'Nou, meneer Hartzell, er zijn honderd miljoen redenen voor geweld, om precies te zijn.'

'Je hebt je pik in een lelijk wespennest gestoken, Hartzell,' verkondigde de aapmens.

'Dat soort taalgebruik is nergens voor nodig, St. Nick.' Het silhouet naderde Hartzell en gleed in het licht: gitzwart haar, grijs kostuum, gemiddelde lengte en pezig. Hartzell schatte hem ergens in de dertig. 'Er is een schone jongedame aanwezig.'

'Crenna?' vroeg Hartzell. Hij had een transfusie van honderd miljoen dollar van Crenna seniors AlPenny-groep ontvangen, die hij gebruikt had om ponzibetalingen te doen terwijl hij zijn activa verzilverde en dat geld weer verdeelde over anonieme rekeningen in Zwitserland, de Caymaneilanden en verschillende andere bestemmingen in de Caribische Zee. De kwartaalverslagen waren begin vorige week gepubliceerd. Hij zou aanstaande vrijdag op Heathrow met Lucy aan boord van hun vlucht gaan.

'Laten we zeggen dat we uw materiaal hebben ontvangen en het hebben laten zien aan wat "accountants" die bepaalde diensten voor ons verrichten.' De man die steeds het woord voerde begon zijn hoofd te schudden. 'Ik word laat op de avond opeens uit bed gebeld. Het klinkt heel dringend, dus haast ik me naar de stad... en daar krijg ik een kopie in handen van uw verzinsels... En dit zal u zeker met stomheid slaan – raad eens wat een van die pennenlikkers op de voorste pagina had geschreven?'

Hartzell bleef zwijgen.

'Er stond vrij groot "WTF" op.' De spreker hield zijn hoofd scheef in de richting van Lucy. 'Vergeef me dat ik zulke liederlijke taal gebruik, schone dame, maar ik denk dat we allemaal wel weten waar "WTF" voor staat. Weet u, die pennenlikkers zijn serieuze lui. Ze nemen de prospectussen door met vergrootglazen, onder de loep, ze lezen de kleine lettertjes van elke beleggingsmaatschappij waarin geïnvesteerd is, ze doen een soort kwantitatieve analyse die ik nooit zou kunnen uitleggen. En dat verslag van u, meneer Hartzell, bezorgde die serieuze lui de nodige kopzorgen. En voor ik het wist gingen St. Nick en ik en... Nou,' hij gebaarde naar de geest die Hartzell in bedwang hield, 'beter voor alle betrokkenen als u nooit formeel wordt voorgesteld aan onze beroemde werknemer, maar gedrieën togen wij dus met de eerste de beste vlucht naar de Big Apple – en ze betaalden ons niet voor de eerste klas, dus vergeef me als ik niet al te best geluimd lijk. Hoe dan ook, meneer Hartzell, hier sta ik dan in levenden lijve voor uw neus – om u persoonlijk te vragen: WTF – *What the fuck?!*'

Hartzell sprak langzaam, zich er terdege van bewust dat er een scherp stuk metaal op zijn keel rustte. Dit moest voorzichtig worden aangepakt. 'Het spijt me als uw accountants op een fout zijn gestuit. Ik ga maar al te graag met uw mensen rond de tafel om de investeringen door te nemen. Maar eerlijk gezegd,' Hartzell keek even naar Lucy, die op de grond lag vastgepind, de tranen stroomden over haar lijkbleke gezichtje, en vervolgde, 'denk ik dat het daarvoor al te laat is. Staat u me alstublieft toe u al uw oorspronkelijke investeringsgelden terug te betalen.'

'Wat is dit voor grapjurk?' vroeg de aapmens. 'Een verdomde kelner die probeert me te kalmeren nadat de serveerster chilisaus over mijn overhemd heeft gemorst?'

'Natuurlijk krijgen we al ónze oorspronkelijke investeringsgelden terug. Nogal wiedes. Maar eerlijk gezegd, meneer Hartzell, geloof ik niet dat u de ernst van de situatie helemaal begrijpt.' De spreker liep achteruit naar de keuken, ruimte makend, en sprak toen tegen de kleerkast die St. Nick werd genoemd. 'Gooi die schone dame uit het raam.'

'Grrflll,' zei Hartzell terwijl het scheermes nog een hapje uit zijn adamsappel nam, de stalen klem rond zijn borstkas trok hem naar achteren, omhoog en uit zijn evenwicht.

'Dat is verdomme gehard glas, ongeveer vier keer zo dik als een autoruit,' protesteerde de aapmens. 'Herinner je je Grand Plaza nog vorig jaar? Die Enstead? Daar moest ik zes keer gooien. Die kutbankier was al hersendood tegen de tijd dat hij erdoorheen vloog – hij kon dus niet genieten van die snoekduik omlaag. Ik scheurde mijn schouderspieren aan gort en moest naar een orthopedagoog.'

'Kom op, Nick. Ik zei toch dat je op je taal moest letten.'

'Waar maak je je druk om? Die teef is zo meteen zo plat als een dubbeltje.'

'Die schone dame hoeft niet de laatste ogenblikken van haar leven om de oren geslagen te worden met schuttingtaal. En ik herinner me Enstead, maar die was groter dan ik, zo'n negentig kilo. Die schone dame is, wat zal het zijn, zo'n vijftig kilo?'

'Papa!' Lucy's doorgaans blozende gezichtje was zo bleek als een albino geworden. Haar ogen waren groot van paniek terwijl ze probeerde zich los te wurmen als een spartelende vis aan een lijn. 'Papa...'

De aapmens St. Nick rukte Lucy aan haar haarwortels omhoog, greep een vuist vol broekriem en vel, tilde haar boven zijn hoofd en smeet haar naar het panoramaraam. Lucy vloog vijf meter door de lucht, tevergeefs maaiend met de armen, slaagde erin haar rechterarm voor haar gezicht te houden maar smakte met een misselijkmakende knal hard met haar voorhoofd tegen het glas, en plofte toen als een lappenpop op de hardhouten vloer. Dit brute geweld duurde twee seconden. Lucy lag als een slap hoopje op de vloer, haar schouders sidderden, een hand greep naar haar haarlijn, bloed en snot stroomden uit haar neus.

'Als je Lucy nog met één haar krenkt,' zei Hartzell, die niet meer maalde om het prikkende mes, 'kun je naar je honderd miljoen fluiten. Dan kunnen jullie onderkruipsels en die Crenna de pot op.'

'U kent St. Nick niet al te best, meneer Hartzell. Hij bezit een heel unieke expertise. Ziet u, Nick trekt aan dingen – hij trekt eraan met zijn blote handen – tot ze loskomen. Trouwens, voor hij begint, u moet me een nachtrestaurant aanraden want ik ben te fijngevoelig en kan het niet aanzien. De laatste keer dat ik Nick bezig zag, kon ik een week lang niet slapen. Wanneer uw pinkje loslaat, meneer Hartzell, betwijfel ik of u zelfs nog zult weten dat u een dochter heeft.' De woordvoerder gebaarde naar St. Nick. 'Werp die schone dame nog een keer. Laten we dit keer het glas breken.'

De aapmens liep op haar af, greep opnieuw een vuist vol van Lucy's haar en sleurde het versufte meisje over de vloer terug.

'Jullie klootzakken kennen míj niet al te best,' antwoordde Hartzell. 'Ik bijt nog eerder mijn tong af dan dat ik jullie iets vertel. Jullie zullen nog heel lang pooiers moeten uitschudden om je verliezen weer terug te verdienen.'

'Pooiers uitschudden?' De woordvoerder lachte. 'U kijkt te veel tv. Maar ik ben nu wel geïnteresseerd, meneer Hartzell. Misschien blijf ik toch wat rondhangen als die goeie ouwe St. Nick zijn werk doet om te zien hoe die eeuwenoude paradox uitpakt. Te zien wat er gebeurt wanneer een onstuitbare macht een onbuigzaam object treft.'

St. Nick tilde Lucy boven zijn hoofd.

'Het is nooit onze bedoeling geweest,' zei Hartzell snel. 'We kenden u niet, dus de intentie om u persoonlijk te belazeren bestond niet. Dat ziet u toch zeker wel?'

De woordvoerder hief zijn hand op en weerhield de aapmens ervan Lucy Hartzell een tweede keer te werpen. 'Ga door.'

'Anders dan waar u in uw beroep noodgedwongen mee te maken krijgt – de Ensteads die u doelbewust belazerden – hadden wij er geen idee van. Er was geen boze opzet. Dat is een essentiële pijler in het strafrecht. Intentie. We wisten niets van Crenna, en uit alles was op te maken dat de AlPenny-groep brandschoon was.'

'Dat mag ik hopen. De geldstromen kwamen net uit de wasmachine en zochten een veilige plek in deze zware tijden. Paul deed heel erg zijn best om met uw bedrijf in zee te gaan. Tenslotte moest je een belangrijk iemand zijn of kennen om samen met de grote Drake Hartzell te mogen investeren. Leuk werk, trouwens... maar wij kregen daarvoor in de plaats een Bernie Madoff met een bruinere teint.'

'Er was geen intentie. Ik verkeer nooit in uw kringen. Ik had geen idee met wie ik te maken had. Jezus, is Crenna eigenlijk wel een Italiaanse naam?'

'Het is Italiaans; die acteur Richard Crenna was een Italiaan.'

'Maar ik wist niets van Pauls vader af; hoe moet ik hem noemen: Don Crenna?'

'Don Crenna.' De woordvoerder lachte weer. 'Nee, meneer Hartzell. U heeft de man achter Crenna geïrriteerd.'

'Ik onderbreek jullie kletskousen niet graag, maar die teef hier begint zwaar te worden. Wat moet ik doen?'

De woordvoerder keek naar Hartzell. 'Beseft u ten volle de ernst van de situatie?'

Hartzell knikte.

'Zet die schone dame neer, St. Nick. Heel voorzichtig.'

'Wat willen jullie van me?'

'Voor je dochters bestwil moet je ons geld teruggeven met een gepaste rente. Ik denk aan vijfentwintig procent rente. Daar valt niet over te onderhandelen.'

Hartzell knikte. 'Wat nog meer?'

'Je hebt een leuk handeltje. Toen die pennenlikkers ontdekt hadden wat u hier uitspookte, en dat met hun baas bespraken, werd hij buitengewoon nieuwsgierig. Het is voor ons onbekend terrein. We willen graag meer over u weten, meneer Hartzell. Verder niets. Voorlopig kunt u uw kantoor beschouwen als een geheel gesubsidieerd filiaal van de AlPenny-groep.'

31

'Maar... Minnesota?' Jund tuurde van Cady naar de agenten Preston en Schommer, die allebei stilletjes aan de ronde kantoortafel hadden gezeten terwijl de adjunct-directeur en de adviserende agent elkaar over en weer balletjes toespeelden. 'Help eens even, Liz.'

'Je hebt de zaak opengebroken, Drew, en je staat op het punt om hem voor altijd te sluiten,' zei agent Preston. 'Wil je dit niet tot het eind meemaken?'

'Nogmaals, er is niet veel dat ik voor jullie op dit moment kan betekenen. Zet zijn naam en foto in alle kranten en op tv. Hij zal er natuurlijk niet meer zo uitzien, maar het zal hem uit zijn hol jagen – hem uitroken – misschien heb je geluk.' Cady zat alleen op de zwarte kantoorbank achter in Junds kantoor. 'Ik vermoed dat Westlow al die tijd aan de Oostkust is blijven wonen, al is hij waarschijnlijk geen huiseigenaar. Een appartement of kamer, ergens waar hij op stel en sprong weg kan. Waarschijnlijk een verlaten deel van de stad waar hij woont, misschien een buurt vol pakhuizen of ergens waar de buren niet al te nieuwsgierig zijn.'

'Bedankt.' Jund leunde achterover in zijn stoel. 'Ik ga meteen wat versperringen uitzetten.'

Opeens klonk er kabaal in het directiekantoor van de adjunct-directeur, een korte en krachtige formulering van Penny Decker, Junds hoofd Administratie, en toen werd de deur opengegooid.

Senator Arlen Farris torende in de deuropening als een moedergrizzlybeer wier jong net door een suïcidale padvinder tegen zijn bips is geschopt. Een gekweld kijkende Decker tuurde om het hoekje naar binnen.

'Senator Farris,' zei Jund.

'Mijn zoon was het slachtoffer van de Schaakman,' sprak de senator uit Delaware traag, met schorre stem de nadruk leggend op elke lettergreep. 'Ik laat zijn naam niet door jullie door het slijk halen, Jund.'

'Ik heb geen idee waar u het over heeft.'

'Dan ben je een gore leugenaar!' Farris beende langs de vrouwelijke agenten aan de tafel, ze volkomen negerend, boog zich over het bureau van de adjunct-directeur en keek Jund van dichtbij in de ogen. 'Jij zat nog met de *Playboy* in een boomhut te rukken toen ik voor het eerst in deze stad kwam. Vijfendertig verdomde jaren zit ik hier al! Dus als iemand hier twee keer een wind laat, hoor ik daar altijd als eerste over.'

'Dat is nog eens een goed argument om een limiet te stellen aan het aantal termijnen dat iemand mag zitten,' zei Cady, verrast vanwege zijn eigen onbeleefdheid. Dit was de tweede keer dat hij de senator zag zonder zijn innemende masker op, het imago dat Farris gebruikte voor het grote publiek, om stemmen te winnen. De eerste glimp was die avond in het ziekenhuis geweest. Indertijd had Cady het toegeschreven aan de rouw om zijn enige zoon. Nu wist hij wel beter.

Het hoofd van de senator draaide opzij, hij merkte Cady op, die achter in het vertrek zat, wierp hem een bijna dodelijke blik toe, en keerde zich toen weer tot Jund.

'Ik dacht dat die teringlijder door wiens schuld mijn zoon is gedood uit de FBI was getrapt, Jund.' Farris gebaarde naar Cady. 'Zit die zak wonden open te rijten, en de tijd te verspillen met pogingen om Patrick in verband te brengen met die Zalentine-gekken in plaats van te ontdekken wie Ken Gottlieb heeft gedood?'

'Als u van het begin af aan eerlijk tegen me was geweest,' antwoordde Cady, 'zou uw zoon nog leven.'

Cady stond op terwijl Farris op hem af kwam stappen.

'Hoe gaat het met jou, superkluns?' vroeg Farris, met zijn wijsvinger Cady op zijn borst prikkend. Hard. Herhaaldelijk. 'Als ik jou niet de bak in kan laten draaien, laat ik je nog deze week naar een verdomde iglo in Alaska overplaatsen.'

'Raak me niet nog een keer aan,' antwoordde Cady, en hij zette een stap naar de senator toe. 'Als jullie over Snow Goose hadden bekend, in plaats van het in de doofpot te stoppen, was dit allemaal niet gebeurd.'

Farris' gezicht werd hoogrood. Cady zag de slapen van de senator kloppen.

'Patrick was daar niet bij, jij monomane mongool.' Het vingerprikken begon weer. 'En ik geef geen reet om wat er met die hoer uit Goose Lake is gebeurd...'

Cady greep de stotende vinger van de senator en boog hem naar boven, Farris op zijn knieën dwingend. 'Ik zei dat je me niet meer moest aanraken,' zei Cady en hij draaide zijn pols om, daarmee de wijsvinger van de senator uit de kom trekkend, waardoor die zijwaarts uitstak en naar de adjunct-directeur wees.

Farris, nu lijkbleek geworden, hield zijn trillende rechterhand met zijn linker vast en kwam langzaam overeind. 'Nu ben je echt te ver gedaan, Cady. Je bent er geweest,' zei Farris iets harder dan fluisterend. Hij keek naar Jund. 'Jullie zijn er allebei geweest.'

'Waarom viel u in godsnaam *burger* Cady aan, senator?' vroeg agent Preston, met trillende stem, terwijl een zichtbaar geschokte agent Schommer roerloos naast haar zat.

'Ja, senator,' Jund was hoogrood aangelopen, 'waarom dwong u burger Cady zich te verdedigen ten overstaan van mijn mensen?'

De adjunct-directeur en de oude senator uit Delaware bleven elkaar aanstaren. Cady wist niet of het aan het licht lag, maar de blik op het gezicht van de adjunct-directeur deed inderdaad denken aan die van Stan Laurel. 'Het laatste woord is hier nog niet over gezegd,' zei Farris. 'Bij lange na niet.'

'Dat geloof ik graag.'

De senator hield nog steeds zijn ontwrichte vinger vast en stapte het kantoor van de adjunct-directeur uit.

'Ik ben nieuw hier,' zei agent Schommer na wat een eeuwigheid leek, 'gaat het er hier altijd zo aan toe?'

32

Twee weken geleden

'Elke keer wanneer de deurbel gaat, denk ik dat het de openbaar aanklager is,' zei Hartzell. 'Wat kan ik nog voor je doen in een oranje overall?'

'Je gaat helemaal geen oranje overall dragen, Drake.' De man met gitzwart haar, die nog steeds zijn naam niet had genoemd, zat aan Hartzells eettafel Hartzells Kopi Luwak-melange te drinken.

Hartzell was rood aangelopen. 'De door de president eigenhandig gekozen aanpakker zal de volgende voorzitter van de SEC te worden – de nieuwe sheriff die de stad komt zuiveren van gespuis – en een of andere goedkope marktanalist in Boston hapt naar mijn enkels, maar hé... géén probleem, maat.'

'Hoor eens, Drake, je hebt je angsten de afgelopen weken maar al te duidelijk gemaakt. Laat me je verzekeren dat we alles onder controle hebben. We hebben op hoge posten oren en ogen zitten, vriend. Op hoge posten. Bij het eerste teken dat er storm op til is, zullen jij en Lucy jullie *verschillende* paspoorten terugkrijgen en smeren jullie 'm. Ik kan jullie beiden zelfs naar Canada krijgen zonder dat er bewijzen van hoeven te zijn – als jullie dat willen.'

Op de avond waarop Hartzells wereld overhoop was gekeerd, hadden de mannen uit Chicago zijn appartement doorzocht alsof ze naar goud zochten. Binnen de kortste tijd hadden ze de muurkluis gevonden, verborgen onder de natte tapkastgootsteen, achter een plank met zijn honderd jaar oude cognac. Hartzell had de kluis onmiddellijk geopend om te voorkomen dat de aapmens zijn dochter nog langer zou mishandelen. De twee schurken – want de geest die het scheermes tegen Hartzells halsslagader had gehouden was al verdwenen – kakelden van de pret over de honderdduizenden dollars in stapeltjes van briefjes van honderd. Ze keken alsof ze de loterij hadden gewonnen toen ze de bruine enveloppen openden waarin zowel Hartzells als Lucy's echte paspoorten zaten, evenals de vervalsingen van zijn mannetje in Manila.

'Oren en ogen op hoge posten, wat wil dat zeggen?'

'Geloof me, Drake, dat wil je niet weten.' De man nam nog een slok van zijn Kopi Luwak en haalde zijn schouders op. 'Dit is de beste koffie die ik ooit heb gedronken. Daar kan niets aan tippen. Zelfs de wetenschap dat de bonen door de reet van dat beest zijn gegaan doet geen afbreuk aan de smaak.'

'Dat "beest" is een Aziatische civetkat, ongeveer zo groot als een huiskat. Het eet de koffiebessen, maar de bonen gaan onverteerd door zijn ingewanden,' antwoordde Hartzell. 'De enzymen in de maag van de civetkat zorgen voor de bitterheid van de koffie.'

'Of het nu het bespelen van de aandelenmarkt is of knaagdieren die koffiebonen kakken, elke dag leer ik wel weer iets nieuws van je.' De man zette zijn koffiemok neer. 'Hoor eens, Drake, je moet me vertrouwen in deze zaak en gewoon je werk blijven doen. Wij zullen zorgen dat jou niets overkomt. Jezus, jij bent onze kip met de gouden eieren. We zijn gek op je.'

Hartzells taak de afgelopen twee weken was een stel witwasaccountants uit Chicago leren over de kneepjes van zijn vak, ze stap voor stap begeleiden bij het leren van de financiële investeringstrucs die hij de afgelopen jaren had uitgevoerd. Die pennenlikkers tonen wat ze wel en niet moesten doen, ze de trucjes leren, zijn best practice. Daarvoor in de plaats werd Hartzell en Lucy bovenal beloofd dat ze zouden blijven leven, en na nog wat uitknijpen van Hartzells aanzienlijke appeltje voor de dorst mochten de vader en dochter uiteindelijk in rook opgaan, waarbij hun schuld aan Chicago volledig zou zijn afbetaald.

De twee schaduwen waren aan Hartzell voorgesteld, met wat gegrinnik van de naamloze gast die nu zijn leven dirigeerde, als Smith en Jones. Smith en Jones verbleven in zijn logeerkamer, aten samen met hem, gingen met hem naar het werk – anders gezegd zaten ze zo dicht op Hartzells huid als een vierde huidlaag. Het drietal maakte er maar het beste van en de twee pennenlikkers waren duidelijk vol ontzag over wat Hartzell had klaargespeeld.

'Zie mij maar als de coördinator,' had de woordvoerder zonder naam Hartzell de avond dat ze waren aangekomen verteld. Nu kwam hij om de paar dagen langs, zoals vandaag, en had dan een persoonlijk gesprekje met Hartzell, zorgde dat alles gesmeerd liep en naar behoren. De Hartzells was aan het einde van de eerste avond verteld dat Lucy St. Nicks pakkie-an was. Dat die mooie dame soms St. Nick zou zien, misschien op een straathoek of bijvoorbeeld bij de roltrap bij Macy's, of in de gang bij Juilliard. En hoewel hij altijd in de buurt zou zijn, zou ze hem meestal niet bespeuren. Zolang Lucy's vader meedeed, zou St. Nick haar nooit een haar krenken. Wat die geest met het scheermes betrof, Hartzell zou hem nooit meer zien, behalve als hij iets deed wat de coördinator tegen de haren in zou strijken, en dan zou het de laatste keer zijn dat Hartzell ooit nog die geest... of wat dan ook zou zien.

Wat Lucy betrof op die uitzichtloze avond, St. Nicks gedrag was volkomen omgekeerd van beul tot trouwe verzorger. Hij had een ijskompres voor haar mond gehaald, snel een telefoontje gepleegd, en tien minuten later werd een korte man met roodomrande oogjes en een dokterstas uit de jaren vijftig binnengelaten in hun penthouse. Roodoogje scheen even in Lucy's ogen, controleerde en waste haar wonden en schrammen, gaf haar genoeg Vicodin voor vijf dagen, vertelde haar dat ze veel rust moest nemen en hoewel ze nog wel een paar dagen pijn zou hebben, aangezien ze bij een auto-ongeluk flink door de mangel was gehaald, was er niets blijvend of levensbedreigend. Ze zou na een week alweer helemaal de oude zijn.

Hartzell bewoog hemel en aarde om de oorspronkelijke investering van de AlPenny-groep in zijn geheel terug te betalen, samen met de sterk aangeraden vijfentwintig miljoen rente – een schijntje – aan de ongenoemde coördinator die aan Hartzells eettafel *The New York Times* zat te lezen alsof hij de heer des huizes was. En de AlPenny-groep was nu ook echt de eigenaar van Hartzells appartement in Manhattan. Die koop was in het begin van de tweede week gesloten; ze kregen het voor een appel en een ei. De akte voor Andrew Piersons Toscaanse villa en wijngaard was al eerder die week overgedragen. De coördinator was een echte heer geweest sinds het incident tussen Lucy en het geharde glas, maar bepaalde 'verzoeken' om extra voeding om het altijd hongerige monster te voeden werden om de zoveel tijd ingediend met een sluwe glimlach die aangaf dat er niet over te onderhandelen viel. Alle transacties waren soepel verlopen – dat wil zeggen, Hartzell had natuurlijk wel de pest in – voornamelijk vanwege het feit dat er geen echt geld was betaald.

Hartzell werkte volgens een voor hem logische overgavetactiek: hij deed afstand van zijn Toscaanse activa aangezien dat landgoed voor hem toch al niet meer bruikbaar was nu men in Chicago wist van zijn valse paspoort op naam van Pierson. Uncle Sam zou uiteindelijk Hartzell toch wel in Manhattan van de troon hebben gestoten, dus was het verlies niet zo'n bittere pil om te slikken. Zijn ongenoemde compagnon, die op dit moment het sportkatern doornam, had hem geïnformeerd dat Hartzell moreel en psychologisch het penthouseappartement aan de jongeheer Crenna verschuldigd was, aangezien het de jongen zou helpen zijn diepe smart vanwege Lucy's verraad te boven te komen. Die jongen had ongetwijfeld een enorm gebroken hart, dacht Hartzell terwijl hij de paperassen in drievoud ondertekende.

Hartzell gromde hardop, voornamelijk voor Smith en Jones, over iedere glanzende snuisterij die hij gedwongen was op te offeren aan het hongerige zwijn in Chicago; hij deed zijn uiterste best om het drietal wijs te maken dat hun afpersing veel verderging dan alleen maar het bovenste laagje van Drake Hartzells imperium afromen. Niettemin leidde zijn toneelstukje dat hij zo arm als de straat werd nergens toe; het liep bij de coördinator stuk, want hoe meer Hartzell klaagde over zijn verliezen, hoe meer de coördinator schaapachtig grijnsde en zijn hoofd schudde. Hij trapte er niet in.

Het werd Hartzell al vroeg duidelijk dat Smith en Jones – of Vince en David; ze vertrouwden hem uiteindelijk aan het ontbijt met bagels hun mogelijk echte voornamen toe, nu ze toch met hem onder één dak woonden en zo – niet alleen zijn grote kennis van de financiële markten aan het exploiteren waren, maar ook probeerden te peilen hoe groot de berg goud was waar de oude koning Drake op zat. Hartzell voelde zich als Penelope die zich de vrijers in Homerus' *Odyssee* van het lijf moest houden. Maar in het onderhavige geval trok hij niet elke avond het weefsel van de lijkwade los, maar gebruikte juist elke list in zijn arsenaal om zijn eigen vrijers te overtuigen dat er in de loop der jaren veel meer aan de investeerders was betaald en dat hij echt een goeie gek was op het gebied van liefdadigheid, waarbij een grote som gelds was overgemaakt aan een groot scala van goede doelen.

En het was bij het ziften door zijn vroegere liefdadigheidswerk dat Hartzell op de naam stuitte van dat eeuwig hongerige beest in Chicago, de man achter de schermen. Hij herinnerde zich dat de jonge Crenna iets had gezegd over zijn lieve tante die kanker had overwonnen, en die Hartzell misschien had ontmoet op dat nu betreurenswaardige evenement waar hij bij aanwezig was geweest in de Windy City een paar jaar terug. De jonge Crenna had haar 'tante Nora' genoemd. Verbluffend wat je op Google met een paar klikjes al niet kon vinden; echt een supersnelweg van informatie. Hartzell vond al snel een heel gezellig wervend artikeltje over het kankerevenement van die avond in het Belden Stratford. Er stond maar één vrouw op het bord met aankondigingen voor die benefietavond die Nora heette: Nora Fiorella.

Vervolgens googelde Hartzell Nora Fiorella's naam, samen met *Breast Cancer Awareness*. Zijn internetzoektocht leverde een groot aantal hits op van zowel haar als haar man als donateurs voor vele kankeronderzoek- en geldinzamelingsacties. Haar achternaam klonk nogal bekend en toen hij haar foto op het internet bekeek in een van de artikelen, had hij de vage herinnering dat hij die avond niet alleen die Nora Fiorella had ontmoet maar ook haar zwaargebouwde man de hand had gedrukt. Hartzell herinnerde zich niet meer wat ze die avond hadden gezegd en wist dat hij de gebruikelijke dingen had gemompeld voor dit soort gelegenheden, tot in de puntjes uitgewerkt, met een twinkeling in zijn ogen en een glimlach op de lippen en een grote dosis ersatzmedeleven voor het goede doel van die dag.

Iets aan de naam Fiorella had zelfs vaag bekend geklonken ten tijde van het evenement, alhoewel hij nooit rechtstreeks met de lieve tante van de jonge Crenna had samengewerkt. Hartzell herinnerde zich toen ze aan elkaar werden voorgesteld even te hebben gepeinsd, door zijn geheugen ploegend alsof hij probeerde op de naam te komen van een vergeten toneelspeler of al lang gepensioneerde senator. Het had maar even geduurd en toen was Hartzell een volgend stel met diepe zakken met zijn voorbereide formule gaan begroeten.

Met groeiende ongerustheid had Hartzell de naam van de man geknipt en geplakt in de zoekmachine en op enter gedrukt. Crenna was een schuilnaam, dat had de coördinator toegegeven. Na vijf minuten artikelen lezen vanuit zijn zoekresultaten ontdekte Hartzell de ware omvang van wat hij tegenover zich had, en nu had hij ook een gezicht en de identiteit van het hongerige monster waar hij de afgelopen weken zijn activa aan had gevoerd.

Duilio 'Leo' Fiorella.

Hij werd niet veel wijzer van de gegoogelde krantenartikelen, maar er waren genoeg dingen 'vermeend' en er was regelmatig sprake van een 'flinterdunne tenlastelegging'. Nog een getuigenverklaring die werd ingetrokken hier en een vermiste getuige daar, en Hartzell wist genoeg. Wat hij las, joeg hem de rillingen over de rug. Een artikel in de *Sun-Times* bood veel inzicht in de pr-groep voor burgerrechten die Duilio Fiorella had opgericht om specifiek druk uit te oefenen via politieke dwang, partijen voor het gerecht te slepen, of in sommige gevallen zelfs een hele vakbondsknokploeg naar de schofferende partij te vervoeren om daar te posteren en intimideren wanneer er iets in de lokale media was gepubliceerd wat de naam van de familie besmeurde. Allemaal onder het politiek correcte mom dat die kleine beledigingen discriminerend of anti-Italiaans waren.

Briljant, dacht Hartzell; Duilio 'Leo' Fiorella was een achterbakse klootzak, waarschijnlijk was dat een functievereiste wanneer je de georganiseerde misdaad wilde leiden in de meest corrupte stad van het land. Geen wonder dat de jonge Crenna zo zelfverzekerd was geweest. Het doet wonderen voor je zelfvertrouwen wanneer je oom de baas is van de cosa nostra in het Midden-Westen. Blijkbaar had die kolos St. Nick helemaal gelijk gehad: Hartzell had echt zijn pik in een lelijk wespennest gestoken.

Hartzell vertrouwde de vaste lijnen thuis of op zijn kantoor niet meer, hij dacht dat de lijnen werden afgetapt en nam zelfs aan dat alles wat hij hardop zei werd gehoord door de schurkachtige techneuten die in New York voor de coördinator werkten. Hij nam ook aan dat ze een soort traceersoftware op zijn computer hadden aangebracht, het soort dat alles doorgeeft wat je typt, en dat ze de inkomende en uitgaande e-mailberichten volgden. Ze konden waarschijnlijk in real time zien wat hij opzocht op internet, maar Hartzell dacht dat deze onbeduidende Google-opdracht zou aangeven dat hij geen totale onnozelaar was – het zou zelfs worden verwacht en het zou ze het gevoel geven dat ze hem precies hadden waar ze hem hebben wilden, en die klootzakken hadden hem ook – maar hij bleef nog een halfuur cricketscores opzoeken om eventuele meekijkende huurlingen tot gek makens toe te vervelen.

Kinderen wordt vaak vermaand nooit dieren te bedreigen, nooit een kat in het nauw te brengen en nooit een steen naar een horzelnest te gooien, want het dier zal zichzelf dan uit alle macht moeten gaan verdedigen. Daar kan nooit wat goeds van komen, wordt kinderen verteld. Hetzelfde geldt voor bedriegers. Je kunt ze beter snel het vel over de oren halen of ze in de gevangenis gooien en vrolijk weghuppelen. Hartzell gevangenzetten en hem dwingen zich gewonnen te geven, alsof hij een ordinaire dief was, hem beetje bij beetje beroven van alle opbrengsten van zijn werk, kwetste Hartzell niet alleen tot in het diepste van zijn ziel, maar gaf hem ook tijd om na te denken en om geestelijk weer op krachten te komen.

Opmerkelijk genoeg was Lucy hem mijlenver voor geweest bij het inschatten van zijn gedachten. Die eerste ochtend na de komst van de coördinator had zij de pit en het lef om naar haar ochtendcolleges op Juilliard te gaan, meer om van die geschifte freaks weg te komen dan uit bezorgdheid dat ze een achterstand opliep. Dus met haar lokken over het verband heen gekamd zodat haar voorhoofd half verborgen bleef, een arm in een mitella, een gedrogeerde blik in de ogen en met die kale Hercules als haar schaduw, stond ze stil om Hartzell lang en innig te omarmen. Ze hielden elkaar wel een minuut lang vast, zodat zelfs de coördinator even het raam uit keek om ze even wat privacy te gunnen. Hartzell was doodop na een zenuwslopende nacht van 'regelingen' treffen met de ongenoemde heer uit Chicago die zijn leven in de nabije toekomst zou 'coördineren', maar haar gefluisterde woorden drongen door zijn voorgevoelens heen. 'Draai de rollen om, papa,' had Lucy die eerste ochtend als een geest in zijn oor gefluisterd. 'Draai de rollen om.'

Blinde hebzucht, dat was Duilio 'Leo' Fiorella's ernstigste karakterzwakte, had Hartzell ingeschat. Hij had zelf zo'n beetje dezelfde zwakte en beschouwde zichzelf als een deskundige op dit gebied. Om St. Nicks vleselijke metafoor aan te houden, wat als de rollen konden worden omgedraaid en het de onverzadigbaar hebzuchtige Duilio 'Leo' Fiorella's was die echt zijn pik in een lelijk wespennest had gestoken?

Hartzell wist dat de coördinator geen duimbreed zou wijken, maar Vince en David, dat waren witte boorden uit de AlPenny-groep, dat alchemistische team dat ermee belast was de gewone metalen van Fiorella – staal, ijzer, nikkel en platina, zwart aangeslagen door afpersen, drugdeals, verdovende middelen, gokken, prostitutie en god weet wat nog meer – om te toveren tot legaal goud. Die twee kon Hartzell nog wel aan, ze paaien, hun vertrouwen winnen om hem wat armslag te geven.

Dus Hartzell begon een charmeoffensief met elke ochtend een doos vol specialiteiten van H&H Bagels, die kon worden weggespoeld met de nu favoriete koffie van de coördinator, Kopi Luwak – en voor de lunch misschien wat Franse hapjes bij Daniel, of lamskoteletten bij The Palm of, als ze daar zin in hadden, naar de Gramercy Tavern voor wat viskroketten, en wanneer ze heimwee hadden de dag besluiten met een feestmaal bij Da Nico. Hij kon zelfs kaartjes op de kop tikken voor het nieuwe Yankee Stadium, waar het drietal 's avonds een wedstrijd bijwoonde – allemaal op Hartzells kosten. Hij beantwoordde enthousiast al hun vragen, zelfs de pijnlijke bekentenissen van zijn frauduleuze activiteiten, met zo'n vijfenzeventig procent waarheid, een hoog percentage voor Hartzell.

Aan het begin van de tweede week waren die drie de beste vrienden, drie kerels in ongeveer hetzelfde vak die al dollend al hun geheimen met elkaar deelden. Hartzell leefde helemaal op toen hij ze in detail een kijkje gaf in de keuken van zijn bedriegerspraktijken, en wie hij had bedrogen, en voor hoeveel. Het drietal lachte onophoudelijk om Hartzells geniale belastingontduikingen, kasboekfraudes, kredietspeculaties bij het aandelenvermogen, extra kosten rekenen op alle niveaus, accommodatiewissels van kapitaal en het maken van een psychologisch profiel van zijn rijke slachtoffers.

Hartzell liet ze zitten achter de stevige Afrikaanse mahoniehouten tafel in de grote vergaderzaal op de dertigste verdieping van zijn kantoorgebouw op Park Avenue, Hartzell Investment, Inc. – een chique façade die zijn klanten vervulde van ontzag voor Hartzells gewichtigheid, terwijl ze niet wisten hoe snel ze hun chequeboekjes moesten openen. Hij gaf Vince en David een rondleiding door het gebouw, kocht café lattes voor ze in het kioskje in de ontvangsthal op de tweede verdieping en toonde ze de beste plekjes waar ze onopvallend de mensen in de gaten konden houden. Hij vertelde het tweetal dat hij had uitgedokterd op welke tijdstippen sommige mooie meiden van het kantoorgebouw in korte rokjes naar de kiosk kwamen voor een *refill*, wat Hartzell een tijd terug voor zijn eigen plezier echt had gedaan.

Halverwege de tweede week, toen hij met twee vingers wees naar de accountants en vroeg: 'Normaal of extra gelood?', knikten ze allebei instemmend, en kon hij dus twintig minuten lang wegblijven. Natuurlijk kon een doortastende kerel in tien minuten drie bakjes troost bij de koffiekiosk krijgen en terugkeren, maar Hartzell greep op weg naar buiten Stephanies mobieltje uit haar tas, bracht een vinger naar zijn lippen om haar het zwijgen op te leggen en schudde zijn hoofd terwijl hij naar achteren wees, ondeugend grijnsde en naar de liften wegglipte. Stephanie, zijn receptioniste aan de voorbalie, was aanvankelijk verrast door de twee bezoekers, die weldra vaste klanten werden op het kantoor. Hoewel Stephanie niets wist van Hartzells financiële bedrog, wist ze dat hij erg op zichzelf was en hield ze het bij haar eigen taken, waar ze rijkelijk voor werd beloond, met een toegewijde discretie. Hartzell wist niet of ze aan zijn mobieltje hadden geprutst, maar hij wist dat er manieren waren om je mobiele signaal te volgen. Zelfs al in de oudheid, v.C. – vóór de Coördinator – gebruikte Hartzell alleen 'schone', ongebruikte telefoons, die niet naar hem konden worden getraceerd, om bepaalde telefoontjes te plegen.

Hartzell ging met de lift twee verdiepingen omlaag en drukte op de ontvangsthal en nog wat andere verdiepingen terwijl hij uitstapte op de begane grond. Hij keek rond terwijl hij wegliep van de liften, de hoek om ging en snel in het trapportaal verdween. Hij leunde met zijn rug tegen de deur, sloot zijn ogen en telde langzaam tot zestig, luisterend of hij verdachte geluiden of voetstappen kon horen. Hij begon de trap sneller af te dalen, met twee treden tegelijk, terwijl hij Stephanies mobieltje openklapte. In het trappenhuis bellen was niets nieuws voor Hartzell, aangezien hij in de loop der jaren bergen had verzet in de beslotenheid van het trappenhuis met wegwerpmobieltjes bij gesprekken die een eventuele afluisteraar niets zouden zeggen.

Hij haastte zich de trap af, brallend door de telefoon, en kocht kaartjes voor nog een Yankees-wedstrijd voor zijn logés en zichzelf. Toen het gesprek was beëindigd, hield hij plotseling halt en luisterde nog eens een minuut in stilte. Hartzell maakte zich geen zorgen over de twee accountants die een aantal verdiepingen hoger de spreadsheets bestudeerden in zijn vergaderzaal; hij wist dat die twee naar het trappenhuis zouden moeten worden geleid als er een brand uitbrak. Daarentegen was Hartzells buitensporige voorzichtigheid te wijten aan die onbekende derde man, die verdomde geest die uit het niets was verschenen en Hartzell die eerste avond in een doodsgreep had gehouden. Dat was degene die Hartzell het meest vreesde, Fiorella's belangrijkste wapen. Gerustgesteld dat Fiorella's getrainde killer zich niet verstopt had in een bloempot op de verdieping die Hartzell willekeurig had gekozen om uit te stappen en zich vervolgens in het oostelijke trappenhuis had omgetoverd tot een stofnest, had Hartzell een getal ingetoetst dat hij lang geleden uit het hoofd had geleerd en sprak op kalme toon niet langer dan zestig seconden. Twaalf minuten later keerde Hartzell terug naar zijn kantoor met drie kopjes koffie en dronk het zijne terwijl hij kletste met de pennenlikkers.

Tegen het eind van de tweede week ging hij omlaag naar de twintigste verdieping, naar een patentrechtkantoor waarvan beide senior partners grote investeringen bij Hartzells kantoor hadden gedaan, maakte ze wat wijs over veranderde computersystemen en vroeg of hij een computer van ze mocht gebruiken om af en toe een paar minuten zijn e-mail te bekijken tot de IT-lui weer waren opgekrast. Na een kort 'Geen probleem' en 'Voor jou altijd, Drake' lieten ze Hartzell een computer gebruiken in een besloten vergaderzaal. Hartzell drukte zich op het hart om beide partners een handjevol toegangskaartjes te geven voor een komische musical die binnenkort in het Bernard B. Jacobs Theater in première zou gaan, voor henzelf en hun vrouwen of minnaressen.

Vijf minuten hier en daar met een schoon mobieltje of niet getraceerde pc, weg van die nieuwsgierige schaduwen, was het enige wat Hartzell nodig had om de boel in gang te zetten. Hij had nieuwe paspoorten nodig, moest anonieme bankrekeningen overhevelen, rollen omdraaien, en nog één berg verzetten – en die Mount Everest wilde Hartzell recht bij een zekere Duilio 'Leo' Fiorella in de reet schuiven.

Die klootzak had met zijn poten van Lucy af moeten blijven.

33

'Weet je zeker dat je het achter je kunt laten?'

'Het duurt misschien nog maanden voor ze hem vinden, Terri. Westlow was voorbereid op deze dag, dus zal hij nu een andere identiteit en en een ander uiterlijk hebben. Uiteindelijk zal hij door een vriend of een oplettende hotelmedewerker worden verraden.'

Ze zaten samen in de stoeltjes bij hun boarding gatc in het Ronald Reagan National Airport, Starbucks-koffie slurpend en wachtend op hun middagvlucht naar Minneapolis.

'Ik sta in dubio.'

'Wat bedoel je?' vroeg Cady.

'Ik hcb door Dorseys fotoalbums gebladerd, ik weet hoe haar dochters dood het leven van die lieve, geweldige vrouw heeft verwoest, en dat de slachtoffers van de Schaakman medeplichtig waren aan Marly's dood. Nu sta ik in dubio.'

'Is dit dezelfde meid die ik in Cohasset ontmoette? Die om gerechtigheid schreeuwde?'

'Het is nu niet meer zo zwart-wit.'

'Dat is het nooit.'

'De enige reden dat ik wil dat hij gepakt wordt, Drew, is om wat hij jou heeft aangedaan.'

'Die vent heeft een reeks moorden methodisch gepland en uitgevoerd, waaronder de brute moord op een Congreslid.'

'We weten allebei dat Patrick Farris die avond bij het meer was, hij was erbij betrokken.'

'Kijk wat Westlow de handlangers heeft aangedaan, Terri, de slachtoffers die niet rechtstreeks verantwoordelijk waren voor Marly's dood. Barrett Sanfield werd in het hart gestoken vanwege zijn aandeel in het geheimhouden, heel persoonlijk. Bret was de sufferd die ze te grazen namen vanwege het geheimhouden, maar hij verdiende het niet om levend te worden verbrand.'

'Vroeger hingen ze paardendieven op. Bret en die advocaat waren betrokken bij iets veel ergers dan een pony jatten.'

'Ze hebben vroeger wel meer geks gedaan, Terri, maar hoe zit het met Dane Schaeffer? Dat joch gaf een feest, een stom zuipfeest in het huis van zijn familie aan het meer. Verdiende hij daarvoor de doodstraf? Toen Schaeffer hoorde dat Marly werd vermist, sprong hij in een boot en ging haar gelijk zoeken. Maar Westlow doodde hem toch, verdronk hem – ook weer heel persoonlijk.' Cady haalde zijn schouders op. 'Ik denk dat ik wil zeggen dat Jake Westlow geen moderne variant is van de dolende ridder op een queeste om het koninkrijk te redden.'

'Hij is niet degene aan wie ik denk als moderne variant van de dolende ridder op een queeste om het koninkrijk te redden.'

Cady schudde het hoofd. 'Ja hoor.'

Een mobieltje zoemde. Terri zocht in haar tas en klapte het open.

'Met Terri.'

Cady had besloten er een levenswerk van te maken om Terri aan te gapen; hij bestudeerde haar profiel terwijl ze het gesprek beantwoordde. Hij zag haar mond opeens openzakken, de glinstering trok weg uit haar blik terwijl ze hem het mobieltje gaf.

'Wat?'

'Ik geloof dat hij het is,' zei Terri langzaam. 'Hij wil met je praten.'

Cady nam de telefoon aan en hield hem bij zijn oor. 'Met Cady.'

'Had ik gezegd dat jij een vliegtuig mocht nemen?'

Cady herkende de stem van zijn nachtelijke bezoeker in het hotel en was overeind gesprongen, maakte een draai om zijn as in het pre-boardinggebied, de gezichten van alle mannelijke passagiers afzoekend, op zoek naar iemand met een telefoon aan zijn oor.

'Hoe kom je aan dit nummer, klootzak?'

Cady stapte de hal in en zocht tientallen gezichten in de twee wachtruimtes ernaast af. Het was er druk; er was net een lading mensen uit een vliegtuig gestapt. Cady's hoofd zwierde van links naar rechts en weer terug terwijl hij alleen mannen van Westlows lengte zocht. Hij begon naar de aankomsthal te lopen, in de veronderstelling dat de Schaakman zich niet zou laten insluiten bij de verre uitgangen.

'Het is het telefoonnummer van een van de contactpersonen die op de Sundown Points-website staan opgesomd. Ik overweeg een huisje te huren.'

'Hou Terri hier godverdomme buiten,' zei Cady tegen het mobieltje alsof het een levend wezen was. 'Begrepen?'

'Noem je haar nu al Terri?'

'Als ze maar één telefoontje krijgt van een vreemde, Westlow, of wanneer een auto langs haar huis rijdt die ze niet herkent, zul je iedere dag een steen moeten zoeken om onder te slapen want dan zal ik nooit meer ophouden je te zoeken. Nooit.'

'Begrepen.'

'Mooi. Ga je me vertellen waarvandaan je belt?'

'Was jouw café au lait ook zo slap?'

Cady voelde zich misselijk. Had die klootzak echt met hem in de rij gestaan? Hij begon te rennen, de gezichten afzoekend en de lengtes controlerend, zoekend naar mannen van rond de een meter negentig lang, mannen met een mobieltje in de hand of die een oortje in hadden, misschien met een kop Starbucks-koffie in de hand.

'Ik was bitter teleurgesteld. Ik bedoel, ik kan thuis bijna gratis slechte koffie zetten, maar ze zullen hier wel een vaste afzetmarkt hebben.'

Cady naderde de douanelinie. Westlow was ofwel al langs de beveiliging gegaan of was hen gewoon gevolgd naar het vliegveld en probeerde nu in zijn geest binnen te dringen.

'En wat noem je tegenwoordig je thuis, Westlow?'

'Dankzij jou, agent Cady, leef ik nu op straat. Ik ben echt dakloos.'

'Fijn om te horen, maar hou maar op met dat agent Cady-gezeik. Ik werk niet meer voor het Bureau.'

'O jee... Dat gaat echt niet. In ieder geval nu nog niet.'

'Wat?' Cady's stem droop van het sarcasme. 'Werk ik nu voor jou?'

'Zo ver zou ik niet willen gaan, maar nu de FBI gecompromitteerd is in het Gottlieb-onderzoek, zouden anderen het misschien wel zo verwoorden.'

'Gecompromitteerd,' herhaalde Cady. 'Wat een gelul.'

'Bel ik op een verkeerd moment, agent Cady? Ik voel een zekere vijandigheid.'

Cady gaf het op de menigte reizigers af te zoeken. De Schaakman kon drie wc's verderop zijn, op de parkeerplaats van het vliegveld, of tien kilometer verder weg. Hij schakelde naar de informatievergaringsstand.

'Als Gottlieb niet jouw werk was, wat maak je je dan druk? Waarom kruip je weer uit je hol?'

'Ik word erin geluisd om jou in de verkeerde richting te sturen.'

'We zouden wel door die copycat-act heen hebben gekeken, Westlow. Dat weet je best. Daarom vraag ik me af, waarom laat je je in de kaarten kijken? Nu weten we zeker dat jij het allemaal niet meer aankunt.'

'Die avond in het hotel – je stuurde toen al aan op die conclusie.'

'Ik had er een zaak van kunnen maken, maar dan was er altijd nog wat twijfel blijven hangen en heel wat ongeloof. Maar je hebt alle onzekerheid verdreven. Dat is niet alleen een slechte zet voor een schaker, maar een echte blunder. En jij maakt geen blunders, dus nogmaals... Waar maak jij je druk om?'

Er volgde een stilte.

'In godsnaam, Westlow, Marly ligt al dertien jaar in haar graf,' zei Cady, in de hoop een gevoelige snaar te raken. 'Dat is wel erg lang om nog steeds hiermee door te gaan.'

Nog een stilte. Cady vertraagde zijn pas, zijn aandacht richtte zich nu op de telefoon en niet op die eindeloze reeks luchtreizigers die langsliepen.

'Ben je daar nog, Westlow?'

'Liefde heeft geen houdbaarheidsdatum, agent Cady... als bij een pak melk.'

Cady stapte uit de toestromende mensenmassa om die opmerking te overdenken. Hij wist niet goed wat hij ervan moest denken en ging verder in op de rode vlag die Westlow had opgestoken.

'Waarom zeg je dat de FBI gecompromitteerd is?'

'Heb je een pen bij de hand?'

'Ja.'

'Schrijf dit adres op.'

Cady krabbelde het op zijn handpalm. Hij begon Westlow al naar het adres te vragen, maar kreeg een pieptoon als antwoord.

Cady liep terug naar de boarding gate. Terri stond hem er op te wachten.

Passagiers waren al aan boord aan het gaan van het lijnvliegtuig.

Ze staarden elkaar een tijdje aan.

'Ik weet het,' zei Terri ten slotte. 'Ga die gozer maar schaken, Galahad.'

Cady glimlachte droogjes, zonder enige vreugde. 'Goeie.'

34

Een week geleden

'Mijn god... jij hebt ze gedood.'

'Ik heb geen idee waar je het over hebt, Drake.'

'Waarom Elaine Kellervick?' Hartzells gezicht was bleek weggetrokken. Zijn benen waren als was; hij zakte in de eetkamerstoel aan de andere kant van de tafel, tegenover de coördinator. 'Ik hield haar aan het lijntje. Maar jullie hebben vast *meegeluisterd* tijdens ons telefoongesprek.'

'Hebben we het over de jammerlijke slachtoffers van die seriemoordenaar... die vent die ze de Schaakman noemen?'

Hartzell was uitgeput, hij liep op zijn laatste benen sinds vorige week het nieuws bekend was geworden dat C. Kenneth Gottlieb was vermoord in zijn woning in Georgetown. Dat kon gewoon niet, dacht Hartzell, zelfs niet na al zijn gejammer over de gedoodverfde SEC-voorzitter tegen die gangster die tegenover hem aan tafel zat. Het was te gek voor woorden en ze zouden hoogstens – wat zou het zijn? – een maand winnen voor de president een nieuwe pitbull in dienst nam. Toen, naarmate het verhaal zich verder ontvouwde in de media, leek de moord gepleegd te zijn door een copycat van die moordenaar die een paar jaar terug de oostkust had geterroriseerd. Toen staken er geruchten de kop op dat de oorspronkelijke Schaakman nooit gestorven was, dat hij zich alleen maar schuilhield, en dat de autoriteiten om de tuin waren geleid.

Hartzell had een ontmoedigend gesprek met de coördinator toen hij de keer daarop weer langskwam; een hele dag nadat het Gottlieb-verhaal op alle voorpagina's in de kranten had gestaan en aanhoudend het belangrijkste onderwerp werd op alle tv-zenders. Na wat ongemakkelijk verbaal gescherm terwijl Hartzell draalde en draaide en probeerde hem over de zaak uit te horen, staarde de man uit Chicago Hartzell verbijsterd aan.

'Wat wil je zeggen, Drake? Denk je dat ík Gottlieb heb laten doden?' De coördinator sloeg op tafel en begon hysterisch te lachen. 'Die is goed. Jij bent het die al wekenlang over die klootzak zit te jammeren, niet ik. Misschien moet ik vragen waar jíj die avond was.'

Na nog een kakelend lachsalvo informeerde de coördinator Hartzell dat, naar zijn bescheiden mening, Gottliebs dood louter toeval was, een vreemde speling van het lot, en dat de Schaakman waarschijnlijk het zwelgen in al die onzinnige media-aandacht na zijn zelfopgelegde sabbatical heel erg miste, en dat hij er vrijwel zeker naar verlangde om met een enorme knaller in de belangstelling terug te keren. Door Gottlieb te vermoorden, de toekomstige SEC-voorzitter, die de afgelopen maanden een aanzienlijke hoeveelheid zendtijd had vergaard, zou de Schaakman precies dat doel bereiken.

Maar Hartzell bleef 's nachts wakker liggen, met die gedachte die maar door zijn hoofd bleef malen, hem ontledend, tegen het licht houdend en van alle kanten bekijkend. Het leek niet eens zo onwaarschijnlijk; Hartzell wist echter dat de coördinator hem op zijn gemak wilde stellen zodat hij zijn werk met hun accountants kon blijven voortzetten. Hartzell wist ook dat zijn gejammer over Gottlieb en die vrouw ervoor moest zorgen dat Fiorella vaart maakte met zijn afpersingen, hun een tijdskader op te dringen en licht aan het einde van de tunnel te creëren, voordat hij helemaal was uitgezogen. Op het eerste gezicht in ieder geval. Achter de schermen had Hartzell die zorgen echter tegen de coördinator geuit, zodat die lui zouden denken dat dat was wat Hartzell het meest zorgen baarde. Ze zouden geloven dat dat de kwesties waren waar hij mee zat, zodat ze in de verkeerde richting keken en nooit zouden ontdekken dat hij het balletje onder een ander bekertje had gestopt.

De coördinator was een geoefende leugenaar en een nog betere manipulator. Natuurlijk ging die vent niet bekennen een moord te hebben opgedragen op een zittende SEC-hoofdambtenaar om meer tijd te winnen om Hartzell uit te knijpen. Maar Gottlieb doden en die moord de Schaakman in de schoenen schuiven was zo belachelijk over the top dat het grensde aan waanzin. Natuurlijk zaten waanzin en genialiteit dicht bij elkaar, en Hartzell wist dat Fiorella een einddoel voor ogen had. Bovendien had Fiorella een zekere werknemer die zo geruisloos te werk ging en het ondenkbare liet gebeuren zonder dat er zelfs maar een hond in de buurt ging blaffen. Hartzell bleef maar denken dat er iets was wat hem ontging, iets buiten zijn gezichtsveld.

En zo verging het Hartzell, de ene slapeloze nacht na de andere.

Maar nu liet het nieuws van de moord op Elaine Kellervick geen ruimte meer voor twijfel.

'Je bent stapelgek.' Hartzell staarde naar de tafel en fluisterde: 'Jullie zijn allemaal stapelgek.'

'Laat me je een vriendschappelijk advies geven als beloning voor alles wat je voor ons hebt gedaan. Je moet heel voorzichtig zijn met wat je zegt en doet, Drake. Van wat ik allemaal heb gehoord over de Schaakman, is hij heel scherpzinnig. Stel je voor dat hij iets van al die plaatsen delict had meegenomen, een klein prulletje of voorwerp dat makkelijk naar het slachtoffer getraceerd kon worden. Het zou heel incriminerend zijn als die kleine dingetjes op ongelukkige tijden en ongelukkige plaatsen zouden opduiken. Ja Drake,' verkondigde de coördinator langzaam en op gedempte toon met een priemende blik die boekdelen sprak over het delicate evenwicht dat nodig was om te overleven, 'je moet heel voorzichtig zijn met wat je zegt en doet.'

35

Adjunct-directeur Jund kreeg een huiszoekingsbevel voor het adres in Richmond dat de Schaakman aan Cady had opgegeven. Het appartement werd verhuurd aan een zekere Dennis Swann, maar de foto op zijn rijbewijs die ze uit Virginia hadden opgevraagd toonde beslist Jake Westlow – dat kon Cady goed zien, zelfs met het middellange zwarte haar en de ronde John Lennon-bril. Het was zeker weten Westlow.

Het adres bleek een goedkoop leegstaand appartement boven een meubelhandel in een vervallen en stoffig bedrijventerrein aan de steeds verder verpauperde noordkant van de stad. Cady begreep onmiddellijk waarom Westlow deze plek had gekozen om te huren. Ten eerste was de zijingang onopvallend; niemand zou aannemen dat er al überhaupt een appartement was. Ten tweede, hoewel de bedrijven in dit deel van de stad alles in het werk leken te stellen om het hoofd boven water te houden, was alles al om vijf uur gesloten en tegen zeven uur 's avonds leek het wel een spookstad. Ten derde keken Westlows grootste raam en het badkamerraampje op de hoek uit op beide kruispunten. Ten vierde ontdekte Cady dat Westlow aan beide ramen had geprutst om er in een oogwenk uit te kunnen springen en er waren geen lastige schermen om aan te hoeven morrelen wanneer je haast had. Ten vijfde, en hoewel bijna onzichtbaar vanaf de straat, kon Cady zien dat Westlow kleine inkepingen in de bakstenen boven beide ramen had uitgehakt. Het patroon van de inkepingen zou een atleet in staat stellen in een oogwenk naar het dak van de meubelhal te klauteren.

En als hij op het dak op de tweede verdieping stond, zou hij in een mum van tijd een blok verder kunnen zijn.

Al met al een prima schuilhol, onopvallend, afgelegen, met een uitstekend uitzicht op eventuele activiteiten buiten... en een ontsnappingsluik.

De deur naar Westlows recentste onderdak was nieuw, ongetwijfeld vervangen, aangezien hij beslist niet paste bij de rest van de omgeving. Met een deurpost van gehard staal van meer dan vijf centimeter breed, een vuistdikke stalen deur, een zesvoudig afsluitsysteem en een grendel met veiligheidsbouten aan de scharnierkant van de deur. De gewapende deur was voor zijn team een hele kluif geweest om open te breken, zelfs met hun hydraulische snijders; een beetje *too much* voor een gewone junk die plasma-tv's en goedkope sieraden wil slijten om zijn volgende shot te kunnen krijgen. De deur had waarschijnlijk meer gekost dan alles wat Westlow in dat vochtige en sjofele appartement had weggestouwd.

In Westlows bestaan als Dennis Swann, dacht Cady, telde iedere seconde.

Het appartement was bijna helemaal leeggehaald. Een dubbel matras zonder lakens of dekens lag voor het raam. Een opklaptafel en een klapstoel stonden pal tegen de badkamermuur, boven het enige stopcontact in de kamer. Cady vermoedde dat het als bureau en eettafel tegelijk fungeerde.

De andere twee voorwerpen die de FBI-agenten in het bijna lege appartement ontdekten, bevonden zich in de keuken. Boven op de ijskast stond een lege pot mosterd. In het vriesvak vonden de agenten echter iets opmerkelijks.

Een afgehakte hand in een diepvrieszakje.

'De vingerafdrukken van je ingevroren hand behoren toe aan Marco Palma,' zei Jund iets harder dan fluisterend tegen de agenten Cady en Preston, die in de bezoekersstoelen aan zijn bureau zaten. De deur zat dicht. 'Na het spannende strafblad van die jonge Palma te hebben bekeken, heb ik een oude vriend bij de OCTF gebeld.'

De OCTF was de Organized Crime Task Force van de staat New York.

'Blijkt dat Marco "Polo" Palma een *sgarrista* is, of beter gezegd was, dat wil zeggen een voetsoldaat van de capo di tutti capi: Fedele Moretti, de baas van alle bazen in New York City. Ik denk dat we allemaal wel van hem hebben gehoord.'

'Mijn god,' zei agent Preston. 'Is de Schaakman nu ook al de New Yorkse onderwereldfiguren aan het doden?'

'Daar lijkt het wel op. Hoewel ik me afvraag waar de rest van Palma is gebleven.'

'Dat zullen we wel nooit te weten komen,' zei Cady. 'Maar Westlow heeft die hand achtergelaten om ons iets duidelijk te maken.'

'Wat dan?'

'Herinner je je zijn waarschuwing dat de FBI gecompromitteerd was?'

'Dat was toch een van zijn afleidingsmanoeuvres, agent Cady. Westlow stuurt ons met een kluitje in het riet zodat hij de tijd heeft om zijn volgende zet te doen.'

'Misschien. Maar hij heeft Dennis Swann opgegeven; hij gaf zijn eigen valse identiteit op omdat hij wilde dat wij die hand vonden, die zouden identificeren... en dan zouden beseffen wie we tegenover ons hadden.'

'Dat de Moretti-familie een copycat gebruikte om Gottlieb te doden?' vroeg Preston. 'Wat zou daarvoor in godsnaam hun motief zijn?'

De drie keken elkaar niet-begrijpend aan.

'Allebei gefeliciteerd,' zei de adjunct-directeur. 'Ik wou dat op het bord langs de weg THE TWILIGHT ZONE stond; helaas zijn we het dorpje GROTE SHITZOOI binnengereden. Blijkt dat ik toch winkelende mensen bij The Home Depot zal moeten gaan verwelkomen.'

'Als de FBI door middel van infiltratie een grote rol heeft gespeeld bij het terugdringen van de georganiseerde misdaad,' zei Cady, 'waarom zou dat concept andersom dan niet kunnen werken?'

Agent Preston stemde in. 'Er zou maar één iemand voor nodig zijn met beperkte toegang tot het systeem om gegevens over een heleboel onderzoeken te vinden en die te verspreiden.'

'We hebben van het begin af aan heel weinig losgelaten over deze zaak, vooral met het oog op de media. En we moeten rekening houden met de mogelijkheid dat het een zoveelste voorbeeld is van Westlows misleidingen.' Jund haalde zijn schouders op. 'Toch, buiten de technische afdeling die de vingerafdrukken heeft onderzocht, kennen alleen wij drieën de identiteit van het slachtoffer in Westlows appartement, en dat zal verdomme zo blijven ook totdat we deze knoop hebben ontward. Niets verlaat deze vier muren totdat wij dat zeggen. Begrepen?'

'Ja, sir,' stemden de agenten in.

Jund haalde opnieuw zijn schouders op. 'Ik zal verder contact houden met de OCTF, ze voorzichtig uithoren, kijken of zij iets hebben opgevangen of weten wat Moretti de laatste tijd uitspookt. Als er nog wat dingen zijn die met elkaar te linken zijn, zullen zij daar wel van weten.'

'En die telefoon, agent Cady?'

'Ik houd Terri's mobieltje continu bij me voor het geval Westlow nog eens belt, maar het traceren leidde tot een dood spoor. Hij heeft een wegwerptelefoon gebruikt.'

'Westlow is drie jaar Dennis Swann geweest. Dat is een interessante ontwikkeling. Zet iedereen op Swann. Misschien is er nog wel iets, iets wat hij heeft achtergelaten, waarmee we hem te grazen kunnen nemen.'

36

'Vince en David gaan komende woensdag met de nachtvlucht naar Chicago en ze staan erop ons die avond mee uit eten te nemen. Ze hebben al voor ons allemaal gereserveerd bij Seppi's.'

'Zonde om het eten bij Seppi's te verpesten door er met die walgelijke lui te eten,' zei Lucy.

'We kunnen er maar beter in berusten en naar hartenlust eten aangezien het ons laatste maal zal zijn. Vince en Dave zullen een taxi nemen naar het vliegveld. Ik heb ze nog een laatste dienst bewezen en hun tickets opgewaardeerd tot eersteklas. Prima kerels, eigenlijk, en ze mogen mij ook graag, maar wel een beetje zwaarmoedig de laatste tijd. Ik betwijfel of ze op de hoogte zijn – tenslotte zijn het maar accountants – maar ze volgen het nieuws en ik vermoed dat ze zien wat er gaat gebeuren.'

'Wat gaat er gebeuren, papa?'

'Ik neem aan dat jij, ik, St. Nick en de coördinator die avond een ritje gaan maken met een limousine, gehuurd natuurlijk, voor het afscheidsfeestje; alleen vermoed ik dat de chauffeur die stille charmeur zal zijn met dat scherpe mes die we de eerste avond hebben ontmoet. En ik neem aan dat we naar een veilige haven worden vervoerd, ergens buiten de stad, een plek met een pc, internetverbinding, geen bemoeizieke buren en dikke muren. En ik neem aan dat ik een enorme aanbetaling zal moeten doen van ons overgebleven appeltje voor de dorst zodat ze je snel zullen doden... dan gaan ze uitzoeken hoeveel centjes ik nog overheb terwijl die oermens van jou wat vingers begint af te knippen.'

'Hij is mijn oermens niet.'

'Over oermensen gesproken, ik ben zo terug.' Hartzell glipte weg uit het zitje bij de keuken van de Carnegie Deli en liep naar de ingang. Het was spitsuur en het restaurant zat stampvol bedienend personeel en mensen die bediend wilden worden, maar Hartzell, met zijn rug tegen de muur, had de kale man óf bespeurd, óf die wandelende spierbundel had zich laten bespeuren terwijl hij in het restaurantgedeelte van de delicatessewinkel door een rek van kaarsen met augurkengeur en potjes designermosterd naar binnen tuurde.

'Nick,' zei Hartzell terwijl hij zijn hand uitstak, 'kom erbij.'

St. Nick schudde Hartzell de hand met een bankschroefachtige alfamannetjesgreep. 'Ik wil u niet storen op uw avondje uit, meneer Hartzell. Ik ben u al te veel tot last geweest, maar ik hoorde van deze tent en aangezien ik toch in de buurt was, wilde ik even zelf poolshoogte gaan nemen.'

Hartzell keek naar de hangende salami in de etalage. 'Je kunt niet helemaal naar New York reizen en dan geen Carnegie-sandwich bestellen, Nick. Hou je van pastramihachee?'

'Ik bega een moord voor pastramihachee.'

'Ik zal de serveerster er eentje laten inpakken, samen met een punt van haar beroemde kwarktaart en een Pepsi.'

'Dank u wel, meneer Hartzell. U verwent me wel. Mag het ook een Pepsi light zijn?'

'Pepsi light?' vroeg Hartzell. 'Dat past niet echt bij je imago, Nick.'

'Ik moet op mijn slanke lijn letten.'

Hartzell beende naar de balie, fluisterde wat tegen een bediende, wees door het restaurant naar St. Nick en stopte de bediende een vijftigdollarbiljet toe. Toen baande hij zich door een grote groep klanten een weg terug naar Lucy.

'Is hij altijd zo nieuwsgierig?' vroeg Hartzell aan zijn dochter.

'De laatste week veel meer dan anders.'

'De tijd begint te dringen. Ze voeren de druk op.'

Het eten werd opgediend en Hartzell begon uitvoerig zijn gebakken gehaktbrood aan te snijden, maar hij had geen trek. Hij kreeg de indruk dat Lucy ook niet veel trek had.

'Wat moeten we doen, papa?'

Hartzell was steeds achterdochtiger geworden. Hij was die ochtend vroeg opgestaan, had een berg vuile was in de wasmachine gegooid en daarna in de droger. Na het aantrekken van zijn pas gewassen en gedroogde poloshirt en nette broek – die in zijn wereld van stijl erg tekortschoten, maar hij mompelde iets over *casual Friday* tegen de pennenlikkers – wekte hij Lucy en vertelde hij haar dat hij wat kleren voor haar had gewassen. Ze begreep de hint en trok ze aan. Hartzell nam aan dat hij overdreef en dat die gangsters geen microfoontje in zijn of Lucy's kleren hadden verstopt, maar hij wist ook dat die lui niet van half werk hielden en vandaag zou de enige dag zijn dat hij en Lucy een vluchtplan konden bespreken. Hij liet zijn kleren door de stomerij op zijn werk bezorgen om zich snel te kunnen omkleden op de dagen van zijn telefoongesprekjes in het trappenhuis.

Hartzell had iets meer dan een uur terug Lucy gebeld en *spontaan* voorgesteld dat ze elkaar bij de Deli zouden ontmoeten voor het avondeten. Nu boog hij naar voren boven zijn eten en sprak zachtjes. 'Fiorella heeft ons in een klassieke Vork van Morton.'

'Wat is de Vork van Morton?'

'Een heel lastig dilemma. Wat moet je doen wanneer je twee even slechte opties hebt, weet je wel, kiezen tussen twee kwaden. Het concept is afkomstig van het confiscatoire belastingbeleid van een Engelsman die John Morton heette en die in vroeger tijden voorzitter van het Hogerhuis was. Als je leefde als God in Frankrijk, wist Morton dat je geld had om aan de koning te geven. Als je leefde in armoede, wist Morton dat je ergens geld voor de koning had weggestouwd.'

'Of je nou arm was of rijk, je was hoe dan ook de klos.'

'Onze eigen Vork van Morton is dat we of met Fiorella in zee gaan of dat een pijnlijke dood of lange gevangenisstraf ons wacht.' Hartzell keek naar zijn dochter. 'Herinner je je die eerste ochtend, spriet? Toen je me zei dat ik de rollen moest omdraaien?'

'Ik wist niet of je me wel hoorde.'

'Ik hoorde je wel, en dat is precies wat ik ben gaan doen, en al met die zinloze moorden heeft Fiorella me genoeg dynamiet gegeven om onze Vork van Morton finaal aan gort te knallen.'

Lucy's gezicht begon te stralen. 'Wat heb je uitgespookt, papa?'

'Ik heb verdomd hard zitten werken voor onze vrienden uit Chicago. Ik heb meer gedaan dan van me werd gevraagd, meer dan werd verwacht, me voor honderdvijftig procent ingezet. Maar naarmate ik met meer over de brug kwam, kwamen ook Vince en David met meer over de brug. Dat moest wel, in het belang van onze nieuwe *zakelijke onderneming*. En uiteindelijk hielden die twee niks meer voor zich – ze voelden een soort psychologische noodzaak op te scheppen over wat ze hadden bereikt om mijn bewondering te oogsten, waarmee ik ze natuurlijk rijkelijk overlaadde. Lege bv's of brievenbusfirma's om Fiorella's sporen uit te wissen, in het buitenland opgezet. Spookrekeningen. Hun scheepvaartroutes, die goederen van Brazilië tot Tobago in een handjevol andere potjes gooien. Het grootste potje, van de AlPenny-groep, is brandschoon. Allemaal heel ingenieus. Ze vertelden me meer dan genoeg om de FBI op het juiste spoor te brengen. Hoe dan ook, steeds wanneer ik een datamodel of een spreadsheet of flowchart of iets anders tastbaars voor ze uitprintte om het te beoordelen, maakte ik er een kopie van, samen met een berg kopieën van cricketscores, mocht iemand de vellen papier tellen.'

'Je houdt niet eens van cricket.'

Hartzell stootte een hol lachje uit. 'Ze denken dat ik er gek op ben en elke keer wanneer ze mij ernaar vragen babbel ik erover door tot alle ogen glazig worden. Er gaat dus een kopie naar Vince, een naar David, en ik laat mijn originele uitdraai bij ze achter nadat we de data hebben doorgenomen, maar de paar weggemoffelde kopieën belanden in de dossierkast, dubbelgevouwen en in een oude prospectus verstopt.'

'Traceer je je financiële deals naar Fiorella?'

'Een spoor van clandestiene broodkruimels, spriet. Wie had gedacht dat ik al die jaren in New York voor Chicago heb zitten werken. Die documentatie, samen met een hartverscheurende handgeschreven bekentenis waarin mijn langdurige relatie met Fiorella in detail wordt beschreven, dat ik Fiorella adviseerde dat het voor ons tijd was om eruit te stappen, dat ik verbijsterd was over wat Fiorella vervolgens deed, dat hij opdroeg Gottlieb te doden, alsmede de financieel analist die ons kantoor in de gaten hield... en dat ik toen vreselijk voor mijn eigen leven begon te vrezen, en voor de veiligheid van mijn dochter, en mocht ik opeens geheimzinnig om het leven komen of vermist raken, dan was dit de oorzaak. Nu hij achter de Schaakman-moorden lijkt te zitten, zullen de FBI-agenten zich helemaal op Fiorella storten. Ik denk niet dat hij op borgtocht vrijkomt.'

Nu was het Lucy's beurt om naar voren te buigen. 'Waarom heeft hij die twee laten vermoorden?'

'Drie redenen, voor zover ik weet,' fluisterde Hartzell terug. 'Eén, om meer tijd te krijgen om mijn operatie te begrijpen, zodat ze in een jaar kunnen omschakelen met nieuwe Drake Hartzelletjes. De tweede reden is vrij voor de hand liggend: die klootzakken zijn psychopaten. En soort zoekt soort. Punt drie is wat lastiger. Zodra wij vermist worden zullen er twee dingen snel op elkaar volgen. Het eerste is dat de dijk breekt en er madoffiaanse toestanden aanbreken, waarbij Wall Street als een kaartenhuis instort. Het tweede dat gebeurt is dat de autoriteiten in ons huis bepaalde spulletjes zullen aantreffen die mij met Gottlieb en Kellervick in verband brengen.'

Een rechercheur uit Boston had Hartzell al benaderd over Elaine Kellervick, over een afspraak met hem in New York City die zij in haar agenda had staan. Hartzell zei tegen die rechercheur dat hij echt ziek was van Elaines dood, en dat Elaine in die stad kwam om te praten over een mogelijke baan. Hoewel hij nog geen bijzonderheden daarover wist, informeerde hij de rechercheur dat Elaine niet erg tevreden klonk over haar huidige baan en dat, de hoge kwaliteit van

Elaines werk kennend, hij bezig was hemel en aarde te bewegen om een functie voor haar te vinden voordat een ander investeringskantoor haar binnenhaalde.

'Jezus,' vervolgde Hartzell, 'ze mieteren de moordwapens vast in mijn muurkluis. Kortom: ik ben niet alleen Bernard Madoff, maar ook de Schaakman.'

'De overheid zoekt ons en ondertussen gaat Fiorella ervandoor met de buit.'

'Alleen zullen wij nooit worden gevonden, aangezien we dan op de bodem van Lake Michigan liggen.'

'Dus zijn wij ze voor.'

Hartzell knikte. 'Het is van het grootste belang dat we ze voor zijn... Trouwens, spriet, een van die lege vennootschappen waarover ik je vertelde is nu eigenaar van al Andrew Piersons huurpanden en wijngaard, evenals ons penthouse, dat de jonge Crenna duidelijk hoopt te gaan betrekken over een paar maanden.'

'Ik zou dolgraag Pauls gezicht zien wanneer zijn oom een politieauto in gesleurd wordt,' antwoordde Lucy. 'Onbetaalbaar.'

'Ik ben bang dat er voor die jonge Crenna allerlei problemen in het verschiet liggen, kindje.'

Lucy's gezicht werd somber. 'Hoe moeten we ze voor zijn, papa?'

'Om te beginnen moet geen van ons beiden woensdagavond in de buurt komen van Seppi's. Vrijdagavond gaan we met zijn allen naar de White Sox tegen de Yankees kijken. Aangezien Chicago tegen New York speelt, zitten we al de hele week te klooien en hebben we een paar honderd dollar aan weddenschappen ingezet op de uitkomst. Ik zal zorgen dat de drank die avond blijft vloeien voor Vince en David. We gaan naar huis, nemen nog een slaapmutsje en stoppen dan die twee middelbare mannen in bed. Ze zullen uitgeteld zijn voordat ze hun kussen raken. Ik zet de douche aan terwijl ik mezelf een fraai militair kapsel aanmeet, en geef ze genoeg tijd om in een degelijke remslaap te vallen.'

'Wat zul je er interessant uitzien.'

'Iets wat past bij mijn Buddy Holly-bril. Ik zal mijn Yankees-petje op moeten zetten zodat Kerry mijn nieuwe coupe niet ziet.'

'Kerry,' zei Lucy, beseffend waar haar vader heen wilde. 'Je bent geniaal.'

'We glippen het dak op, waar hij ons op het helikopterplatform met de JetRanger zal opwachten.'

Toen de coördinator Hartzells rommellaatje die eerste avond onderzocht in zijn thuiskantoor, hield hij een sleutelkaart op voor Hartzell en vroeg hem waar die voor was.

'Toegang tot het dak in geval van brand. Ze hebben die aan alle huurders uitgedeeld na 9/11 voor het geval er ooit weer een aanval volgt.' Dat was Hartzells eerste leugen geweest in hun nieuwe relatie.

'Ik denk dat wanneer die kamelenneukers een verdieping opblazen de weg naar beneden inderdaad wordt afgesneden,' dacht de coördinator hardop terwijl hij het kaartje teruggooide in de la, 'ga jij maar het dak op, en hoop er maar het beste van.'

'Ik ben er nooit geweest. Ik heb hoogtevrees. Ik heb gehoord dat het er hard genoeg waait om je over de rand te blazen.'

In werkelijkheid had Hartzell acht jaar tevoren betaald voor die helikopterlandingsplaats boven op de wolkenkrabber. Alleen hij en een medebewoner, een onroerendgoedmiljardair, hadden sleutelkaartjes tot het dak van het gebouw. Kerry's JetRanger huren was in de loop der jaren handig geweest om boven de New Yorkse verkeersopstoppingen te navigeren, evenals om potentiële klanten te imponeren. Vrijdagavond zou het nog een laatste keer zijn nut bewijzen.

'Een pakje met daarin onze nieuwe identiteiten is bij Kerry's kantoor bezorgd. Kerry denkt dat het een kistje Cubaanse sigaren is, een verrassing voor een heel speciale klant die wij later die avond gaan ontmoeten. Hij is er herhaaldelijk aan herinnerd dat hij het moet meenemen. Ik heb Kerry verteld dat wij om middernacht op het dak zullen zijn en dat het van het grootste belang is dat we naar LaGuardia gaan om die heel speciale klant uit Chicago te verwelkomen, iemand bij wie we beslist niet te laat moeten komen. Ik heb hem verteld dat hij ons niet terug hoeft te vliegen, dus zodra hij uit het zicht is, neem ik een taxi naar Newark International Airport.'

'Newark Airport? Ben je extra voorzichtig, papa?'

'Hoe meer dwaalsporen, hoe beter, spriet, voor het geval dat Vince of Dave moet kotsen en wakker wordt en ontdekt dat wij ervandoor zijn – in welk geval alle alarmbellen zullen afgaan.' Hartzell haalde zijn schouders op. 'Vergeet niet, geen mobieltjes of laptops. In de meeste van die nieuwe apparaatjes zit gps ingebouwd, waarmee ze je kunnen traceren, wat zelfs de best geplande draaiboeken in het water doet vallen. Ook geen creditcards. Ik zal een zak vol contant geld hebben om naar onze bestemming te komen. Onze vlucht is om acht uur 's ochtends, dus moeten we tot die tijd in de lounge wat lanterfanten.'

'Waar gaan we heen?'

'Om te beginnen naar Cambodja.'

'Zullen ze ons niet achternagaan?' vroeg Lucy. 'Hij is tenslotte de baas van Chicago.'

'Onze nieuwe identiteiten komen van een meester in Manila en die is bijna onmogelijk te vinden,' vervolgde Hartzell fluisterend. 'Maar ik heb een plannetje met onze vriend in Chicago om de boel wat te bespoedigen, een verzekeringsmaatregel om bepaalde gebeurtenissen in gang te zetten, zodat die klootzak nooit zal weten wat hem is overkomen. Schurken als Nick en die coördinator zullen hun best doen om hun nieuwe meester te behagen – wie dan ook de nieuwe koning zal worden in een post-Fiorella-Chicago.'

'Wat is dat voor verzekeringsmaatregel?'

'Al die belastende documenten waar ik je over vertelde, samen met mijn handgeschreven bekentenis, waarin ik alles opsom over mijn aanstelling bij Duilio Fiorella, zullen naar een paar bevriende advocaten worden gestuurd die hoge overheidsposten bekleden. Ze zullen ontdekken hoe Fiorella de ponzifraude al die jaren vanuit New York heeft geleid, hoe Fiorella Gottlieb en die arme Elaine Kellervick heeft laten vermoorden, en vervolgens heeft Fiorella ons uitgeschakeld. Ze zullen dit als manna uit de hemel beschouwen, een godsgeschenk, en er zal een flink gevecht volgen om te zien welke advocaat tegen Fiorella Eliot Ness mag spelen. En als genadeklap wil ik een kort maar opgewonden telefoongesprekje voeren met een van hen vanuit mijn trappenhuis vrijdag laat in de middag, voordat de wedstrijd begint, waarin ik smeek om een ontmoeting, zo vroeg mogelijk op maandag, en zeg dat er iets schokkends staat te gebeuren, dat ik zijn hulp nodig heb, dat ik het niet door de telefoon kan zeggen, maar dat de baas van zijn baas erbij moet zijn. Dan, wanneer ik niet opduik voor die dringende afspraak, gaat hij de boel uitzoeken en zal hij een fraai verpakte explosief aan bewijsmateriaal ontvangen als vervroegd kerstcadeau en... nou, spriet, zeg maar dag met je handje tegen die Fiorella, die is er geweest. Hij had nooit iemand van zijn eigen kaliber moeten aanpakken.'

'Wie zijn die advocatenvrienden van je?'

'De ene werkt op het kantoor van de gouverneur. De andere pitbull – die ik zal bellen om een afspraak voor maandag te maken – die werkt op het kantoor van de New Yorkse procureur-generaal.'

37

'Nou geen gelul meer over doden uit liefde.' Cady nam bij het horen van Terri's telefoon meteen op terwijl hij het station uit liep. Hij zocht de gezichten van de forenzen af terwijl hij zijn pas versnelde, zich er goed van bewust dat er zich een handjevol agenten in de menigte bevonden die te allen tijde om hem heen hingen – een zakenman hier, een toerist daar, die verwilderde verpleegster daarginds – voor het onwaarschijnlijke geval dat hij opeens oog in oog met de Schaakman zou komen te staan. 'Met die hand in de vriezer ben je een echte Dahmer geworden, Westlow.'

'Dat was zelfverdediging, agent Cady.' Westlow klonk gekwetst. 'En ik heb de rest van hem niet bij het avondeten opgegeten, als je dat soms wilt suggereren.'

'Zelfverdediging? Je hebt de hand van die vent afgehakt.'

Cady was om vijf uur 's ochtends door het geluid van Terri's mobieltje gewekt. Het bericht bestond uit twee zinnetjes: 'Het zou je sieren, agent Cady, als je rond twaalf uur 's middags voor het Penn Station zou staan. Ik moet je iets laten zien.'

Cady kwam meteen in beweging. Hij probeerde agent Preston twee minuten lang te bellen. Sloeg zijn scheerbeurt over en stond nog eens twee minuten onder de douche. Vijf minuten later werd hij door een Mercury opgepikt en naar Union Station gereden. Vanaf de achterbank belde hij adjunct-directeur Jund. Deze zaak vroeg om een intensieve coördinatie met het Federal Plaza – het New Yorkse kantoor van de FBI.

'Ik geef onmiddellijk toe dat het fout is gelopen,' antwoordde Westlow. 'Palma was een taaie. Dat moet ik hem nageven. Het werd snel heel vervelend na het uitvoerige verhoor.'

'Het uitvoerige verhoor?'

'Ach, hij was niet al te toeschietelijk geweest, in ieder geval niet in het begin. Een uitentreuren herhaald "Flikker op!" en "Krijg de klere!" Toen ik alles uit hem had gekregen, maakte ik zijn handen los van de tafel, een voor een, en was toen zo aardig om zijn handen voor zijn buik te boeien, in plaats van achter zijn rug. Mijn fout.'

'Tafel? Heb je hem gewaterboard?'

'Het was één grote bende, agent Cady; het water stond aan onze enkels, Palma was drijfnat, blijkbaar uitgeput, wat helemaal niet gek was na wat hij had doorstaan. Voor ik hem overeind hielp, vertelde ik hem dat ik hem vrij zou laten, dat ik niets met hem kon, hij was er zo eentje om terug te werpen in het water. Blijkbaar trapte Palma er niet in. Er wordt in deze kringen niet veel teruggeworpen, vermoed ik.'

'Bood hij verzet?'

'En of hij verzet bood. In een oogwenk had hij zijn geboeide handen om mijn keel. Hij trok me naar zich toe voor een snelle kopstoot, maar alles was glibberig tegen die tijd. Als hij me goed had geraakt, was het bekeken geweest. Dus Palma hield mijn nek in een ijzeren greep – zijn dikke vingertjes knepen mijn keel dicht, ik kon niet meer ademen. Ik voelde me duizelig worden maar het drong door tot mijn verdoofde toestand dat ik nog steeds de tuinslang vasthield die ik op de keukenkraan had aangesloten. Ik greep naar zijn achterhoofd met mijn linkerhand, wat me twee pogingen kostte en een aantal verbrijzelde snijtanden, maar ramde daarna de slang door zijn strot. Ik kon voor ik flauwviel nog net het water aanzetten.'

'Heb je Palma in je keuken verdronken?'

'Blijkbaar is het volspuiten van longen effectiever dan het ouderwetse wurgen.'

'Je bent niet goed bij je hoofd, Westlow.'

'Kan zijn, agent Cady, maar we dwalen af. Je moet op de metro stappen. Nu!'

'Dat meen je niet,' zei Cady en hij wachtte af of de ander weer zou spreken. 'Ik kom net uit de trein.'

'We hebben een strak schema, beste vriend; de tijd dringt en je hebt nog maar twaalf minuten.'

'Waarheen?'

'Zeg jij het maar. Maar ik bel over twaalf minuten terug met meer instructies en de ontvangst is belabberd in de tunnels. Als jij niet opneemt, agent Cady, krijg je het genoegen de families van Gottlieb en Kellervick te mogen vertellen waarom je de moordenaar niet hebt gevangen. Haast je. En vergeet niet: ik verlies je niet uit oog.'

'Je liegt.'

'Oké, maar dat heb ik ooit in een film gehoord en ik heb dat altijd al eens willen zeggen.'

De verbinding werd verbroken.

Cady pakte een ander mobieltje terwijl hij naar de trappen van het metrostation rende. 'Hebben jullie dat allemaal gehoord?'

'Ja,' antwoordde agent Preston meteen. Ze hadden Terri's telefoon zo aangepast dat zij en Jund allebei konden meeluisteren. 'Ga in noordelijke richting naar Times Square. Er gaan wat mensen met je mee in de metro, maar hou je ogen open. Als je hem ziet, grijp hem dan. Wij sturen dan onmiddellijk versterking.'

'Nog iets over zijn telefoon?'

'Positiebepaling is lastig in de stad, maar ik heb begrepen dat hij bij het VN-gebouw zou zijn.'

'Hij en zo'n tweehonderdduizend andere mensen.'

'Ze proberen zijn mobiel te traceren door het bewegende signaal te volgen. Misschien kunnen ze een nauwkeuriger signaal bepalen als ze de gps op zijn mobiel via de satelliet kunnen traceren. Die techneuten hier spreken Chinees.'

Cady daalde de trap af met drie treden tegelijk. 'Hij zal continu in beweging zijn en van telefoon wisselen. Of zijn mobieltje uitzetten tot hij weer belt.'

'We laten de zones volstromen met FBI- en gewone agenten. Hou Westlow zo lang mogelijk aan de lijn en misschien hebben we geluk.'

'Daar is hij te slim voor.'

'Probeer door zijn façade heen te prikken, Drew. Misschien houdt dat hem aan de praat.'

Cady ging met de metro een halte verder de stad in, naar Times Square, de drukste van alle New Yorkse metrostations. Hij rende de trap op, baande zich een weg door de massa passagiers, stak een stuk af via een uitgang rechts van 42nd Street, toen Terri's mobieltje begon te zoemen.

'De New Yorkse maffia heeft dus Kenneth Gottlieb gedood?' vroeg Cady door de telefoon.

'Heb ik dat gezegd?'

'Je hebt DNA achtergelaten dat in die richting wijst.'

'Indirect,' zei Westlow. 'Ik was een verdachte in de gaten aan het houden, foto's aan het maken van een man van wie ik vermoedde dat hij dagelijks overlegde met mijn verdachte. Vroeg in de ochtend van de derde dag merkte ik dat Palma die man aan het volgen was. Mensen die anderen achtervolgen zijn vaak rijke bronnen van informatie, dus dacht ik dat ik maar eens met hem moest praten.'

'Wat ben je uit je martelsessie te weten gekomen, Westlow?'

'Martelen? Ze hebben ons in de officiersopleiding gewaterboard. Het was doodeng, maar een paar uur later zaten we in een kroeg en de meesten van ons waren de serveersters aan het versieren. Zeg nou zelf, agent Cady, kun je het martelen noemen wanneer je twee uur later alweer een serveerster aan het versieren bent?'

'Zo te horen liggen er voor Palma geen serveersters meer in het verschiet.'

'Voor wie ben jij trouwens? Dat maffiahulpje heeft me bijna gedood.'

Cady veranderde van tactiek. 'Heeft Patrick Farris Marly Kelch die nacht bij het meer verkracht en vermoord?'

Er viel een doodse stilte.

'Dat moet maar wachten tot een volgende keer, agent Cady. Het is tijd voor een ander tochtje. Je moet naar de halte bij 72nd Street gaan, langs Central Park West. Je hebt twaalf minuten en die gaan nu in.'

'Je verspilt mijn tijd,' zei Cady tegen de pieptoon, waarna hij weer het metrostation in stapte. Hij holde de trap af, scande de lengte en gezichten van mensen, dankbaar dat agent Preston en een twintigtal FBI-agenten zijn spoor volgden, elk voorzien van een stapel foto's van Westlows bakkes uit zijn marinetijd. Als de Schaakman probeerde rechtstreeks met hem in contact te komen, zouden ze hem beet hebben. Natuurlijk, wist Cady diep vanbinnen, zou het niet zo makkelijk gaan.

'Hoe bevalt je uitstapje naar de Big Apple je tot nu toe, agent Cady?'

'Enig.' Cady stond op de hoek van West 72nd Street en Central Park West, voor het Dakota-appartementengebouw. 'Wilde je wat vertellen over Marly Kelch?'

'Heb je *King Kong* gezien?'

'Die knoeperd van een aap?'

'Jou ontgaan de wat fijnere subtiliteiten. Eens kijken, je hebt de klassieker uit de jaren dertig, en de laatste remake van die Hobbit-vent is ook behoorlijk goed.'

'Heb je me hier laten komen om over films te praten?'

'Ze hebben er ook in de jaren zeventig een gemaakt, maar die kun je maar beter niet gaan zien.'

'Waar wil je in godsnaam heen, Westlow?'

'Nog even geduld, agent Cady. Weet je, die Kong is een ijverig baasje, hij eet dinosaurussen op, smijt met inboorlingen; hij maakt het heel bont op Skull Island. Maar zodra Kong Ann Darrow ziet is dat afgelopen. Hij moet bij haar zijn. Hij zal alles doen om haar te beschermen. Hij houdt van haar. Uiteindelijk, om een zin van Lincoln te lenen, geeft Kong Ann Darrow zijn "ultieme, totale blijk van toewijding".'

'Je hebt heel excentrieke bespiegelingen over de liefde, Westlow, maar als ik het me goed herinner bracht die aap het grootste deel van de film door op een moorddadige strooptocht.'

'Die minpuntjes zijn er natuurlijk ook,' antwoordde Westlow. 'Zeg, ben je wel eens in de gelegenheid geweest om de John Lennon-gedenkplaats te bezoeken?'

'Nee.'

'Je kunt toch niet helemaal naar New York City gaan zonder Strawberry Fields aan te doen en hem de verschuldigde eer te betuigen? Je bevindt je voor de ingang. Kun je je een betere dag voorstellen voor een rustige wandeling en wat overpeinzingen op een mooi plekje? Ja, agent Cady, ik kan je van harte aanbevelen het pad te blijven volgen.'

'Genoeg geluld, Westlow.' Cady liep Central Park in. 'Hoog tijd voor weer een ander onderwerp.'

'Zoals je wenst.'

'Waarom ben je je ermee gaan bemoeien, tien jaar na Marly's dood?'

'Die verdrinking was totaal onlogisch. Marly was een geweldige atlete. En net zo ondraaglijk pijnlijk als het feit dat ik haar kwijtraakte, was de doodstille, ijzige stroom van onzekerheid die heel diep liep en steeds dieper sneed. Toen zei Dorsey Kelch op een dag dat Marly Patrick Farris in Princeton had gekend.'

'Het *Newsweek*-artikel over vader en zoon Farris.'

'Ieder die Marly ontmoette hield van haar. Op de begrafenis waren zoveel mensen dat je alleen kon staan. Alleen kwam een bepaald iemand niet opdagen. Kun je raden wie, agent Cady?'

'Patrick Farris,' antwoordde Cady, terwijl hij langzaam over het Strawberry Fields-pad stapte. 'Dus je bent een praatje gaan maken met Bret Ingram.'

'Ingram wist nergens wat van, maar dat afgetakelde mannetje deelde één overtuiging met mij: dat het beslist geen ongeluk was geweest.'

'Wist hij niets van die zoon van de senator?'

'Zoals ik al zei... hij had geen idee wat er echt was gebeurd. Hij bezwoer dat hij door de Zalentines was wakker geschud en nadat hij zijn hele hebben en houwen had uitgekotst, werden hem de mooiste dingen beloofd wanneer hij zou zeggen dat Marly die avond met hem gerotzooid had, dat ze niet uit het water was gekomen toen hij dat wel deed, dat die arme meid was verdronken toen hij bewusteloos aan de oever lag. De Zalentines zeiden tegen Ingram dat het allemaal een jammerlijk ongeluk was geweest, maar dat ze anders negatief in de pers zouden verschijnen, hoe ongegrond ook, wat het familiebedrijf ten gronde zou richten en hen zou ruïneren. Pas later, nadat hij al zijn verklaringen had afgelegd, begon Ingram anders te vermoeden.'

'Hoe heb je dat dan met Farris in verband gebracht?'

'Ingram vertelde me over het omkopen – Sundown Point Resort – en over Sanfield, de Magiër, die het allemaal voor hem had geregeld. Ik had mijn huiswerk goed gedaan, agent Cady. Ik wist dat Sanfield senator Farris' rechterhand was. Dat was het enige verband dat ik nodig had.'

'Wat heeft Sanfield je verteld in die laatste vijftien minuten van zijn leven?'

'Alles wat ik wilde weten.'

'Wat is er in Snow Goose Lake gebeurd, Westlow?'

'Ik ben bang dat de telefoniste erop staat dat ik er nog een muntje bij gooi, en mijn kleingeld is op. Geniet van de gedenkplaats, agent Cady.'

'Westlow!'

Opgehangen. Cady stak Terri's mobieltje in zijn jaszak en liep verder. Een paar seconden later begon het toestel in zijn borstzak te trillen.

'Heb je dat allemaal, Liz?'

'Beter nog, Drew. Hij is in Central Park.'

Cady deed een stap opzij op het pad en draaide een rondje om zijn as. Hij zocht de olmen af, keek even naar het zwart-witte mozaïek met het woord IMAGINE in het midden, keek naar Rose Hill en toen over het pad naar de bronzen gedenkplaat. Overal liepen mensen rond – toeristen, schoolkinderen, mensenkijkers op de bankjes, picknickers met hun zelf gesmeerde boterhammen en andere lunchende wandelaars die geen haast maakten om naar de sleur van hun werk terug te keren. Een heel leger van mensen. Cady zocht hun gezichten af.

'Weten ze waar precies?' Central Park was meer dan drie kilometer lang en zevenhonderd meter breed.

'Ja,' zei agent Preston. 'Nadat hij had opgehangen, heeft

hij zijn mobieltje aan laten staan. We hebben de coördinaten van zijn telefoon.'

Cady luisterde mee terwijl Preston tegen iemand op de achtergrond sprak.

'Hij verroert zich niet, Drew. We hebben hem op honderd meter ten zuidoosten van jou gelokaliseerd.'

'Breng een team in gereedheid, maar stuur een jogger langs voor visueel contact. Waarschijnlijk heeft hij de mobiel in een vuilnisbak of achter een boom gegooid om een spelletje met ons te spelen.'

'Wordt al gedaan. Ik stuur onze mensen naar de in- en uitgangen.'

'Goeie zet, Liz, maar misschien is hij al het park uit.'

'Hij is nog niet klaar met je.'

'Ik heb de opdracht gekregen om op het pad te blijven dat helemaal rondloopt. Ik heb het gevoel dat er ergens iets voor mij is achtergelaten.'

Nog geen minuut nadat Cady de verbinding had verbroken, klonk Terri's mobiel.

'Wat zei Sanfield tegen je?'

'Heb je haast, agent Cady?'

'Het was Patrick Farris, hè? Hij heeft Marly verkracht.'

'Farris had al een heleboel cocaïne gesnoven tegen de tijd dat Marly op Schaeffers feestje verscheen. Hij had die weggespoeld met whisky sours. Hij had een oogje op Marly, zeker, en de tweeling nam het tweetal mee op Schaeffers praam, een biercruise had Farris het genoemd. Marly dronk wijn en Farris klokte de sours weg uit een Princeton Tigers-mok. Dit leidde tot wat onschuldig gevrij. Toen wat rechttoe rechtaan en niet zo onschuldig gevrij, agent Cady. Marly bleef Farris zeggen dat hij moest stoppen, maar Farris kon het al niet meer horen. Hij schoof zijn hand in haar broek.' Westlows stem klonk nu kil. 'Marly sloeg Farris in zijn gezicht om hem te laten ophouden. Versuft bracht hij de grijpgrage hand naar zijn lip en ontdekte dat die bloedde. Hij noemde Marly een kuthoer en spoog een straal bloed in het water. Toen, als de helse duivels die ze waren, stortte de Zalentine-tweeling zich op Marly. Ze grepen haar armen, legden een kleffe handpalm op haar mond toen zij probeerde te gillen en drukten Marly op de bodem van de praam, trokken haar bloes open, toen haar beha, haar broek, haar slipje – ze trokken haar benen uit elkaar als uitnodiging voor Patrick Farris om met haar te doen waar hij zin in had... en Patrick Farris deed waar hij zin in had, agent Cady. Hij verkrachtte Marly op de bodem van Schaeffers praam terwijl de Zalentines haar in bedwang hielden en toekeken. En na afloop werd door Adrien en Alain een beslissing genomen. Farris, zo probeerde Sanfield te rechtvaardigen, was op dat moment een waardeloos hoopje mens, niet bij de moord betrokken want hij lag in foetushouding in shock, het besef van wat er net was gebeurd drong door tot zijn met whisky en cocaïne benevelde hersens. De Zalentines smeten toen het enige meisje van wie ik ooit heb gehouden, agent Cady, in dat verdomde donkere meer.'

'Jezus christus.'

'Ze lieten Def Leppard keihard uit de boombox knallen en de buitenboordmotor harder draaien om het lawaai van de worstelende en schreeuwende Marly te overstemmen. Je bent toch wel eens in Snow Goose geweest?'

'Ja.'

'Dan weet je hoe groot dat meer is. Hoe erg Marly ook haar best deed, de tweeling liet niet toe dat ze zichzelf in veiligheid bracht. Er was een zwembadnet aan boord, dat gebruikten ze om haar onder water te duwen wanneer ze schreeuwde of probeerde zwemmend naar de verre oever te vluchten. Farris vertelde Sanfield dat er maar geen einde aan leek te komen, maar het duurde waarschijnlijk niet meer dan tien minuten voor Marly weer aan de oppervlakte kwam na een laatste onderdompeling, met longen vol water uit het meer. Daarna voltrok alles zich snel, maar Farris vertelde Sanfield dat hij zelfs in de zwarte schaduwen van die nacht des doods kon zien dat Adrien en Alain erecties hadden, duidelijk geprononceerd in hun zwembroek, al die tijd dat ze bezig waren om Marly te doden.'

'Farris liet pappie en Sanfield zijn rotzooi opruimden.' Cady kon zich voorstellen hoe dat in zijn werk was gegaan, hij had al vermoed dat het ongeveer op die manier was gegaan, maar de hartverscheurende werkelijkheid was daardoor nog niet makkelijker te verwerken.

'Een snikkende Farris stortte zijn hart uit bij Sanfield, vertelde hem elk detail, zodat de Magiër zijn toverkunsten beter kon uitvoeren om de situatie op te lossen. Echt heel slim, om Farris en zijn dikker wordende lip te doen verdwijnen van het tafereel. Alsof hij er nooit was geweest.'

'Al dat vergoten bloed, Westlow,' zei Cady, turend naar de middagzon, 'je kreeg er Marly nooit mee terug.'

'Voor God spelen heeft zo zijn grenzen, hè, agent Cady?' antwoordde Westlow. 'Het was heel gek. Toen ik Alains hersens op die parkeerplaats uit zijn kop schoot en vervolgens die van Adrien op zijn boot, noemde ik Marly's naam voor ik de trekker overhaalde. Beide broers toonden me dezelfde dolle grijns, net voor ik ze terugzond naar de hel.'

Het bleef een tijd stil.

Ten slotte sprak Westlow. 'Hoe leuk ik het ook vind om met je collega's te dollen, agent Cady, ik ben bang dat ik je nu moet verlaten. Er staat een boeket rode rozen op het Imagine-mozaïek. Zie je het?'

Cady keek naar het gedenkteken voor John Lennon. 'Het barst er van de bloemen.'

'Er staat een pas ingepakt boeket pal in het midden.'

'Ik zie het.'

'Je bent net als ik, agent Cady. Ik zal onze gesprekjes zeker missen, maar het is hoog tijd dat ik ervandoor ga. Ik vermoed dat je te slim bent voor mij.'

Met die woorden was Westlow verdwenen.

Cady liet de starende blikken van zich af glijden terwijl hij naar het mozaïek liep, voorzichtig om de bloemen heen stappend die ter nagedachtenis van de vermoorde Beatle waren achtergelaten. In het midden tilde hij het boeket verse rozen op. Hij hield het in zijn armen als een pasgeboren kind en wikkelde het lichtblauwe papier met zijn linkerhand ervanaf. Het eerste wat hij zag waren drie foto's, van niet al te grote afstand genomen, van twee mannen die hij nog nooit eerder had gezien, die in een drukke straat met elkaar praatten, mogelijk in de buurt van Times Square. Er zat een gele Post-it opgeplakt waarop stond: 'Ik zou je aanraden deze aan niemand te laten zien. Marco, zoals ik hem uiteindelijk ben gaan noemen, heeft me verteld dat jouw mol deze mannen zou kennen. Als ze gealarmeerd worden zullen ze als kakkerlakken onder de ijskast wegglippen.'

Hij keek onder in het ingepakte boeket, bij de stelen, en zag het tweede voorwerp. Een voorwerp dat speciaal voor Cady en voor Cady alleen was bestemd. Het was een mobieltje met nog een Post-it erop. Daarop stond: 'Ik zal je hierop bereiken mocht je ooit besluiten je begeleiders van je af te schudden.' Cady dacht even na en stak het mobieltje toen in zijn borstzak terwijl hij zich omdraaide en van het mozaïek af stapte. Agent Preston stond hem op het pad op te wachten.

'Hoe is dat afgelopen met het signaal van zijn mobieltje?'

'Je had gelijk; we vonden het terug in een struik. Zijn laatste telefoontje leidt naar 81st Street, maar we hadden iedereen al opgetrommeld om het park te bestrijken.' Agent Preston leek wel een jaar slaap te kunnen gebruiken. 'Wat heb je daar?'

'Foto's, Liz. En een lastig parket.'

38

De donkerharige man die Hartzell kende als de coördinator was stiekem blij dat de Yankees met 5-4 hadden gewonnen van de Sox, blij om schoorvoetend een briefje van honderd dollar uit zijn *moneyclip* te trekken, zijn hoofd uit geveinsd ongenoegen te schudden, het in Hartzells hand te drukken en toe te kijken terwijl de twee stomdronken accountants zijn voorbeeld volgden. Het was moeilijk niet te vallen voor die charmante mooiprater, en de coördinator wist dat mensen, al dan niet bewust, het leuk vonden – of beter, nodig vonden – dat Hartzell hen ook graag mocht. Maar de coördinator wist ook welk lot hem te wachten stond, en was blij dat de New Yorkse topinvesteerder genoot van zijn winst bij de wedstrijd die avond.

Hij vroeg zich af of Loni's vlucht op tijd was geweest, of ze op hem zou zitten wachten in de Star Lounge van het Ritz-Carlton, waar hij de afgelopen weken verbleef. Dat hij zich daar zo op verheugde verbaasde hem; hij miste haar en kon niet wachten om die stewardess stevig vast te houden, alsof er jaren in plaats van dagen voorbij waren gegaan. Hij zou een grote teug nemen van haar Shining Star, met Ketel One Citroen geserveerd, en een Dom Pérignon bestellen, die ze samen naar zijn kamer zouden meenemen. Kon die taxichauffeur maar wat sneller om Central Park heen rijden. Duilio Fiorella had hem op het hart gedrukt niet te veel aan het luxeleventje gewend te raken, maar Hartzell was een ontzettend succesvolle onderneming, dus de coördinator had het er flink van genomen. Central Park aan de andere kant van de straat, Broadway en Park Avenue op nog geen steenworp afstand. Verdomme, hij zou het vreselijk vinden de Big Apple achter te moeten laten en terug te keren naar de Windy City.

Zijn taak was, voor het grootste deel, heel relaxed geweest. Vince en David liepen constant achter Hartzell aan, St. Nick hield dat meisje in bedwang, en als zijn dagelijkse bezoekjes aan de investeringsfraudeur erop zaten, was hij de rest van de dag... en 's nachts vrij. En zijn stewardess – goeie god – Loni wist na één nacht al beter wat hij fijn vond dan Gina in Chicago in zes jaar te weten was gekomen. Oké, Gina was een stuk, dat zeker, en ze zou de perfecte moeder zijn voor een eventuele zoon of dochter, maar de opwinding was weggezakt en nu lag ze maar op haar rug terwijl hij al het zware werk deed. Hij zou Loni een achtenhalf geven, met schemerig licht een dikke negen, maar die stewardess had tieten tot in Tokio en vond het heerlijk om hem te berijden. En ze had hem bijna iedere nacht sufgeneukt.

De coördinator voelde af en toe nog wat schuldgevoel opkomen, vooral toen Gina op een avond belde tijdens een van hun neuksessies en de stewardess, als een echte dominatrix, hem beval op te nemen. Hij drukte op het groene knopje en probeerde normaal te klinken, maar Loni dirigeerde zijn rechterhand met de telefoon erin langzaam omlaag naar hun dampende torso's, naar het kletsende geluid van hun gekets. Na een paar stoten van opgevoerde opwinding rukte hij de telefoon terug naar zijn mond.

'Wat was dat voor geluid?' vroeg Gina.

'Het regent hier echt pijpenstelen, schat. Niet meer normaal gewoon. Ik sta bij het raam wat te roken.'

En Gina had het geloofd. Ze had gezegd dat hij moest uitkijken dat hij geen problemen kreeg met het hotelmanagement. Nadat hij had opgehangen rolde Loni zich boven op hem en bracht ze hem tot het heftigste orgasme van zijn leven.

Vanwege ruimtegebrek zal het niet geweest zijn, maar Fiorella had de coördinator verboden bij hun mannetje in het penthouse in het hartje van Manhattan te wonen, zoals die twee pennenlikkers dat deden.

'Hij is charismatisch. Een echte slangenbezweerder, een echte rattenvanger van Hamelen,' had Fiorella gewaarschuwd. 'Daarom heeft hij het zo ver kunnen schoppen. Als je meer met Hartzell omgaat dan alleen die dagelijkse controle, kon het wel eens ongezond voor je worden – je kunt in zijn ban raken, van jezelf vervreemden en verkeerde gedachten krijgen. Het is onvermijdelijk, maar het zou mijn hart breken als St. Nick of onze stille vriend iemand om wie ik geef een bezoekje moest komen brengen.'

'Geen zorg, baas,' had de coördinator geantwoord. Hij en St. Nick waren vrienden, ze gaven elkaar zelfs seizoenskaarten voor het Soldier Field-stadion, maar als Fiorella St. Nick op hem af zou sturen, nou, dan zou het Nick enorm spijten dat hij de coördinators lever eruit moest rukken. 'Heb ik je ooit teleurgesteld?'

'Vermaak jezelf, geniet van stad, maar doe verder niets anders dan Hartzell controleren. Hou je gedeisd. Het laatste wat ik wil is Moretti's ring kussen. Die dikke zak uit Long Island zal de helft opeisen.'

'Ik zal oppassen,' zei hij tegen Fiorella. 'New York zal nooit weten dat ik er was.'

En zo bevond de coördinator zich in de Big Apple en had hij veel vrij te besteden tijd. Nadat hij 's ochtends bij Hartzell langs was geweest, bezocht hij de toeristenplekjes – het Vrijheidsbeeld, het Empire State Building, een onvergetelijke sprint door het Museum of Modern Art, een rondleiding door de NBC-studio – en 's avonds dook hij het nachtleven in. Zo was hij Loni tegen het lijf gelopen, de eerste week in de stad die nooit slaapt, in een nachtclub op 11th Street die Webster Hall heette. Het klinkt truttig, en hij ging echt niet zijn gevoelens proberen uit te leggen aan St. Nick – 'lust op het eerste gezicht', zou die grote vent het noemen – maar ze keken elkaar dwars door de ruimte aan toen hij tegen de bar geleund stond en zij zich langzaam maar zeker een weg baande naar hem toe, geen van beiden wegkijkend. Een kwartier van beladen kletspraat later konden ze nauwelijks van elkaar afblijven. Een uur daarna waren ze in zijn Ritz-Carlton-suite bezig met een neukmarathon, de eerste van vele, op of tegen elk mogelijk oppervlak dat de kamer verschafte. Ze hadden zelfs even de kroonluchters overwogen, maar de coördinator dacht dat ze nooit hun gewicht zouden houden.

Loni had de JFK-Heathrow-route en was tussen de vluchten door steeds bij hem blijven slapen. Hij had Gina een weekend laten overkomen toen Loni in het Verenigd Koninkrijk zat. Helaas was de seks niet erg bevredigend geweest. Hij merkte dat hij zijn ogen sloot en ging fantaseren over wat hij en Loni een paar nachten tevoren hadden gedaan. Geen beste situatie, aangezien Gina zijn verlovingsring droeg en een grandioze godsgruwelijke bruiloft aan zee plande voor de komende zomer. En Gina was ook nog eens de dochter van Duilio Fiorella's neef, wat betekende... kut.

Maar het had geen zin om nu over dat alles na te gaan denken. De coördinator kon niet wachten tot hij en Loni weer in zijn suite zaten, om te zien wat die stewardess voor die avond voor hem in petto had. En hij verlangde naar het weekend erna, aangezien hij een ticket geboekt had, eerste klas, op Loni's vlucht naar Londen en ze had beloofd dat nadat het eten was opgediend en de passagiers zich hadden klaargemaakt voor de nacht, ze hem zou ophalen, en kort daarna zou hij trots lid van de Mile High Club worden. Dat inwijdingsritueel zou hem helpen de pijn weg te nemen over de afloop van de Hartzell-zaak... En die zou slecht aflopen. De pennenlikkers hadden schoorvoetend ingestemd met wat hij al wist: na al het handeldrijven van de afgelopen weken bleef Hartzell een nog nauwelijks ontgonnen bron.

Fiorella had hem laten weten dat er direct iets moest worden gedaan met Hartzells zorgen met betrekking tot Gottlieb en dat irritante mens van Kellervick. De coördinator betwijfelde of zo'n brutale zet wel slim was; hij piekerde, woog alle voors en tegens af, maar uiteindelijk hield hij al zijn bedenkingen voor zich. Het was gedurfd. Hij grinnikte over de verwrongen genialiteit van Fiorella's plan en besefte opnieuw waarom zijn mentor Chicago bestierde: twee delen genialiteit en een deel ijzeren vuist. Fiorella had hem zelfs geïnstrueerd zich tegenover Hartzell van de domme te houden over Gottlieb en die analytische teef uit Boston, maar een niet mis te verstane bedreiging te geven als het nodig was.

Hij had ook de opdracht gekregen alle nieuwtjes over het lopende onderzoek los te krijgen van dat onderkruipsel in het kantoor van de New Yorkse procureur-generaal, maar vooral om contact te houden met hun troefkaart bij de FBI. Zijn bron op het Bureau had hem laten weten dat de echte Schaakman had zitten rondneuzen in dit hele wespennest, dat hij helemaal niet blij was geweest dat ze hem na-aapten, dat hij zelfs gedold had met de baas van die Elaine Kellervick en onlangs nog een moord had gepleegd, een of andere arme loser in stukken gehakt die duidelijk op de verkeerde tijd op de verkeerde plek was geweest... echt ziek, wat hij had gedaan. Seriemoordenaars... wat wil je? Nu die klootzak in het spel was gekomen, merkte Fiorella op, zou de FBI in een heel andere richting zoeken.

De coördinator wierp de taxichauffeur wat biljetten toe, stopte een briefje van vijf in de hand van de portier nadat deze het portier van de taxi had geopend, rende de lobby in en haastte zich toen naar de Star Lounge. Hij zag Loni onmiddellijk. Ze zat met haar rug naar hem toe, alleen aan een hoge tafel te drinken van haar Ketel One Citroen en op hem te wachten. Ze had hem nog niet gezien, maar hij kon haar wel bekijken in de spiegel aan de overkant van de hotelbar die de hele muur bestreek. Hij zag ook een paar zakenlieden aan een tafel ernaast die af en toe in haar richting gluurden. Hij was een bofkont. En wat had hij zich in godsnaam ingebeeld? Een achtenhalf? Op een schaal van een tot tien was Loni verdomme een vijftien. Opeens drong uit het niets een gedachte door tot de coördinator. En wel dat hij misschien wel smoorverliefd was op die vrouw, echt stapel; hij had zich nooit eerder zo gevoeld, over wie dan ook. Het was echt doodeng, en hij wist bij god niet wat hij moest doen.

Shit.

De coördinator beende opeens terug naar de garderobe en haalde zijn mobieltje tevoorschijn. Stouder had hem tijdens de honkbalwedstrijd gebeld, precies op het moment dat de enige homerun van de wedstrijd was geslagen, die New York twee punten had opgeleverd. De menigte juichte uitgelaten terwijl hij het mobieltje naar zijn oor bracht.

'Moet je?'

'Wat is dat voor lawaai?' had Stouder gevraagd. 'Ik kan je nauwelijks verstaan.'

'Ik zit bij de wedstrijd. Is er nieuws?'

'De gebruikelijke dingen.' Stouder sprak nog steeds met dat irritante air van zelfgenoegzaamheid. 'Weet je, het zou misschien helpen als je duidelijker maakte wat je zoekt.'

'Wat dan ook. Alles,' zei de coördinator vol verachting. 'Ik bel je na de wedstrijd terug.'

Het minst favoriete gedeelte van de opdracht van de coördinator in de Big Apple was omgaan met deze ersatz-Peter Lorre. Hij had die eerste avond tegen Hartzell gelogen; zijn mannen waren niet net die dag in de stad aangekomen. Nee, dat zou overhaast en dom zijn geweest. Hij en St. Nick hadden al bijna een week in New York City gezeten om ervoor te zorgen dat alles vlekkeloos zou verlopen. Een belangrijk onderdeel van de operatie was dit arme, kindermisbruikende hoopje stront Stouder. Fiorella's webgoeroe – een puist die Gordy Hoyt heette – had de privémail en het internetverkeer van verschillende werknemers in het kantoor van de New Yorkse procureur-generaal gehackt en bij deze smeerlap de jackpot gewonnen. Die perverse griezel gaf hem koude rillingen. De coördinator wilde iedere keer nadat hij met Stouder had gesproken een douche nemen. Hij zou Loni die avond zijn rug laten scrubben.

Duilio zou flink bij hem in het krijt staan wanneer dit waagstuk voorbij was. Hij wist dat het jongetje dat tegen Stouder moest worden ingeruild veilig en wel zou worden teruggebracht, en na enige tijd zou Stouder door Fiorella's geheime ongediertebestrijder worden afgehandeld als het laatste losse eindje van hun New Yorkse avontuur. Hij zou zich er sterk voor maken dat St. Nick degene zou zijn die Stouder zijn laatste nachtelijke bezoekje zou brengen, en dat het lang moest duren, uiterst pijnlijk moest zijn, en als klap op de vuurpijl moest een bepaald orgaan met wortel en al worden losgerukt. Alleen al het praten met deze pedofiel maakte de coördinator misselijk. Hij toetste het nummer in van het mobieltje dat hij Stouder had gegeven.

'Hallo.'

'Nog niks belangrijks te melden?'

'Zo'n beetje hetzelfde liedje,' antwoordde Stouder.

De coördinator voelde de verleiding opkomen om op de rode knop te drukken en het gesprek te beëindigen en dan Loni te helpen haar Shining Star op te drinken, maar hij besloot dat niet te doen. Van nog dertig seconden dagelijkse debriefing met dit onderkruipsel ging hij niet dood. 'Vertel.'

'De burgemeester kwam langs. We hebben weddenschappen lopen om wie de president als hoofd van de SEC gaat benoemen.'

'Wie maakt de beste kans?'

'Iedereen heeft wel een idee, maar niemand weet het zeker.'

'Verder nog wat?'

'Het enige andere nieuws dat ik kan bedenken is dat een collega van me – Mark Kolar, de stafchef – meldde dat een grote investeerder hem belde om een afspraak te maken voor maandag vroeg in de ochtend. Hij wilde hem alleen niet vertellen waar het over ging.'

De coördinator voelde zijn nekharen overeind komen. 'Hoe heette die zak?'

'Een van de grote jongens, genaamd Drake Hartzell. Van gehoord?'

'Waarom heb je me dat godverdomme niet meteen verteld?!' De coördinator voelde zijn borstkas straktrekken.

Er volgde een lange stilte.

'Ik heb op de afgesproken tijd gebeld, maar je zat toen bij die wedstrijd.'

Hij hing Stouder op en drukte toen via de sneltoets St. Nicks telefoonnummer in. Hij zag verschrikkelijk op tegen het telefoontje dat hij moest plegen nadat hij Nick had verteld onmiddellijk naar Hartzells penthouse te gaan. Hoezeer Fiorella's roofdier hem ook de stuipen op het lijf joeg, Fiorella zou toch willen dat hij er ook bij present was. Deze avond dreigde heel akelig te gaan worden en zijn aanwezigheid zou daarbij geboden zijn. Hartzell dacht blijkbaar dat het allemaal gelul was geweest dat ze ogen en oren hadden op hoge posten, en het was maar goed dat Hartzell zich die avond bij de wedstrijd had vermaakt, aangezien zijn daden net zijn lot met vijf dagen hadden vervroegd.

De coördinator keek nog even naar Loni die alleen in de lounge zat, keerde zich toen om en rende naar de uitgang van de lobby, waar de taxi's op een rij stonden.

39

'De boel is geëxplodeerd, agent Cady.'

'Loop niet met me te sollen, Westlow!' blafte Cady terug in zijn mobiel.

Het was halftwaalf, maar Cady was klaarwakker. Hij had zich daar schuldig zitten voelen omdat hij tegen zowel Jund als Preston helemaal niets had gezegd over het mobieltje dat Westlow hem had gegeven bij de John Lennon-gedenkplaats. Zijn stilzwijgen over die transactie ging in tegen alle geest en essentie van de bewakingsketenprotocollen die het Bureau sinds 1908 op schrift had gesteld, toen minister van Justitie Charles Bonaparte het agentschap had opgericht vanuit zijn eigen ministerie. Maar tot zover had het volgen van het gebruikelijke protocol hem niets opgeleverd.

Dus zat Cady alleen in zijn hotelkamer in Midtown, op een rechte stoel, te staren naar Westlows mobieltje voor hem op tafel. Hij wist dat het een kwestie van tijd was voor de telefoon weer zou gaan, en Cady had zich erop ingesteld om rechtop zittend koude maaltijden te bestellen bij de roomservice tot hij bevroor of tot Westlows mobieltje zou gaan zoemen. Cady was echter verbaasd hoe snel het telefoontje van de Schaakman kwam.

'Een jonge vrouw zal op een gruwelijke manier de dood vinden als jij niet binnen een minuut voor je hotel staat.'

'Waarom vertel je me niet wat er aan de hand is, verdomme?'

'Ik zal je alles uitleggen in de taxi,' antwoordde Westlow. 'In welk hotel zit je?'

'Weet je dat niet?'

'De klok tikt.'

'Holiday Inn Express, Fifth Avenue.'

'Ik zie je over dertig seconden of helemaal niet. Als jij met je gevolg telefoonspelletjes speelt, rij ik door, agent Cady, en dan kun je het morgen in de koppen van *The New York Times* teruglezen.'

Cady was een oogwenk later zijn kamer uit en rende in de richting van de liften. Hij voelde een flits van ongerustheid toen hij langs agent Prestons kamer rende.

Cady stond op de stoep naar het nachtelijk verkeer te turen in de stad die nooit slaapt. Hij had zich een stuk verderop richting 45th Street opgesteld – een heel eind van de hoofdingang van het hotel vandaan. Hij had al twee taxi's weggewuifd en schudde zijn hoofd naar een derde. Cady keek even op zijn polshorloge, toen weer 45th Street in. Het had een uur daarvoor wat gemotregend en de straat glansde in het warme maanlicht. Cady's invalide rechterhand zat in zijn jaszak weggestoken. De Glock 22 lag zwaar in zijn hand. In Cady's andere hand begon Westlows mobiel te trillen.

'Met wie belde je?'

'Waar heb je het over?'

'Laat maar. Ik wil dat je rechts afslaat op Fifth en blijft lopen.' Westlow verbrak de verbinding.

Hoewel het veel te laat was om te winkelen liep Cady in de richting van Fifth Avenue. Het had een paar minuten geduurd tot Westlow hem terugbelde in plaats van de gedreigde dertig seconden. Nu probeerde Westlow hem op stang te jagen dat hij gebeld had, hij wilde zeker weten dat Cady niet om versterking had gevraagd. Hij kreeg de indruk dat Westlow maar wat improviseerde.

Cady sloeg Fifth Avenue in en drukte op de groene knop zodra de mobiel vibreerde.

'Ga linksaf op 44th Street,' beval Westlow. 'Een beetje tempo, agent Cady.'

Cady ontweek auto's terwijl hij Fifth Avenue overstak. Hij kwam langs 44th Street en liep naar een dubbel geparkeerde taxi halverwege de straat.

Westlows laatste telefoontje was de kortheid zelve.

'Stap in die taxi.'

Cady bekeek de taxi even en maakte oogcontact met de chauffeur; een man van in de dertig en van Midden-Oosterse afkomst staarde nieuwsgierig naar hem terug. Cady opende het achterportier en plofte neer op de achterbank.

'Hoort hij bij jou?' vroeg de chauffeur, kijkend naar het nog altijd geopende portier.

'Ja.' Jake Westlow verscheen op de stoep, zijn rechterhand op het taxiportier terwijl hij binnen naar de agent tuurde, en toen gleed hij zachtjes op de achterbank naast Cady en gaf de chauffeur een adres in Manhattan op.

'Is dat een echte tattoo?'

Westlow droeg spitse cowboylaarzen, een spijkerbroek en een wit hemd. Hij had rossig, gemillimeterd haar, een zilveren piercing in zijn linkerwenkbrauw, en een getatoeeerde slang kronkelde omhoog over zijn rechteronderarm, over zijn biceps en rond zijn nek.

'Nee,' antwoordde Westlow. 'Maar dankzij jou, agent Cady, zie ik eruit als een Village People-groupie.'

Cady hield de Glock op schoot, recht op Westlows borst gericht.

'Voor de goede orde, ik heb je.'

'Ik zag die bobbel al van mijlenver. Bijna zei ik "stik maar" en was ik weer vertrokken.'

De twee mannen zaten zonder gordel op de achterbank naar elkaar toe gedraaid, zonder ook maar met hun ogen te knipperen – boksers in hun respectieve hoeken, wachtend op de gong. Allebei niet van zins om te gaan spreken, de ongemakkelijke sfeer was tastbaar, zo dik als stroop, en dreigde de zuurstof uit de taxi weg te zuigen. Cady voelde zich als een koppig kind, maar hij zou nog liever branden in de hel dan de stilte verbreken.

'En,' vroeg Westlow uiteindelijk, 'hoe gaat het met jou?'

'Hoe het met mij gaat? Er is enorme wilskracht voor nodig om je nieren niet overhoop te knallen. Zó gaat het met mij.'

'Er zijn tegenwoordig cursussen voor het leren omgaan met je agressie.'

'Genoeg gelachen, Westlow. Waarom zitten jij en ik hier gezellig handjeklap te spelen?'

De geamuseerde uitdrukking stierf weg op Westlows gezicht.

'Goed, ik ben je inderdaad een verklaring schuldig. Het is een gegeven dat de beste plannen verworpen worden zodra ze in praktijk worden gebracht vanwege onbekende factoren die *onvermijdelijk* de kop opsteken. Drie jaar terug heb ik je zeer ernstig letsel bezorgd. De anderen kregen wat ze dubbel en dwars verdienden, maar...'

'Je hebt die Schaeffer-knul vermoord omdat hij een feestje had gegeven.'

'En er werd flink gezopen. En er werden drugs gebruikt. En die psychopaten werden losgelaten. Je zou kunnen zeggen dat Dane Schaeffer de katalysator was die alles in gang heeft gezet. Hij stierf niet omdat hij een feestje gaf. Hij stierf omdat hij Marly had uitgenodigd.'

'Je bent gek.'

'Ik zou zonder enige moeite met de dood van wel honderd Dane Schaeffers kunnen leven. Maar jij... jij bent de onbekende factor die onvermijdelijk de kop opsteekt. Ik heb je leven verwoest, agent Cady. In mijn ogen ben jij mijn enige slachtoffer.'

'Draait dit allemaal daarom?' Cady lachte hardop. 'Ben ik je belachelijke liefdadigheidsproject? Iets om medelijden mee te hebben?'

'Ik heb nooit iets uit medelijden gedaan. Toen Gottlieb was gedood en de pers meldde dat de Schaakman was teruggekeerd, trok dat mijn aandacht. Ik begon me erin te verdiepen. Ik begon na te denken. En weet je wat ik toen dacht, agent Cady?'

'Nou?'

'Dat jou en mij een tweede kans is gegund.'

'Een tweede kans?'

'Ja.'

'Zak in de stront, Westlow.' Cady zocht naar betere woorden, maar hij moest het hier maar even mee doen.

Hij stak zijn pistool in zijn schouderholster, keek even naar de achterkant van het hoofd van de chauffeur, vroeg zich af wat die dacht van alles wat hij had gehoord door het tussenschot heen. Toen draaide Cady zich weg en staarde uit zijn raampje.

'Vertel me over dat meisje dat in gevaar verkeert.'

40

De taxi reed in volle vaart naar de wolkenkrabber waar de familie Hartzell woonde. Westlow vertelde Cady snel alles wat hij wist.

'Dus Drake Hartzell is een bedrieger die vanuit Chicago wordt gestuurd – door Duilio Fiorella – en New York – te weten Fedele Moretti – heeft zijn mensen op Hartzells baas uit Chicago gezet?'

'Het mannetje van Moretti, Palma, heeft me verteld dat ze een beveiligingshacker met toegang tot de trein- en luchtvaartdatabases hebben. Moretti geeft die vent een lijst met namen op. Als een van die mensen in New York City aankomen, wordt Moretti onmiddellijk op de hoogte gebracht. Zo wist hij dat Rudy Ciolino in de stad was aangekomen. Ciolino is Fiorella's rechterhand, zijn beschermeling. Palma was opgedragen Ciolino te schaduwen – vergeet niet, zo ben ik hem tegen het lijf gelopen. Moretti probeert erachter te komen wat Fiorella uitspookt in zijn stad. Het plan was dat ze, als ze het niet al op voorhand konden uitdokteren, Ciolino volgende week zouden breken en hem uithoren over wat Chicago van plan is. Natuurlijk zal Moretti, nu Palma onbereikbaar is, die datum voor zich uit schuiven.'

'Ze doden Gottlieb en schuiven... jou dat in de schoenen om Hartzell meer tijd te geven een miljard aan aandelen te verzilveren. Maar waarom doden ze Elaine Kellervick?'

'Kellervicks recentste werkbestanden omvatten een soort financiële analyse van Hartzells kantoor. Ze had drie afzonderlijke analyses laten maken in de week voor haar dood, elke analyse werd op een andere dag voltooid. Dit doet rode lampjes branden aangezien Hartzells kantoor noch een cliënt noch een partner is van Koye & Plagans. En Kellervicks Outlook-kalender gaf aan dat er voor binnenkort een afspraak met Hartzell zelf was gepland.'

'Ze hebben bij Hartzell die afspraak gecheckt,' vulde Cady aan, bijna gedachteloos. 'Hij bagatelliseerde het als een oriënterend sollicitatiegesprekje, dat, zonder context, onschuldig lijkt.' Cady had met agent Preston de zaak-Kellervick bestudeerd. 'Ben je nog wat anders te weten gekomen uit die Kellervick-bestanden?'

'Ik betwijfel dat Albert Banning erg eerlijk tegen je was over Kellervicks recente werk. Misschien zou het als slechte reclame worden gezien of verdenkingen van bedrijfsspionage oproepen, misschien zou er zelfs een rechtszaak van komen. Hoe dan ook, wat vreemd was aan Kellervicks spreadsheets is dat ze allemaal dezelfde getallen leken te traceren; met andere woorden, de versies waren bijna identiek, voor zover ik kon zien. Ik kon er geen touw aan vastknopen, aan die Excel-getallen, en Kellervick had geen samenvatting toegevoegd om haar bevindingen uit te leggen. Het was voor mij Chinees. Vergeet niet dat Gottlieb voorbestemd was de nieuwe leider van de SEC te worden toen hij werd vermoord. Zo te lezen zou hij flink de beuk erin gooien, koppen laten rollen en de boel schoonvegen. Ik vermoed dat Gottlieb Drake Hartzell de stuipen op het lijf heeft gejaagd. En ik denk dat Kellervick door rond te neuzen in Hartzells investeringsstrategieën in de kijker liep.'

'Als Hartzell echt alles in goud verandert, waarom willen Fiorella's mannen hem dan uitschakelen?'

'Het laatste wat Palma mij vertelde – voor het uit de hand liep – was dat Moretti een infiltrant had, iemand die goeie maatjes was met Hartzells bewaker, Rudy Ciolino. Hoe dan ook, Moretti is er zeker van dat iemand in staat was Ciolino's telefoon af te tappen.' Westlow hield een mobieltje omhoog. 'Ik heb deze van Palma. Hiermee kan ik Ciolino's telefoongesprekken afluisteren. Die vent zwijgt als het graf, maar na een telefoongesprek van een contactpersoon in het kantoor van de New Yorkse procureur-generaal volgde er een reeks paniekerige telefoontjes van Ciolino, die een somber beeld schetsten. Toen heb ik jou gebeld.'

'Het kantoor van de New Yorkse procureur-generaal?'

Westlow knikte. 'Die contactpersoon informeerde Ciolino dat Drake Hartzell maandag vroeg in de ochtend zou langskomen. Je kunt vast bedenken wat dat betekent. Ciolino kreeg bijna een beroerte.'

'Heb je de naam voor me van de infiltrant in het kantoor van de procureur-generaal?'

Westlow haalde zijn schouders op. 'Ciolino noemt geen namen over de telefoon.'

'Niets over het lek in het kantoor?'

Westlow haalde weer zijn schouders op. 'Ciolino heeft drie korte telefoontjes achter elkaar gepleegd. Zoals ik al zei noemt hij geen namen, maar er was een gemeenschappelijk thema, te weten, en ik citeer: "Hartzell belazert ons! Ga naar zijn penthouse!"'

De taxi stopte bij de wolkenkrabber. Beide mannen stapten uit aan de rechterkant van de auto en bleven op de stoep staan.

'Enig idee wie Moretti als infiltrant bij Ciolino heeft?'

'Niet zozeer een naam,' antwoordde Westlow. 'Alleen iemand die Palma "de stewardess" noemde.'

Cady toonde zijn insigne aan de in het rood geklede bewaker achter de beveiligingsbalie in de grote lobby in de wolkenkrabber van Drake Hartzell.

'Zijn de Hartzells aanwezig?'

'Ze zijn een uur geleden van de wedstrijd teruggekeerd. Met hun gasten.'

'Gasten?'

'Er verblijft een tweetal zakenlui bij meneer Hartzell,' antwoordde de bewaker, met een wat-heeft-dit-te-betekenen-uitdrukking op zijn gezicht. 'En wat andere zakenrelaties van meneer Hartzell werden zo'n tien minuten geleden omhoog geroepen.'

'Er zijn wat problemen.' Cady wees naar de bewaker nadat hij Hartzells suitenummer op de bovenste verdieping had gekregen. Hij las het naamkaartje van de bewaker. 'Niemand mag het gebouw verlaten tot de FBI arriveert of ik weer naar beneden kom. Begrepen, Derek?'

'Wat is er aan de hand?'

'Dat vertel ik je nog wel eens bij een biertje, Derek. Jij moet het alarmnummer bellen en vervolgens de andere bewakers waarschuwen. Zorg dat de politie dit gebouw afschermt met een kordon. Niemand mag eruit, gesnopen?'

'Ja, meneer.'

De twee mannen sprintten naar de liften.

'Niet erg sportief om de politie het hele gebouw af te laten sluiten, agent Cady,' merkte Westlow op. 'Wanneer het voor mij tijd is om me weer uit de voeten te maken, zal Derek tenminste denken dat ik een FBI-agent ben.'

Cady negeerde Westlow. Hij klapte zijn mobieltje open en drukte op de sneltoets voor agent Preston.

Cady drukte op het knopje voor de verdieping twee etages onder die van Hartzells penthouse. Ze zouden het noordelijke trappenhuis verder naar boven nemen, om zo veel mogelijk van een eventueel verrassingselement te kunnen profiteren. Beide mannen zagen de etagenummers op het digitale bordje boven de schuifdeuren voorbijvliegen.

'Het gaat om dat meisje, hè?'

Westlow keek Cady even aan maar hij zei niets.

'Je denkt dat de rest van die lui elkaar verdient,' zei Cady. 'Maar wij zijn hier om Hartzells dochter te redden.'

Westlow keek weer omhoog naar het digitale etagebordje. 'Op deze hoogte kun je maar beter niet over een balkonreling springen, agent Cady.'

41

Rudy Ciolino – ook wel bekend als de coördinator – zat tot aan zijn knieën in de stomdronken accountants.

Codenaam Smith was al naar de badkamer gerend voor een tweede zweterige purgering in de plee, en Jones lag over Hartzells koffietafeltje gedrapeerd alsof hij geen ruggengraat had, zijn verdwaalde blik verborgen achter omlaag gezakte oogleden. Ciolino had gedacht dat ze de bewaker zouden moeten neerschieten. De bewaker had zes keer zonder succes naar Hartzells suite gebeld, waarna hij zijn hoofd had geschud. St. Nick probeerde het toen op zijn eigen mobiel en drukte vijfmaal op redial maar werd steeds overgeschakeld op de voicemail. Hij had beet bij de zesde poging. Nick drong tot Smiths dronken beneveling door en beval hem ze boven te laten of te accepteren dat hij nog vóór de avond over was zijn eigen pik in zou moeten slikken.

'Dabinne.' Jones zwaaide met een arm in de richting van de gang. 'Nabed.'

'Nee, ze zijn niet dabinne, dronken klootzak!'

Ciolino herinnerde zich dat Hartzell de hele avond alle drankjes had betaald in hun privébox bij de wedstrijd. Nu besefte hij waarom Hartzell steeds andere cocktails had laten komen: zodat de alcohol het maximale effect op de pennenlikkers zou hebben. Ciolino had geluk dat hijzelf het merendeel van die gemixte drankjes had afgeslagen. Hij had de Olympische prestaties van Loni later die avond niet willen verpesten. Maar Hartzell was eropuit geweest de twee logés helemaal zat te maken zodat hij met zijn dochter kon wegglippen en dan Fiorella en consorten maandag vroeg in de ochtend bij de New Yorkse procureur-generaal kon aangeven.

'Ze zijn vast een van de zijuitgangen beneden uit geglipt,' opperde Nick.

'Daar zit een alarm op, ze zijn alleen voor noodgevallen te gebruiken.'

Ciolino tuurde van de accountant op de bank naar St. Nick en weer naar de lange man, die roerloos stond te wachten met zijn rug naar het raam. Het begon tot hem door te dringen hoezeer hij in de nesten zat. St. Nick was een van de belangrijkste handlangers van Fiorella. Hij dwong tegenstanders te doen wat Fiorella wilde. Maar die lange man, dat was Fiorella's moordenaar – en afgezien van wat andere opdrachten, rekende hij af met de hardnekkige types die weigerden te buigen voor Fiorella's wil. De lange man had geen enkel foutje gemaakt bij Gottlieb en Kellervick. Drake Hartzell was niet het pakkie-an van die lange man, dus leunde hij kalm tegen het glazen venster, met de armen over zijn borst gevouwen, en bekeek het tafereel. Het drong in een flits echter tot Ciolino door dat als die lange man een telefoontje pleegde om Fiorella te informeren over hun huidige dilemma, dat Hartzell de autoriteiten probeerde te bereiken en zijn erop volgende verdwijntruc, het onmiddellijk het pakkie-an van die lange man zou worden.

Fiorella zou willen dat alle connecties snel uit de weg zouden worden geruimd. Fiorella zou op dat punt niet te vermurwen zijn. Als Ciolino niet zelf degene was die in de penarie zat, zou dat woord voor woord zijn geweest wat hij de man die Chicago beheerde zou adviseren. Om te beginnen zou iedereen in het appartement moeten sterven, en waarschijnlijk die bewaker met die uitstaande tanden ook, die net aan de balie had gezeten.

Ze zeggen dat iemand in wat voor taak dan ook kan uitblinken als hij er tienduizend uur aan werkt. De lange man had die uren geklokt en was buitengewoon goed in *zijn* huidige werk. Of beter, zijn roeping. Ik krijg maar één kans, dacht Ciolino. Als de lange man zijn mobieltje tevoorschijn haalde om Fiorella te bellen, zou Ciolino zijn Heckler & Koch trekken en die vent recht in zijn smoel schieten. Tweemaal. Zonder aarzeling. Hij zou geen tijd hebben om St. Nick voor zich te winnen voor deze daad, maar Nick zou het begrijpen wanneer Ciolino naderhand zijn handelswijze zou uitleggen.

'Dan zijn ze door de keldergarage vertrokken,' zei Nick, Ciolino weer terugvoerend naar het huidige debacle.

Er knaagde iets in Ciolino's achterhoofd. Hij keek naar Nick terwijl die gedachte bezonk. Ciolino draaide zich om en rende de woonkamer in en rukte Hartzells rommellaatje open. Hij ging met zijn hand over de voorwerpen, woelde erdoorheen en rukte toen de la uit het bureau, strooide de inhoud over de vloer uit en woelde door de voorwerpjes heen met een lakschoen. Hij dacht terug aan de helikoptertour over Manhattan die hij met Loni de week daarvoor had ondernomen.

'Niet de garage,' zei Ciolino tegen St. Nick, en de lange man die in de deurpost van het kantoor stond keek hem zwijgend aan. 'Het dak.'

42

Zo ontzettend eenvoudig.

Hartzell was zich geheel bewust van zijn vuile grijns terwijl hij Kerry Evans stevig de hand schudde en met onvoorwaardelijke liefde naar de JetRanger op de helikopterlandingsplaats staarde. Pas deze avond was hij gaan beseffen wat voor mooi dingetje die JetRanger was – een echt geweldig stuk techniek – een buitengewone deus ex machina.

'LaGuardia, hè, Drake?'

'En gassen.'

'Hé, Lucy,' zei de piloot, knipogend naar Hartzells dochter. 'Het regent niet meer, bijna geen wind. Een mooie nacht voor een vlucht.'

'Een geweldige nacht voor een vlucht, Kerry.'

Kerry Evans was zo'n een meter negentig lang en had een gezicht als een ruige Ken-pop op leeftijd; er zat bij zijn slapen wat grijs in zijn bruine haar. Evans was het prototype van een helikopterpiloot en dat wist hij maar al te goed. De vliegenier lag voor de derde maal in scheiding en versierde alles met een rok aan.

'Wanneer mag ik jou eens meenemen voor een privévlucht boven Manhattan, Lucy?'

'Ben je zaterdag vrij?'

'Nu wel.'

'Afgesproken.'

Zo ontzettend eenvoudig, dacht Hartzell opnieuw terwijl hij Lucy de passagiersruimte van de JetRanger-helikopter in hielp, verrukt dat hij een pakje in de vorm van een sigarenkistje boven op zijn stoel aantrof. Hun nieuwe identiteitspapieren. Het kon niet op.

Vince en David zouden de hele zaterdag met hun knallende katers diep in de put zitten. De genadeslag waren de twee Long Island Iced Teas geweest die hij die twee kerels had opgedrongen. Die combinatie van wodka, gin, tequila en rum kon echt hard aankomen als je niet uitkeek. Hartzell had op de ijskast een briefje voor de accountants geplakt met de melding dat hij en Lucy bezig waren een bevriende schilder van haar te helpen in zijn galerie zijn expositie op te stellen. Hij schreef dat hij die avond tegen achten terug zou zijn, en als die twee niet meer zo bleek om de neus waren, zou hij ze graag meenemen naar Le Cirque of misschien zelfs Sarabeth's voor een laat diner. Hartzell deed zijn riem om, controleerde of Lucy dat ook deed en probeerde die absurde grijns van zijn smoel te vegen. Hij dacht dat Vince en David zaterdagavond rond een uur of tien een ongemakkelijk telefoontje met de coördinator zouden moeten plegen. Tegen middernacht zou de coördinator zó koken dat het schuim hem op de lippen stond.

Hartzell zou een paar dagen later en een oceaan verder het nieuws volgen via het internet en de kabelkanalen terwijl Duilio 'Leo' Fiorella begon aan zijn onvoorziene traject door de ingewanden van het Amerikaanse strafrechtsysteem. En zodra Fiorella's permanente verblijf door het hof met zekerheid was bepaald, zou Hartzell een manier vinden om iets eenvoudigs als bijvoorbeeld een anonieme kaart zijn weg te laten vinden door de verschillende lagen van beton en staal en het nieuwe verblijf van de gevangengenomen maffiabaas te bereiken. Niets belastends, uiteraard. Hartzell zou er heel goed over nadenken op de vlucht boven zee die hij en Lucy op het punt stonden te ondernemen; misschien gewoon een ongetekende ansichtkaart uit het Middellandse Zeegebied. Fiorella zou maar al te goed weten wie hem had verstuurd.

Hartzell keek hoe Evans, nauwgezet als altijd, de knopjes voor het opstijgen bediende; een bereikcontrole van het seintoestel, een blik op de rotorbladen, een controle of alle pedalen en hendels goed werkten. En al was Evans net nog geland, toch ging hij het controlelijstje in zijn hoofd af van deze en nog een vijftal andere onderdelen. De ruige Ken-pop was een eersteklas helikopterpiloot. Als Kerry zijn dochter echt voor een persoonlijk tochtje boven Manhattan in de JetRanger zou hebben meegenomen, zou Hartzell niet bang zijn geweest dat ze neerstortten. Echt verschrikkelijk gemeen van Lucy om die arme Kerry te pesten met een afspraakje waar ze zich nooit aan zou houden. Maar als de tijd daar was, zou dat kleine detail de verklaring van de piloot nog geloofwaardiger maken.

Evans keerde zich weer naar de Hartzells en stak zoals gebruikelijk zijn duimen omhoog, waarmee hij aangaf dat ze klaar waren voor vertrek, toen een donderslag door de nacht klonk. Iets donkerroods spatte over de voorruit. Evans klapte voorover, met schokkende schouders, en alleen de riem hield hem overeind terwijl hij in zijn stoel ineenzakte. Het gezicht van die arme man, nu onherkenbaar, was een druipende massa – hij zou nooit meer met een Ken-pop worden vergeleken.

Hartzell veerde op in zijn stoel. Lucy greep zijn arm in paniek... Haar vingernagels drongen diep in zijn vel. Hij keek voorbij het lichaam van de dode piloot. Een lange man in het zwart stond drie meter van het helikopterlandingsplatform. In het verlengde van zijn rechterarm zat een pistool alsof het een natuurlijk aanhangsel was. Het pistool was nu gericht op hen, Hartzell en Lucy. Achter de lange man, net uit de deur naar het dak van de wolkenkrabber, stonden St. Nick en de coördinator.

De coördinator was nu degene die een vuile grijns toonde.

43

Ze bestormden Hartzells luxe suite op volle kracht.

Cady en Westlow waren uit het noordelijke trappenhuis gekomen en ze glipten geruisloos langs de muur tot ze de deur van Hartzells penthouse bereikten. Cady glipte onder het kijkgaatje door en kwam toen aan de andere kant van de deur weer overeind. Ze stonden even stil en luisterden. Cady reikte naar de deurknop, voelde eraan en merkte tot zijn verbazing dat die niet op slot zat. Hij keek Westlow aan en was net zo verbaasd een Beretta 92F2 in diens rechterhand te zien, omlaag naar het tapijt gericht. Westlow maakte een 'laat maar'-beweging met zijn schouders.

Cady had de beelden van die twee mannen op de foto's die Westlow voor hem in Strawberry Fields had achtergelaten in zijn geheugen gegrift. Jund had eerder met zijn contactpersoon bij de OCTF contact opgenomen maar ze hadden geen connecties ontdekt met de New Yorkse families of met New Jersey. De donkerharige man, informeerde Westlow hem, was Rudy Ciolino, Fiorella's belangrijkste adviseur. Hij vertelde Cady bovendien dat Ciolino de andere man op de foto's – die kale vent die uit één blok krankzinnig metselwerk leek te zijn gehouwen – St. Nick noemde, zonder achternaam. Drake Hartzell was tegen de vijftig en lang. Met een beetje geluk zou Hartzells dochter Lucy de enige vrouw zijn in de suite.

Met die titelrol in gedachten zou Cady ze allemaal dwingen op de grond te gaan liggen. En snel. En ze dan in de boeien slaan. Jund zou het later mogen uitzoeken. Als Ciolino of die kale man verzet bood, of hem uitdaagde, maalde

Cady er niet om ze te vloeren. Gek genoeg was hij opgelucht dat Westlow de Beretta uit het niets tevoorschijn had getoverd.

Cady dook gebukt naar binnen met Westlow achter zich aan. Ze doorzochten Hartzells woonkamer – zo groot als een tennisbaan, maar leeg. Cady schoot regelrecht de keuken in, zocht zich een weg in een wirwar van hangende potten en pannen en stak toen nog eens twintig meter eetkamer over. Allebei leeg. Hij wierp even een blik naar buiten door de duistere ramen, en keek daarna door de suite naar Westlow. Westlow richtte de Beretta op de gang en sloot de deur zachtjes met zijn vrije hand. Hij hield zijn hoofd scheef weggedraaid van Cady in de richting van de lobby. Cady was de woonkamer al half overgestoken toen hij het woest spattende geluid hoorde.

In de tweede badkamer vonden ze een man in boxershort hangend boven de toiletpot, de bril en het deksel waren allebei omhoog, een slappe hand hing aan de trekker. Het gezicht van de man glansde van het zweet; zijn blonde haar leek wel met een karbonade gekamd. Cady kon de alcohol ruiken terwijl hij naast hem neerhurkte. De man staarde omhoog en mompelde onverstaanbaar. Waardeloos.

'Er zit iemand in de slaapkamer,' fluisterde Westlow vanuit de deuropening.

Cady trok de wc door en draaide toen de wastafelkraan open om zijn geluiden te overstemmen. Hoewel het waarschijnlijk nergens goed voor was – die blonde vent ging toch nergens heen – had Cady de dronkenlap in minder dan tien seconden geboeid en op zijn zij in de jacuzzi ernaast gezet, mogelijk een nieuw rodeorecord. Hij overwoog een washandje in de mond van de man te stoppen om hem stil te houden, maar was bang dat die vent dan zou stikken als hij weer moest overgeven.

In de achterste kamer van Hartzells penthouse op de tweeënzeventigste verdieping vonden ze een tweede man, die kleren oprolde alsof hij enorme sneeuwballen maakte, en die proppen in een leren koffer stouwde die boven op een kingsize bed lag. Cady boeide hem in nog eens tien seconden terwijl Westlow tegen de deurpost leunde en de gang in de gaten hield.

'Waar zijn ze heen gegaan?'

De tweede man zat op het grote bed en zei niets. Hij was ook beneveld, dat was makkelijk op te maken, ook al had die man zijn mond met pepermuntjes volgepropt. Cady keek naar zijn gezicht en merkte de verwijde pupillen op.

'Waar zijn ze?'

De tweede man bleef zwijgen. Cady schudde zijn hoofd, liep naar het slaapkamerraam en haalde zijn mobieltje tevoorschijn om agent Preston te bellen.

Westlow keek weer even door de gang, stapte toen de kamer binnen, stak vier vingers diep in het vel onder de kaak van die man en sleurde hem omhoog alsof hij een vis aan de kieuwen uit het water trok. Er klonken harde scheetgeluiden terwijl de man overeind werd getrokken.

'Waar zijn ze?' herhaalde Westlow Cady's vraag.

'Het dak,' zei de man, zich op zijn tenen uitrekkend in de hoop zichzelf uit Westlows greep te bevrijden. 'Ze zijn het dak op.'

44

De blauwe deur die de beklimming naar het hoogste puntje van de wolkenkrabber versperde, zag eruit alsof hij na drie rondes verloren had van Mike Tyson. Hij trok krom rondom het slot, en zou nooit meer goed kunnen sluiten. Cady en Westlow stonden aan weerszijden van de ingebeukte deur en luisterden of ze geluiden hoorden uit het trappenhuis. Cady gaf de deur met twee vingers een duw en de beide mannen tuurden door de laatste trappartij omhoog.

Twee trappen, breed genoeg voor een olifant, zigzagden omhoog naar een dubbele deur die uitkwam op het dak van het gebouw. De mannen kropen omhoog, hun ruggen tegen de zwarte trapleuning gedrukt en hun wapen hoog gehouden, tot ze op het middelste gedeelte kwamen. Daar ontdekten ze dat een van de deuren open was gewrikt voor een snelle toegang of aftocht. TOEGANG TOT DAK stond er met zwarte letters op de deur tegenover hen, de deur die nog steeds gesloten was. Beide mannen bleven langzaam langs de grauwe betonnen muren schuifelen. Een dof fluorescerend licht vanaf de hoge muur boven hen hield de weinig gebruikte toegang tot het dak in schemerig licht.

Cady wees naar een metalen ladder die was gemonteerd naast de toegangsdeuren, en die omhoogliep naar een soort luik boven in de omsloten trappartij. Het idee om het hoger te zoeken en boven de moordenaars uit Chicago terecht te komen schoot door zijn hoofd, maar werd afgekeurd bij het zien van een hangslot in het handvat van het luik. Daar een beetje lopen pielen terwijl je probeerde het slot te forceren maakte je aardig kwetsbaar. Dood.

Toen hoorden ze het schot.

Cady's eerste neiging was als een gek in tegenoverstelde richting te gaan rennen. Zijn tweede neiging was het dak op te rennen en zichzelf midden in een onbekend vuurgevecht te werpen. Beide neigingen zouden dodelijk kunnen blijken voor iemand. Cady en Westlow drukten zich tegen de muur, hun Glock en Beretta op de deurpost gericht terwijl ze de betonnen traptreden beklommen. Ze hielden hun adem in terwijl ze de laatste trap op slopen, zich tegen de deurpost klemden en gluurden naar het drama dat zich op het dak ontvouwde.

Zes stappen buiten de deur stond Rudy Ciolino. Tegenover Ciolino stond de kale man van de foto's. Cady begreep het toen hij Drake Hartzell ontwaarde, de financiële magiër en topcrimineel, op zijn knieën voor de twee schurken; zijn Yankees-pet zat scheef, een dikke straal bloed liep langs een pas misvormde neus. Lucy Hartzell stond naast haar vader, sidderend op haar hoge hakken.

'Geen beweging, godverdomme!' riep Cady op zijn meest onverbiddelijke toon. Hij stapte de deurpost uit, zijn Glock gericht op Ciolino's borstkas.

Ciolino en St. Nick keken grimmig naar de gedaante die uit het niets was opgedoemd en nu dreigde de pret te bederven.

Cady zag de ravage in de helikopter. 'Jullie twee, op de grond, nu! Handen op je hoofd!'

Ciolino had driemaal om hulp geroepen, maar behalve de Hartzells en de twee ongewapende mannen was er niemand. Waar waren Fiorella's andere mannen? Waar zat de schutter? Geen van beide mannen maakte aanstalten Cady's bevel op te volgen. Ciolino's ogen schoten links langs Cady. Drake Hartzell sprong overeind en in een flits wist Cady precies waar de schutter had gezeten, verborgen in de schaduwen van de buitenmuur, en van heel dichtbij bespeurde Cady de dood.

Westlow had Cady naar voren zien stappen, had naar hem gereikt om hem terug te trekken, maar was te laat. Hij bleef in de deurpost, zijn pistool gericht op het monster dat St. Nick werd genoemd. Hij was de grootste bedreiging, die moest worden uitgeschakeld als die twee mannen agent Cady's bevelen bleven negeren. Hij hoorde geschuifel en zag toen een arm uithalen terwijl een ongeziene derde man van achter de buitenmuur kwam gestapt, zijn pistool gericht op Cady's oor. Westlow sprong naar voren, zijn eigen pistool voor zich uit alsof hij met een kort zwaard schermde; hij stootte het pistool van de derde man omhoog vlak voordat het knalde.

Westlow greep de pistoolloop met zijn vrije hand vast, wrong het wapen omhoog en naar achteren, het uit de greep van de schutter wrikkend. Westlow boog zich naar links, sleurde de Beretta mee, van plan vier kogels in die derde man te pompen, toen een klap uit het niets op zijn ribbenkast beukte terwijl het pistool net vrijkwam uit de greep van de schutter. Westlow slingerde het pistool naar achteren het trapportaal in en bracht de Beretta helemaal opzij. Een steek in zijn zij deed hem naar adem snakken.

Toen schoten hij en Cady tegelijk op de schutter – een lange man in zwarte kleren – die wegdook om de hoek van het toegangsgebouw. Ze hoorden voetstappen verdwijnen terwijl de lange man langs de zuidzijde van het dak ontsnapte. Westlow zette zijn tanden op elkaar vanwege de steek in zijn linkerzij, keek Cady even aan en ging toen achter die lange man aan, hem achtervolgend de duisternis in.

Drake Hartzell was op zijn knieën gezakt na in zijn gezicht gebeukt te zijn door een afschuwelijk nijdige St. Nick. Ongetwijfeld een voorproefje van wat hem te wachten stond. Pijnscheuten schoten door zijn slapen en hij was bang dat zijn neus was gebroken. Hartzell was verdoofd en zag een vreemdeling uit de deurpost van het dak verschijnen, zijn pistool gericht op de coördinator, hem en de aapmens bevelend om op de grond te gaan liggen. Hartzell zag ook de lange man uit de schaduwen opduiken aan de zijkant van het gebouw, een pistool richtend op zijn vermeende redder.

Meer had hij niet nodig. Hartzell kwam onmiddellijk overeind, greep Lucy bij de hand en trok haar bij de schermutselingen vandaan, weg van die zekere dood. Ze renden allebei hard over het platte dak, Lucy schopte haar hoge hakken uit onder het rennen, een panische vlucht naar de noordkant van het hoge gebouw.

Cady's hart bonkte in zijn keel, een oorverdovend gesuis klonk in zijn hoofd. Hij richtte de Glock zwiepend terug terwijl Westlow de lange man achtervolgde. Hij had Hartzell en het meisje zien vluchten terwijl zijn trommelvliezen het begaven. Maar nu had die kale man zich omgekeerd, en achtervolgde hij de Hartzells.

'Stop!' schreeuwde Cady – of hij dacht dat hij schreeuwde, maar hij kon geen moer meer horen behalve het onophoudelijke gesuis. Hij schoot eenmaal in de lucht maar de kale man was al buiten zijn bereik en verdwenen in de duisternis.

Ciolino maakte een beweging, zijn arm verdween in zijn jack. Cady stortte zich onmiddellijk op hem, sloeg de loop van de Glock tot bloedens toe tegen het oor van die man, waarmee hij alle vechtlust uit Ciolino verdreef terwijl hij hem hard op het teermacadam van het dak ramde. Hij had Ciolino in een paar seconden met de handen op de rug geboeid. Cady sleurde hem naar de andere kant van de JetRanger, in de duisternis aan de andere kant van de deuropening en maakte met nog een boei Ciolino's gebonden handen vast aan een poot van de helikopter. Hij vond de Heckler & Koch Parabellum van Ciolino in de holster onder zijn jasje en was blij dat hij die klootzak met zijn pistool had gebeukt. Hij stak het negen-millimeterwapen achter zijn riem weg.

Als laatste afscheid, om de bevrijding extra lastig te maken, greep Cady Ciolino's jasje bij de revers en trok het over Ciolino's schouders zo ver omlaag als hij kon, zodat de man zich niet kon verroeren. Ciolino schreeuwde al die tijd. Cady kon geen woord horen van wat hem werd toegeworpen, maar liplezen was niet nodig om de strekking te begrijpen.

Toen sprintte Cady weg in noordelijke richting, de Hartzells achterna – en achter de kale man aan.

45

Ze konden geen kant meer op.

Hartzell keek even over de een meter hoge veiligheidsmuur die onderhoudsmedewerkers ervan weerhield een stap verkeerd te zetten en zeventig verdiepingen omlaag te tuimelen naar een onverbiddelijke stoep beneden. Een aanval van hoogtevrees overviel hem en Hartzell trok zich met een schok terug. Hij en Lucy waren om een metalen huisje met elektrische apparatuur heen gelopen, langs een bos van satellietschotels met hier en daar een antenne gerend, weggedoken voor een mijnenveld van ronde pijpleidingen die grillig opsprongen uit het platte dak, en konden nu – tenzij ze als door een wonder opeens vleugels kregen – geen kant meer op.

Hartzell had drie schoten kort op elkaar horen volgen. Waarschijnlijk van hetzelfde wapen. Hij vermoedde dat dit weinig goeds voor hem voorspelde.

In het maanlicht keken ze toe terwijl de grote donkere massa in regelmatig tempo op hen afkwam en veranderde in het monster dat zij kenden als St. Nick. Ze hadden geen maanlicht nodig om die scheve psychopatengrijns te herkennen.

Hartzell ging voor Lucy staan, richtte zijn vuisten op in een klassieke bokserspose en sprong toen naar voren om het monster te verslaan. St. Nick maakte geen aanstalten zichzelf te verdedigen maar bleef in volle vaart aanstormen. Hartzell bad om een zwakke kaak bij zijn tegenstander en gooide al zijn gewicht in een zwaaistoot die op de kin van de kale man was gericht. Nick boog zijn hoofd in de laatste seconde en Hartzells vuistslag knalde tegen een ijzeren kaak. Toen stortte Nick zich op hem. Een keiharde kopstoot tegen zijn voorhoofd deed Hartzell ineenzijgen als een zak met nat cement. Hartzell greep in het wilde weg blindelings naar Nicks voeten, hij probeerde die reus te vertragen, die klootzak van Lucy weg te houden, haar nog een kans te geven om te vluchten, maar hij faalde jammerlijk en de oermens liet zich alleen even tegenhouden om Hartzell een keiharde schop in de ingewanden te geven met de metalen neus van zijn legerkist.

Lucy rende zigzaggend weg, maar St. Nick kon haar manoeuvres moeiteloos lezen en had haar binnen de kortste tijd bij de keel. Hij tilde haar met zijn rechterhand hoog in de lucht, keerde zich om en begon terug te lopen naar de rand van de wolkenkrabber.

'Ik heb je verdomme gewaarschuwd, Hartzell!' schreeuwde St. Nick in het nachtelijke duister terwijl Lucy naar adem snakte, schoppend met haar benen tegen de leegte onder haar. 'En we maakten godallemachtig geen grapjes!'

Cady's longen brandden van de dolle spurt over het dak toen hij Hartzell, die languit op het platform lag, in het oog kreeg, terwijl de kale brok graniet Lucy in een wurggreep hield en haar naar de rand van het gebouw droeg. Zijn bedoeling was maar al te duidelijk: het meisje in het luchtledige loslaten. Cady rende nog harder, ramde Fiorella's dommekracht als een hockeyer, met zijn schouder beukend in de ribben aan de linkerkant van de ruggengraat van die reus, hem rondtollend en dwingend het meisje los te laten. St. Nick smeet Lucy op de grond en richtte al zijn aandacht op de FBI-agent.

Cady hief zijn Glock omhoog maar St. Nick greep zijn hand en trok die moeiteloos opzij, waarna hij zijn handen als kolenschoppen om Cady's rechterhand sloot – zijn invalide hand – en die tegen zijn negen-millimeterwapen aan ramde. Cady haalde uit met een elleboog naar de kin van die kale man. De slag haalde niets uit. Hij haalde de trekker over, in de hoop dat hij daarmee uit de steeds vaster wordende greep zou loskomen. Er klonken twee schoten. St. Nick knipperde amper met zijn ogen. Cady kromp ineen op zijn knieën van de verscheurende pijn en besefte dat hij weer kon horen toen hij de botten in zijn hand hoorde knappen. Cady wist dat hij nooit bij de Heckler & Koch achter in zijn riem zou kunnen, dus stootte hij omhoog met zijn linkervuist en hamerde ermee in de ballen van de grote man – die diens achilleshiel bleken te zijn.

St. Nick liet Cady's lamme vlerk los en liet een hand tussen zijn benen zakken, maar ramde met zijn rechtervuist in op Cady's oog en jukbeen. Cady voelde zich alsof hij door een meteorietenregen was getroffen en belandde op zijn rug, verdoofd als een vogel die tegen een raam was gekletterd, filosofisch omhoogstarend naar die verschrikking die zijn scrotum vastgreep als een kind een zak snoep, terwijl een blik van moorddadige woede op zijn rood wordende gezicht lag.

En alsof de situatie al niet surrealistisch genoeg was, zag Cady opeens een schaduw over hem heen vliegen.

Hartzell kreeg weer wat lucht in zijn longen terwijl hij de vreemdeling vanuit de deuropening van het dak gadesloeg – die man was als door een wonder nog in leven – en hem op St. Nick in zag rammen en Lucy bevrijden. Hij sprong op toen die vreemdeling op zijn knieën zakte voor die wandelende kleerkast. Hartzell juichte zowat toen zijn redder de koudbloedige klootzak tussen de benen beukte. Zijn hart zonk in zijn schoenen toen hij St. Nick die man met zijn vrije hand zag stompen, haat getekend op het gezicht van die reus, zijn rug nu naar de rand... *zijn rug nu naar de rand.*

Hartzell sprong over de man die Lucy's leven had gered heen en duwde St. Nick uit alle macht naar achteren, duwde hem over de rand. Fiorella's dommekracht had zijn aandacht op zijn scrotum gericht, meer dan op wat ook, en daarna op de man die voor hem lag, dus Hartzells verrassingsaanval was een succes en Nick tuimelde naar achteren tegen het lage muurtje. Die reus was razendsnel, ook toen hij zijn evenwicht verloor. Een rechterhand schoot naar voren en greep Hartzells linkerbovenarm om zichzelf te redden van een val in de diepte.

Lucy – zijn geweldige, prachtige dochter – mengde zich in de strijd. Met een stoot adrenaline deed het meisje een meesterlijke zet: ze stortte zich op Nicks benen terwijl Hartzell bleef duwen en de vaart van de grote man dwong hem achterwaarts. Lucy pakte zijn enkels vast en alsof ze een kruiwagen vol houtblokken optilde, trok ze hem omhoog, en tilde en kiepte Nicks benen over de rand van de afgrond in een opwelling van pure adrenaline.

St. Nicks ogen waren nu zo groot als schoteltjes, maar hij hield Hartzells bovenarm stevig vast en zocht maaiend naar de rand met zijn andere hand. Het monster begon zichzelf langzaam weer op te trekken. Hartzell schoot naar voren en omlaag tegen het lage muurtje, probeerde de reus weer uit evenwicht te brengen. Hij liet vuistslagen op de vrije hand van de kale man regenen. Die hield uit alle macht de rand vast. Lucy verscheen opeens aan Hartzells linkerkant, haar hoofd dook omlaag terwijl ze haar mond zo wijd mogelijk opende en haar tanden diep in St. Nicks pols zette terwijl hij haar vaders arm vastklemde. Haar kaak klemde harder en Hartzell zag bloed stromen. De mond van de moordenaar ging open tot een steeds groter wordende ring die paste bij zijn ogen als schoteltjes terwijl zijn greep rond Hartzells bovenarm verslapte.

Alles hing voor een eindeloos moment in het luchtledige, maar Nicks andere hand aan de rand was bij lange na niet genoeg om hem te redden. Een paar seconden later was het gevaar geweken. De dommekracht van de maffia schreeuwde moord en brand de hele weg omlaag langs de wolkenkrabber – tot de stoep ver beneden hem opving.

Hartzell en Lucy lieten zich op het dak zakken, met hun rug tegen het muurtje. Moe van de strijd. Blij dat ze nog leefden.

46

Een mooie Schaakman was hij gebleken.

Jezus, Marly, dacht Westlow, *ik sjok langs de spits van een wolkenkrabber in Manhattan, bijna driehonderd meter boven de grond, een professionele moordenaar uit Chicago achternajagend – de man waarvan ik zeker weet dat hij mijn copycat is – terwijl ik een strak wit shirt draag, wat inhoudt – ook al zie ik er door deze belachelijke outfit uit als het tegenovergestelde van Jake Westlow – dat ik bij de taak die voor me ligt, op zal lichten als een kerstboom. Wat een klotezooi allemaal, hè, Marly? Je kunt ophouden met giechelen, hoor.*

Maar Westlow had nog één pijl op zijn boog. Een laatste zet om te voorkomen dat hij tien jaar lang gevangenisvoer moest eten voor hij eindelijk een dodelijke injectie zou krijgen. Blijkbaar hoefde hij niet in te breken op een veel lagere verdieping en door het raam te vluchten. Nee, er had zich iets veel makkelijkers voorgedaan, en Westlow hoopte alleen dat hij agent Cady niet op zijn dak zou krijgen. Hij had die man al genoeg aangedaan. Zijn allerlaatste schaakzet was de eenvoud zelve. Hij kon zijn ogen niet geloven toen hij het daar op het landingsplatform zag staan. Westlow wist hoe hij dat dingetje moest besturen.

En hij hoefde alleen maar de ophanden zijnde taak te overleven. Als Hartzells dochter niet in deze dodelijke mix was opgenomen, zou hij agent Cady al het materiaal uit de ontdekkingsfase van zijn onderzoek per koerier hebben toegestuurd. Natuurlijk moest hij, over agent Cady gesproken, die vent wel een handje helpen. Letterlijk.

Westlow negeerde het bonken in zijn zij. Die klootzak in het zwart was zo link geweest een van Westlows ribben te breken zodra hij besefte dat hij het onderspit ging delven in het gevecht om het pistool. De lange man was niet in paniek geraakt, verre van zelfs. Als een slang had hij toegeslagen om Westlow te beletten te schieten en de buitenschoolse activiteiten van die avond tot een eind te brengen.

De schaduw die bijna tien meter voor hem uit snelde was bijna niet te raken. Tegen de tijd dat Westlow een goede schiethouding had aangenomen en richtte, zou de ander al ver weg zijn in het duister van de nacht, buiten bereik. De lange man bleef opeens recht achter een soort luchtverversingsinstallatie met een metalen ombouw staan. Westlow stond lang genoeg stil om drie schoten te lossen door het metaal om de moordenaar op te drijven, de lange man geen tijd gevend om zich te herstellen, en in de aanval te blijven. Westlow nam een ruime boog rondom het rechthoekige bouwsel, langzaam, voor het geval dat de moordenaar een ander wapen uit zijn arsenaal tevoorschijn zou halen. Voor de voorkant van de behuizing zaten tralies, daarlangs viel niet te ontsnappen. Westlow hurkte neer om zich tot een kleiner doelwit te maken en zwiepte met de Beretta heen en weer, de schaduwen afzoekend.

Niets.

De zuidoostelijke hoek van de wolkenkrabber bevond zich voor hem. Twee korte, lage muren kwamen bijeen. De haren in zijn nek gingen overeind staan dus Westlow keek om. Tussen hem en de kant van het gebouw bevonden zich twee enorme turbineventilators, allebei zo'n een meter dertig hoog en zo breed als een matras. Een tiental ronde buizen staken uit het dak, maar daarachter kon zelfs een anorectisch iemand zich niet verschuilen. Hij keek naar links en zag in westelijke richting een soort gereedschapsschuur. Die lange man kon beslist niet die kant op zijn gegaan zonder dat Westlow hem zou hebben gehoord. Hij hurkte neer en luisterde. De lange man houdt ofwel dit huisje tussen ons in als in een slechte klucht, of hij zit verscholen achter een van de enorme ventilators. Als hij zich dood houdt heeft hij waarschijnlijk nog een ander wapen en wacht hij tot ik me vertoon, dacht hij.

Westlow sprong opzij en gebruikte zijn linkerhand om op het huisje te springen waar hij net drie gaten in had geschoten, eroverheen te rollen, plat te gaan liggen en over de rand te turen, heen en weer.

Nog meer niets.

Westlow sprong van het huisje, maakte heel veel kabaal en rende met de Beretta gericht op de twee turbine-ventilators. Niets. Hij schoot in allebei een kogel door het midden.

Nog meer niets.

Die klootzak heeft stalen zenuwen of hij is hier gewoon niet, dacht Westlow. Hij kroop laag naar de rand van het huisje. Hij wist dat hij de grote ventilators moest uitkammen als eenmansgaten op Iwo Jima voor hij verder kon. Westlow concentreerde zich op de schaduwen in het maanlicht terwijl hij om de eerste heen liep, op zoek naar alle onduidelijke vormen die aangaven dat iemand hem lag op te wachten.

Er schoot een gedachte door Westlows hoofd. Wanneer je achtervolgd wordt moet je doen wat je tegenstander niet verwacht. Hij dacht aan zijn ontsnappingsroute indertijd uit Dennis Swanns appartement in het noorden van Richmond, via het dak. Als iemand heel veel kracht in zijn armen heeft en schoenen met rubberen zolen draagt, zou het niet veel meer moeite kosten dan touwklimmen bij gymnastiek. Hij kon over de rand van Hartzells toren hangen, zich richten op alles en iedereen behalve het uitzicht omlaag, even wachten tot het gevaar was geweken, dan weer kalm over de rand klimmen en van opzij aanvallen; van prooi naar roofdier in een oogwenk.

O shit!

Westlow draaide zich om. Iets dat klonk als klapwiekende ravenvleugels stortte zich op hem. De lange man kwam rechts invliegen terwijl Westlow zijn Beretta richtte, en een scheermesje haalde uit naar Westlows onderarm en sneed er diep in. Het negen-millimeterwapen viel op het dak. Westlow haalde met zijn linkervuist naar hem uit, bracht de lange man uit zijn evenwicht, wat Westlow wat tijd gaf terwijl de schaduwachtige gestalte zich klaarmaakte voor de dodelijke klap. Westlow steunde weer op zijn linkerzij en gaf een zijwaartse trap tegen de knieschijf van de lange man, in de hoop die gluiperd mank te maken. De trap miste zijn knie maar de hiel van Westlows cowboylaars raakte het kuitbeen van de lange man hard genoeg om hem pijn te doen en voor even in de verdediging te dringen.

Westlow wist dat hij ernstig verwond was, het bloed vloeide rijkelijk over zijn rechterarm, en hij wist dat hij niet veel tijd had. Hij kon zich niet voorstellen dat de lange man zich op dat dak zou houden aan de regels van de Marquess of Queensberry, hem de tijd zou geven om een tourniquet te maken, voor ze verder gingen. In een messengevecht moest je dichtbij zien te komen, het moeilijk maken voor de tegenstander om te manoeuvreren, dus Westlow viel aan als Mohammed Ali, en teisterde de lucht met snelle uppercuts. De lange man maakte schijnbewegingen en draaide weg, op een of andere manier wist hij steeds van tevoren wat voor stoot Westlow ging geven. Westlow stapte achteruit, hijgend, en de lange man schoot naar voren. Westlows rechterbeen kwam omhoog om hem te blokkeren en het mes van de lange man flitste weer, sneed door spijkerbroek en huid en spier en raakte Westlows kuitbeen.

Westlow sprong terug naar de hoek van het gebouw, zijn vuisten voor zich uit, een stoere blik verborg het feit dat zijn rib was gebroken, dat zijn onderarm gutste van het bloed en dat zijn rechterbeen voelde alsof het door een pitbull was afgeknaagd. Westlow staarde de moordenaar in het gezicht; de lange man zag er pezig uit en scherp geconcentreerde kraaloogjes straalden met een felheid die sommige atleten aan de top van hun sport vertonen, een neus als een ijshaak, strakke, tot een smalende lach verwrongen lippen. De lange man was een dodelijke Ichabod Crane, en hij zou Westlow als een kerstkalkoen aan stukken snijden en ervan genieten. De lange man speelde matador en Westlow was de stier – en hij wist dat Westlow dat wist.

De lange man kent mijn bokstechnieken en trappen, vermoedde Westlow. Het zou je reinste zelfmoord zijn om hem aan te vallen met dezelfde schamele trukendoos. Westlow dacht dat hij sterven nog wel kon verdragen, maar wat hij niet zou kunnen uitstaan was verliezen van deze sinistere schoft. Tijd om een tandje bij te schakelen en van tactiek te veranderen. Westlow danste tegen de klok in om de moordenaar heen door het strijdperk alsof hij tijd wilde rekken, en maakte omtrekkende bewegingen die de lange man tot spil maakten, zijn rug nu naar de hoek van het gebouwtje. Fiorella's huurling hield het scheermes voor zich uit op schouderhoogte en nam een afwachtende houding aan. Hij genoot van Westlows uitzichtloze situatie, hij wist dat zijn tegenstander met de seconde zwakker werd.

Westlow keek naar de grond alsof hij de gevallen Beretta zocht, terwijl hij maar al te goed wist dat hij allang dood zou zijn voor hij de trekker kon overhalen, maar hij wilde de lange man afleiden, hem op het verkeerde been zetten en bezighouden terwijl hij andere scenario's overwoog. Laat hem zich voorbereiden op het voor de hand liggende, en val hem dan uit onverwachte hoek aan.

Westlow keek even achterom, om de lange man te laten denken dat hij wilde vluchten, hoe dodelijk een vlucht te voet ook zou zijn. Westlow maakte een schijnbeweging naar links en stormde toen op de lange man af en deelde een rechtse hoek uit. Zodra Westlow bij hem was dook hij omlaag en ging van boksen over op worstelen. Westlow omvatte met beide armen de rechterknie van de lange man en stootte omhoog als een gelanceerde raket.

De lange man haalde uit naar de lege lucht waar zo-even zijn tegenstander was geweest. Hij besefte een seconde te laat welke manoeuvre die man in het strakke witte shirt had gemaakt, wist dat hijzelf een dodelijke vergissing had gemaakt en bracht zijn scheermes omlaag terwijl hij overeind kwam. Het scheermes haalde uit naar de nek van zijn tegenstander en sneed diep in diens schouderblad, waarna de lange man reddeloos achterwaarts tolde en over de rand van de hoogbouw tuimelde in het luchtledige, de middernachtelijke lucht in.

Westlow zakte op de grond, zwaar hijgend.

Ik denk dat ik hier maar even blijf zitten. Westlows gedachten ebden traag weg. Even een korte pauze. Hij greep naar zijn nek en vond bloed. Hij voelde zich als een visfilet. Maar een paar duizend hechtinkjes en een liter O-negatief zouden hem er weer bovenop helpen. Gewoon even uitrusten en dan met de JetRanger verdwijnen naar onbekende contreien.

Alleen nog even uitrusten.

'Wat denk je, Marly?' Westlow wist niet of hij het hardop had gezegd of het zich alleen had verbeeld. Een dichte mist omhulde zijn gedachten. 'Agent Cady kan het nu overnemen, hè?'

Het was tijd om te gaan slapen, maar door de nevelen en schaduwen zwevend, voelde Westlow een vertrouwde aanwezigheid. Zo snel als dat gevoel was opgekomen, was het alweer verdwenen. Westlow bleef achter met het vreemde voorgevoel dat agent Cady echt in groot gevaar verkeerde.

'Nee, dat denk ik ook niet.'

Op een of andere manier wist Westlow zich overeind te werken.

47

Cady's rechteroog was opgezwollen en zat dicht. Een knoarts zou moeten bepalen met wat voor gehoorbeschadiging hij voortaan zou moeten leren leven. Nu klonk het alsof hij in een stofzuiger stond. Het ergste was nog wel dat zijn rechterhand eruitzag als iets waar de kat mee had zitten spelen. Cady kon het niet verdragen naar die verminkte massa te kijken en gooide een pand van zijn jasje eroverheen terwijl hij de Hartzells terugbracht naar het landingsplatform.

Cady greep de Glock met zijn goede hand. Hij had zichzelf tegen vader en dochter Hartzell als FBI-agent bekendgemaakt, en had Lucy toen zijn laatste boeien toegeworpen. 'Ik voel me niet zo veilig op het dak van dit gebouw,' had Cady tegen het tweetal gezegd met misschien wel het understatement van het decennium. 'Je moet deze boeien bij je vader omdoen of ik zal iets anders moeten doen om me weer veilig te voelen.'

Die toespeling op 'iets anders' – misschien wel een onvoorbereid knieschot – zorgde dat de jongedame er haast mee maakte.

Ciolino was precies zo achtergebleven als Cady hem een paar minuten tevoren had achtergelaten, vastgebonden aan de andere kant van de helikopter. De maffiabaas had St. Nick nog nooit eerder horen schreeuwen en zijn mond zakte open toen het tot hem doordrong dat het zijn vriend was die dat afschuwelijke gegil veroorzaakte, dat het zijn vriend was die zich niet meer bij hen zou voegen, die avond of welke avond dan ook.

Jake Westlow was nergens te bekennen. Die lange man in het zwart ook niet. Cady overwoog zijn mobieltje te pakken om agent Preston te bellen, maar met maar één hand waagde hij het niet zijn negen-millimeterwapen neer te leggen, voor het geval dat de lange man weer opdook uit de schaduwen. Hij bleef in de buurt van de JetRanger, liep weer terug naar de ravage in de cockpit en zocht continu het duister aan beide kanten van de trap af, zijn hoofd brekend over wanneer agent Preston en het FBI-team nou eindelijk hun weg zouden vinden naar het dak. Cady wilde de Hartzells niet voor hem uit laten lopen op de trap. Als die lange man was teruggekeerd, zou dat de perfecte plek zijn voor een hinderlaag uit een verborgen hoek, of hij kon ze zelfs vanaf het tussenstuk onderscheppen waar de laatste trap omhoogliep.

Hij hoopte dat hij nog steeds herkenbaar zou zijn, aangezien het heel zonde zou zijn om door *friendly fire* te sneuvelen na alles wat hij die avond had doorgemaakt. Liz Preston was bepaald niet blij met hem geweest – weer een joekel van een understatement. Hij had haar in twee korte telefoongesprekken beladen met een loodzware last; agent Preston werd ermee opgezadeld een team agenten te ronselen en verslag uit te brengen bij de adjunct-directeur, evenals het te coördineren met de New Yorkse politie.

'Je ziet er niet best uit, agent Cady,' zei Drake Hartzell. Hij en Lucy stonden samen een paar meter van Cady vandaan, naast de staart van de helikopter. Een zekere fobische angst hing zwaar in de lucht terwijl ze genoeg afstand bewaarden van de man die Ciolino heette. 'Zijn de ziekenbroeders onderweg?'

Cady keek hem even aan, hief toen zijn Glock naar de gestalte die in de deuropening van de dakingang stond.

'Agent Schommer,' zei Cady. Opgelucht haalde hij adem en liet zijn wapen zakken.

Inspecteur Schommer beantwoordde zijn groet echter niet net zo vriendelijk terwijl ze de nachtlucht in stapte, haar wapen bleef op Cady's borstkas gericht – tot het hem opeens duidelijk werd. Hun eerste gesprek schoot hem door het hoofd.

Hup, Chicago Bears.

Die komen nergens met die quarterback.

'Dus jij bent Fiorella's infiltrant.'

'Laat je wapen zakken, agent Cady,' beval Schommer. 'Dwing me niet je te doden.'

Cady liet de Glock vallen. Hij zag dat wat Schommer in haar hand hield beslist geen dienstwapen was.

Het leek een soort *Saturday night special*, een wegwerp-pistooltje als een Jennings J-22 of een Raven 25. Iets ongemarkeerds om weg te gooien.

Cady schudde zijn hoofd. 'Waarom?'

'De wortels en de stokken in deze krankzinnige wereld.' Schommer nam de Hartzells in zich op en keek toen achter Cady langs naar Ciolino, die zich aan de andere kant van de helikopter klein maakte en zijn nek zo ver mogelijk naar hen toe probeerde te draaien zonder hem te breken.

'De FBI kan hier ieder ogenblik arriveren.'

'Loop niet zo te kutten, Beth!' riep Ciolino over zijn schouder. 'Knal die klootzak zijn kop eraf en help me uit deze verdomde dwangbuis!'

'De stewardess werkt voor Moretti,' zei Cady; zijn ogen bleven op Schommer gericht.

'Is Moretti hierbij betrokken?'

'Je lult uit je nek!' schreeuwde Ciolino terug. 'Schiet die zak neer, nu meteen!'

'Als die stewardess jouw reisje plant, hoef je geen geld te verspillen aan een retourticket.'

Alsof hij met een knopje was uitgezet zakte Ciolino zonder nog iets te zeggen in elkaar. De man die de Hartzells als de coördinator kenden hield op met zijn geschreeuw dat Cady onmiddellijk moest worden gedood, zijn hoofd zakte naar voren, de kin op zijn borst, hij ging op tussen zijn eigen spoken. Cady had het zich niet beter kunnen wensen.

'Moretti volgt ze al sinds ze in New York zijn aangekomen.'

'Dat is niet zo mooi.' Agent Schommer was blijkbaar ook een kei in understatements.

'Het wordt nog erger. We zijn getipt over een lek. Jund heeft zich de afgelopen week niet in de kaarten laten kijken. We weten van Fiorella en Hartzell.'

Op dat moment kon Cady zijn ogen niet geloven, of tenminste zijn ene oog dat niet dichtzat. Westlow, in de schaduwen gehuld alsof hij in zwarte inkt was gedompeld, kwam achter het trappenhuis vandaan, maar een paar meter achter agent Schommer. Als Westlow eruitzag alsof hij net uit de hel was teruggekeerd, moest dat betekenen dat de lange man uit het spel was. Cady was op dat moment dankbaar dat zijn gezicht eruitzag als een gebruikte piñata. Het hielp hem niets te verraden aan Schommer. En hij bad dat de blikken van de Hartzells zijn voorbeeld zouden volgen.

'Omdraaien en lopen,' vervolgde Cady, proberend de aandacht alleen op zichzelf gevestigd te houden terwijl Westlow dichterbij kroop. 'Toon je badge bij het verlaten van het gebouw en blijf lopen.'

Westlow was nog maar vier meter van de agent uit Chicago vandaan. Nu drie.

'Je gaat vast bellen.'

'Pak mijn mobiel.' Cady wees naar zijn borstzakje. 'Pak al onze mobieltjes en versper de deur. Daarmee krijg je een geweldige voorsprong.'

Toen las Cady, al zijn leven lang een observator van menselijk gedrag, agent Beth Schommers blik. Haar ogen zeiden alleen: *doden zeggen niets.* Vier schoten met het ontraceerbare pistool. Nog wat in het achterhoofd om af te rekenen met eventuele medische wondergevallen, afvegen en dan snel onder de stoel in de helikopter smijten of over de rand van het gebouw, waarna ze weer omlaag zou glippen naar de bewakersbalie op de eerste verdieping met een of ander lulverhaal voor agent Preston. Tegen de tijd dat Liz of Jund lont zou ruiken, zou het te laat zijn om haar op kruitsporen te controleren en tegen die tijd zou ze omringd zijn door advocaten.

Westlow zat nu twee meter achter haar en kwam steeds dichterbij.

'Doe het niet, Beth,' wierp Cady tussenbeide, tijd rekkend. 'Als je naar Fiorella rent, heb je de levensverwachting van een mug.'

Westlow, met een vastberaden uitdrukking op zijn gezicht, moest dezelfde conclusie hebben getrokken als Cady: dat Schommer zich opmaakte voor hun eliminatie. Hij zette zijn laars hard neer op het dak om haar af te leiden. Schommer draaide zich tegelijk om met Westlows uithaal, een furieuze linkerhoek naar haar kaak. Het ontraceerbare pistool ging af terwijl Westlows slag haar trof, midden in haar gezicht, en ze allebei achteruitvlogen en omlaagkwamen als bowlingkegels.

Cady schopte naar de Jennings J-22 en zond die het trappenhuis in. Anders dan de kale griezel had Schommer een zwakke kaak. Ze was hard neergekomen, een klap in haar gezicht en toen nog een tegen haar achterhoofd toen ze het asfalt op het dak raakte.

'Als ze beweegt,' schreeuwde Cady naar Hartzell terwijl hij naar Westlow rende, 'moet je haar tegen haar achterhoofd schoppen.'

'Wat?'

'Als ze bijkomt zal ze je dochter mollen.'

Meer hoefde hij niet te zeggen, terwijl Hartzell zich al naar de gevallen agent haastte en boven haar ging staan.

Cady knielde neer bij Westlow.

'Voor de goede orde... je hebt me.'

'Probeer niet te praten, Jake.'

De kogel was onder in Westlows ribbenkast binnengedrongen en had schade aangericht. Cady drukte op de wond met zijn goede hand en probeerde te ontdekken hoe diep de andere wonden van Westlow waren. Hij was lelijk toegetakeld. Cady was verbijsterd dat die vent nog in staat was geweest terug te keren.

'Waar is...' kuchte Westlow. 'Waar is...'

Cady las zijn gedachten, wist dat hij doelde op het gevaar dat ze St. Nick noemden. Hij draaide zijn hoofd in de richting van de Hartzells. 'Zij hebben hem van het gebouw gegooid.'

Westlow hijgde onder het praten door.

'Weersvoorspelling... zei niets over... kogelregen.'

'Spaar je adem, Jake.' Cady bleef op de wond drukken, zijn hand zat nu onder het bloed van Westlow. Westlows blik werd wazig en Cady wist dat hij wegzakte. Hij legde zijn kreupele hand op Westlows schouder.

'Marly!' Westlow richtte zijn hoofd op en staarde voor zich uit.

Cady schrok en draaide zich snel om om te zien wat Westlow zag. Niets dan het duister boven hen.

'Ze is hier, Jake,' zei Cady. 'Marly is hier.'

Westlows hoofd zonk langzaam terug op de grond.

'Marly,' fluisterde hij.

Toen stierf hij.

Epiloog

'De forensisch onderzoekers analyseren op dit moment...'

Cady stopte midden in zijn zin toen hij Terri Ingram in de deuropening van zijn kamer zag staan in het St.-Vincent-hospitaal. De twee agenten aan de bezoekerstafel, briljante breinen als ze waren, mompelden wat onnozelheden over ontbijten terwijl ze hun laptop dichtklapten, en vertrokken toen om het stel wat privacy te gunnen.

Terri rekte zich uit en gaf een geslaagde imitatie van agent Drew Cady. 'Alleen maar wat schrammetjes, Terri. De doktoren zijn er druk mee bezig. Je hoeft hier echt niet heen te komen, Jund en de advocaten laten me pas over een week weer met rust.'

'Ik wilde niet dat je me zo zou zien, Terri.'

De zwelling was behoorlijk geslonken maar om zijn rechteroog zat nog steeds een palet van geel, blauw en diepzwart. Zijn rechterarm stak omhoog, gevangen in een mitella. Cady werd voorbereid voor een derde operatie in evenzoveel dagen.

Terri liep door de kamer, hield zijn vrije hand met beide handen vast, boog naar hem toe en kuste hem vol op zijn mond. 'Roland zei dat jij weer zo ongenaakbaar aan het doen was en heeft me over laten komen.'

'Het verbaast me dat je hem te pakken kon krijgen tussen al die tv-interviews door.'

'Hij heeft me teruggebeld.' Terri schoof Cady opzij zodat ze naast hem kon zitten op het ziekenhuisbed. 'Hij vertelde me hoe je er echt aan toe was.'

'Ik wilde niet dat je je zorgen zou maken.'

'Dus mijn speurneus dacht in Cohasset op te kunnen duiken als het monster van Frankenstein en dat dit dorpsmeisje dan niets zou merken?'

Cady opende zijn mond maar besloot het niet erger te maken en deed hem weer dicht.

'Ik zag je collega's Fiorella nog in zijn pyjama uit zijn huis sleuren. Ze laten die beelden de hele dag op CNN zien.'

'Ik denk dat een zekere adjunct-directeur ervoor heeft gezorgd dat de pers erbij zou zijn.'

'Ik denk dat een zekere adjunct-directeur met mij om jou gaat vechten.'

'Ik zet alles in op het dorpsmeisje.'

'Goed geantwoord,' zei Terri. 'Nog nieuws, speurneus?'

'De accountants gaan in getuigenbescherming. Schommer probeert het op een akkoordje te gooien, maar misschien zit dat er voor haar niet in.'

'Ik hoorde dat ze die arme jongen weer terug uit Guatemala hebben gehaald.'

'Ze hebben dat joch gebruikt om een New Yorkse vice-procureur-generaal, een of andere sukkel die Stouder heet, te chanteren om Fiorella dagelijks op de hoogte te houden. Stouder praat. Drake Hartzell praat. De enige die niet praat is Rudy Ciolino, Hartzells coördinator. Hij heeft nog geen woord gezegd sinds we ons babbeltje op dat dak hadden.'

'Zijn tong verloren?'

'Wel meer dan zijn tong.'

'En die dochter? Is die hierbij betrokken op een of andere manier?'

'Hartzell zegt van niet. Beweert dat Lucy nooit heeft geweten wat hij met investeringsgelden uitspookte en dat ze er alleen bij betrokken is geraakt als Fiorella's middel om Hartzell te dwingen mee te spelen.'

'Geloof je hem?'

Cady dacht nog even na. 'Lucy is nog maar twintig. Als ze betrokken was bij Hartzells bedrog, is dat pas recent gebeurd. Maar Jund zal haar in de gaten houden en kijken of ze hem naar een verborgen schat leidt.'

Ze zaten een paar minuten hand in hand samen.

'Mag ik met je mee om Dorsey op te zoeken?'
'Lijkt me leuk.'
'Wat ga je haar vertellen?'
'Alles.'
Ze bleven nog een paar minuten zitten.
'Ik denk dat je heel wat rust en ontspanning kunt gebruiken, speurneus. En ik ken toevallig de perfecte plek om te relaxen en je hengeltje uit te werpen.'
Cady keek naar zijn omhooggehouden hand. 'Ik zal mijn hengeltje nog een hele tijd niet uit kunnen werpen.'
'Nou, als dat zo is, weet ik wel iets anders wat we kunnen doen.'
Cady glimlachte. 'Goeie.'

Lees ook van Karakter Uitgevers B.V.

DOMINGO VILLAR

Het strand van de verdronkenen

'Dat Villar met dit debuut diverse nominaties en prijzen in de wacht sleepte, hoeft niemand te verbazen.'
– ***** in de *VN Detective en Thrillergids*

Op een mistige herfstochtend spoelt in de haven van een klein vissersdorpje in het noordwesten van Spanje het lijk van een visser aan. Inspecteur Leo Caldas van het hoofdkwartier in het nabijgelegen Vigo wordt gevraagd om wat een duidelijk geval van zelfmoord lijkt te onderzoeken. Al gauw komen er echter details aan het licht die van de routineklus een complex moordonderzoek maken.

Zonder getuigen en zonder dat er maar een spoor is van de roeiboot van het slachtoffer, probeert de laconieke Caldas de waarheid boven water te halen. Dat blijkt geen gemakkelijke opgave als de dorpsbewoners zo wantrouwend tegenover buitenstaanders staan en er al helemaal niet happig op zijn om hun verdenkingen uit te spreken.

Als Caldas op zijn eigen nuchtere wijze door die weerbarstige houding heen weet te breken en hij zich in het maritieme leven van het dorp begeeft, ontdekt hij een verontrustende, decennia oude zaak van een schipbreuk en twee mysterieuze verdwijningen.

ISBN 978 90 6112 586 0

Ook verkrijgbaar als e-book
ISBN 978 90 452 0321 8